*Educação para uma
Vida Criativa*

TSUNESSABURO MAKIGUTI

Educação para uma Vida Criativa

Tradução de
ELIANE CARPENTER FRAGA LOURENÇO

5ª EDIÇÃO

EDITORA RECORD
RIO DE JANEIRO • SÃO PAULO
2002

CIP-Brasil. Catalogação-na-fonte
Sindicato Nacional dos Editores de Livros, RJ.

M195e
5ª ed.

Makiguti, Tsunessaburo, 1871-1944
  Educação para uma vida criativa: idéias e propostas de Tsunessaburo Makiguti; tradução de Eliane Carpenter. – 5ª ed. – Rio de Janeiro: Record, 2002.

  Tradução de: Education for creative living: ideas and proposals of Tsunessaburo Makiguti

  1. Makiguti Tsunessaburo, 1871-1944. 2. Educação – Filosofia. I. Título.

94-0182   CDD – 370.1

Título original norte-americano:
EDUCATION FOR CREATIVE LIVING: IDEAS
AND PROPOSALS OF TSUNESSABURO MAKIGUTI

Dayle M. Bethel é professor de educação e antropologia no International University Learning em Osaka, Japão.
Copyright © 1989 by Soka Gakkai. Todos os direitos reservados.
Publicado mediante acordo com Iowa State University Press.

Direitos exclusivos de publicação em língua portuguesa para o mundo inteiro adquiridos pela
DISTRIBUIDORA RECORD DE SERVIÇOS DE IMPRENSA S.A.
Rua Argentina 171 –Rio de Janeiro, RJ – 20921-380 – Tel.: 2585-2000
que se reserva a propriedade literária desta tradução

Impresso no Brasil

ISBN 85-01-03768-0

PEDIDOS PELO REEMBOLSO POSTAL
Caixa Postal 23,052
Rio de Janeiro, RJ – 20922-970

EDITORA AFILIADA

Sumário

Agradecimentos 9
Prefácio à Edição Original Japonesa 11
Prefácio: *Significado Histórico e Contemporâneo* 15

Introdução 21

Temas Básicos na Obra de Makiguti 22
O Processo Editorial 30
Crítica e Avaliação 32

1. *Reflexões sobre o Objetivo na Educação* 35

A Formulação do Objetivo na Educação 36
A Felicidade como o Objetivo da Educação 40
O Objetivo da Educação e a Sociedade 45
Formas de Viver do Homem 50
O Objetivo da Educação e a Criatividade 67
A Evolução do Objetivo na Educação 68

2. *Os Fundamentos do Valor* 71

Valor e Educação 72
Cognição e Avaliação 73

Cognição	85
Valor	89
As Variedades de Valor	93
A Relação entre Ciência, Religião, Criação de Valores e Educação	102
Integração da Personalidade e Criação de Valores	105

3. A Revitalização da Educação   111

Um Novo Direcionamento para a Política Educacional	111
A Organização dos Sistemas Educacionais	120
O Professor Como Técnico Educacional	122
Um Sistema de Avaliação para Diretores de Escola Primária	129
Propostas de Reforma nas Condições do Emprego de Professor	134
Propostas de Reforma na Formação de Professores	136
Proposta para um Centro de Pesquisa Educacional ao Nível Nacional	145
Propostas de Reforma na Administração Educacional	150
Propostas de Reforma no Sistema de Ensino	162
O Sistema Escolar de Meio Período	174

4. Metodologia Educacional   183

As Principais Questões Subjacentes à Metodologia da Educação	183
Estudos sobre a Metodologia do Ensino	190

5. *Matérias de Ensino* 207

    A Seleção das Matérias de Ensino 207
    A Estruturação do Currículo 210

Posfácio: *Uma Apreciação Filosófica* 223
Notas 237
Índice Remissivo 247

Agradecimentos

É para mim motivo de grande prazer a apresentação aos leitores do mundo inteiro das teorias de Tsunessaburo Makiguti, fundador da Soka Gakkai, organização leiga do Budismo de Nitiren Daishonin, e sei que muitos compartilham de meus sentimentos. Como o Prof. Dayle M. Bethel enfatiza na Introdução, vivemos atualmente uma crise educacional generalizada. A criação de um tipo de ordem humanística mundial, capaz de assegurar uma paz duradoura e permitir a cada indivíduo uma vida o mais significativa possível requer, de início, a realização de reformas básicas no sistema educacional. Espero que este livro, que introduz aos nossos leitores os escritos de Makiguti sobre educação, ajude a esclarecer os problemas vivenciados pelos profissionais da área e os auxilie na estruturação de sistemas educacionais e procedimentos eficazes para o futuro.

Foi uma felicidade o Dr. Bethel aceitar o encargo de supervisionar e editar a tradução desta obra para a língua inglesa, já que foi o responsável pela introdução dos conceitos gerais de Makiguti aos leitores ingleses, através do livro *Makiguchi The Value Creator* (Tokyo: Weatherhill, 1973). Desde a publicação deste importante trabalho, há alguns anos, o Dr. Bethel vem mantendo grande interesse pelas idéias e atividades na educação de Makiguti, e despendeu muito tempo e esforço no preparo deste volume, pelo que expresso meu sincero reconhecimento.

Agradeço também a Alfred Birnbaum, que se encarregou da difícil tarefa de traduzir os escritos de Makiguti para o inglês cumprindo-a com tanto êxito, e ao mesmo tempo prestando inestimável assistência ao processo editorial. Finalmente, gostaria de expressar minha profunda gratidão ao Dr. David L. Norton, professor de Filosofia da Universidade de Delaware, pelo Posfácio que se segue à tradução, onde avalia, de uma perspectiva filosófica, as implicações inerentes a conceitos relativos à reforma educacional apresentada por Makiguti. A apreciação do Dr. Norton constitui um testemunho adicional da acuidade da percepção de Makiguti e da qualidade de seus pensamentos.

DAISAKU IKEDA
Presidente da Soka Gakkai Internacional

Prefácio À EDIÇÃO ORIGINAL JAPONESA

Nesta obra, o leitor é convidado a refletir sobre meus escritos relativos ao renascimento de uma nova ciência empírica da educação, íntima e integralmente relacionada às realidades da aprendizagem. Uma educação criadora de valores teria como objetivo o atendimento das seguintes condições essenciais:

1) Modernização, organização e simplificação da educação, visando a uma maior economia e eficiência. Estou convencido de que, se as reformas fossem efetuadas nos níveis da política e da técnica, os gastos atuais com hora-aula, hora de estudo, custos monetários, tempo etc. poderiam ser reduzidos à metade.

2) O abandono de métodos de ensino irracionais, sem conhecimento do resultado a ser obtido, em favor de uma educação inteligente, planejada, sistemática e aculturada, que facilite a instituição e a administração da

Prefácio de Tsunessaburo Makiguti ao livro original, *Soka Kyoikugaku Taikei* (foto acima), publicado em 1930.

educação, acompanhada da aprendizagem coordenada, harmonizada com a ação, como um modelo de desenvolvimento das capacidades de criação do valor.

3) Melhor tratamento e seleção dos profissionais da educação, a fim de recrutar educadores com as qualidades necessárias à execução dessas mudanças. Por isto, propus a instituição de um sistema de avaliação para diretores de escolas primárias, bem como reformas educacionais básicas na escola normal.

4) A libertação do sistema educacional e dos métodos de ensino da influência de pedagogos desvinculados da realidade, de modo a tornar a educação produtiva e criativa, isto é, em consonância com atividades de trabalho da vida real. Neste sentido, busquei um equilíbrio especial de treinamento mental e físico, sob a orientação de profissionais da sociedade em geral, em um sistema escolar de meio período.

5) A administração das escolas como sociedades participativas em miniatura, em conformidade com as perspectivas sociológicas da sociedade maior e como fonte de educação moral.

 O que se segue é o conjunto de inúmeras lembranças, considerações e reflexões acumuladas no decurso de minhas funções diárias. Enquanto alguns colegas de profissão, mais mercenários, passavam os momentos livres meditando sobre preocupações financeiras, ocupei-me buscando idéias em minha própria experiência e anotando-as. Percebo agora, após 30 anos como educador, que colecionei uma montanha de papeizinhos, alguns, devo admitir, pouco inspiradores, outros dos quais não poderia me desfazer. A percepção de que mais cedo ou mais tarde teria que organizar essa grande quantidade de anotações sempre me afligia. Ao mesmo tempo, não tinha meios de fazê-lo, por estar muito ocupado nos empregos público e particular. Levaria um tempo considerável para organizá-los e, mais ainda, para selecionar, eliminar, unir e estruturar as idéias. Por mais de 20 anos deixei de lado, com tristeza, essa pilha de papéis.

 Portanto, ainda que seja culpado por introduzir "minério bruto" no mercado, creio ser maior a obrigação do estudioso de entrar em contato com os canais adequados para tornar suas idéias públicas.

 De fato, muitas vezes revi as anotações e meditei, tantas que os pensamentos se estruturaram em minha mente como um sistema desenvolvido de teoria pedagógica. Acredito na validade das idéias que, não fosse a severidade do ambiente, já teriam produzido frutos. No contexto da época, entretanto, foram protegidas da luta sem esmorecer, mas talvez seja muito esperar que outros aceitem isto como desculpa. De qualquer modo, não podia dispensar o resultado de várias décadas de experiência que, em potencial, pertencia a toda sociedade. Pode-se chamar a isto minha consciência acadêmica, mas fui impulsionado pela mesma urgência que me levou a escrever meu primeiro livro, *Geografia da Vida Humana*. Se a sociedade aproveitará ou não as minhas idéias é outro problema, com relação ao qual há muita margem para discussão. Quando penso nesses assuntos, devo admitir que talvez não chegue a presenciar os resultados desta linha de pensamento. Mesmo assim, crescia cada vez mais o ímpeto de fazer alguma coisa sobre o estado deplorável da educação no país e, quanto mais cedo, melhor. A idéia de que desse esforço poderia surgir a oportunidade de salvar nossos milhões de estudantes das dificuldades dos exames de admissão, o "terror do exame", do desemprego e de outras neuroses contemporâneas, fez disso meu centro de atenção. Posso apenas almejar que meus mais de 30 anos de dificuldades não tenham sido em vão.

Com este objetivo, muitos de meus colegas foram extremamente gentis e apoiaram meus esforços, consolando-me e encorajando-me, auxiliando na revisão do material e, de modo geral, ajudando a levar o projeto até onde chegou. Dentre eles, destaca-se o amigo íntimo de muitos anos, Jossei Toda. Toda assegurou um pouco dos fundos e esmerou-se em me convencer da importância de levar o projeto a cabo. Agora praticamente invertemos nossos papéis, pois sou eu quem freqüentemente o está estimulando. Toda tem sido uma luz singular na luta pelo desenvolvimento de uma pedagogia criadora de valores. Além dele, muitas outras pessoas de renome e competência concederam simpatia e apoio acima das expectativas. Gostaria de ver o movimento em direção à reforma educacional continuar indefinidamente com companheiros tão capazes.

Agora submeto esses escritos ao exame e à crítica de uma geração mais jovem de educadores, pedindo apenas que os recebam com seriedade e atenção. A educação é um fenômeno extremamente complexo na sociedade moderna, e os problemas não se resolverão de maneira fácil ou rápida. Se eles tiverem raízes profundas, será difícil encontrar soluções eficazes, portanto, não devemos tirar conclusões precipitadas. Mas, se por acaso, algo em minhas propostas soar verdadeiro, só posso almejar que contribua para a melhoria da educação, concorrendo para diminuir um grande problema nacional.

Enfrentaremos muitas questões prementes em nossos esforços para reformar a educação. É minha esperança que a Soka Kyoiku Gakkai tenha papel fundamental em tudo isso. Portanto, é a vocês, meus doutos amigos e superiores, que ofereço meu mais profundo agradecimento na ocasião da publicação deste livro.

Outubro 1930

Prefácio

SIGNIFICADO HISTÓRICO E CONTEMPORÂNEO

                Poucos americanos ouviram falar de Tsunessaburo Makiguti. Nascido na pobreza em 1871, em uma pequena cidade do noroeste do Japão, antes de completar três anos foi abandonado primeiro pelo pai e depois pela mãe, que mais tarde tentou suicídio atirando-se no mar do Japão com Makiguti nos braços. Foi criado por um tio, Zendayu Makiguti, cujo sobrenome adotou, e aos 14 ou 15 anos mudou-se para Otaru, onde viveu com outro tio. Muito pobre para freqüentar o curso secundário em Otaru, aceitou

                FOTO: Makiguti como diretor na Escola Primária Shirogane, de Tóquio, no início da década de 20. Para o estudo definitivo da vida de Makiguti, ver Dayle M. Bethel, *Makiguti, O Criador de Valores: Educador Japonês Revolucionário e Fundador da Soka Gakkai* (Nova York, John Weatherhill, Inc.. 1973)

um emprego no departamento de polícia local, ao mesmo tempo que estudava para um teste do governo que o qualificaria para se submeter a um exame para faculdade. O chefe de polícia ficou tão impressionado com Makiguti e o trabalho que desenvolvia no setor que o levou consigo quando se transferiu para Sapporo. Dois anos mais tarde, em 1891, Makiguti ingressou na escola normal como aluno do terceiro ano. Graduou-se dois anos depois e aceitou um cargo de professor-inspetor na escola primária vinculada à escola normal. Como normalista, estava sujeito a uma rígida disciplina, cuja finalidade era formar professores obedientes e, posteriormente, como professor da escola primária, tinha que ser um modelo de disciplina. Em 1901, devido a uma aparente falha disciplinar, foi forçado a renunciar ao cargo.

Com a família cada vez maior, Makiguti passou por sérias dificuldades financeiras nos anos que se seguiram, porém, os ganhos intelectuais foram significativos, resultando na publicação de seu primeiro livro, *Jinsei Chirigaku* (*Geografia da Vida Humana*). Tendo ocupado cargos públicos, inclusive no Ministério da Educação, assumiu, em 1913, a direção da Escola Primária Tossei e, nos 20 anos subseqüentes, trabalhou como diretor e/ou professor primário em escolas de Tóquio. *Educação para uma Vida Criativa* teve sua origem nas anotações feitas ao acaso e acumuladas ao longo desse período, as quais refletem seu pensamento sobre o trabalho que realizou e a experiência nele adquirida.

Makiguti começou sua carreira em uma época de grande polêmica; primeiro, quanto ao destino do novo Japão e, segundo, quanto ao papel social e a finalidade da educação. De um lado, os tradicionalistas e os confucionistas defendiam lealdade e obediência como as principais virtudes a serem desenvolvidas. De acordo com o treinamento da escola normal freqüentada por Makiguti, a educação devia formar bons "súditos". Do outro lado, seus opositores afirmavam que a escola serviria melhor ao futuro educando cidadãos de mente livre. Para grande desapontamento de Makiguti, os tradicionalistas, sendo os maiores defensores do nacionalismo e militarismo crescentes, trunfaram e dominaram o discurso educacional até o fim da Segunda Guerra Mundial.

A vida e o trabalho de Makiguti opõem-se aos tradicionalistas quanto à educação e à religião: "A construção do novo requer primeiro alguma destruição." Considerado um intruso no meio educacional porque, dentre outras razões, não possuía credenciais acadêmicas respeitáveis, sempre foi contra o privilégio, e no fim, procurou abolir o sistema universitário e reestruturar todo o sistema escolar. Além disso, foi crítico declarado dos professores e da burocracia educacional, liderada pelo Ministério da Educação, de cuja política discordava publicamente com freqüência. Não é de se estranhar que Makiguti tenha feito tão poucos aliados e tantos inimigos poderosos. Em seus últimos anos, talvez por causa de um crescente desencanto com a educação, voltou-se para a religião, como uma esfera na qual continuava a perseguir seu programa de reformas. Neste meio, também, em particular após sua conversão, em 1928, ao Budismo de Nitiren Daishonin, foi cercado de controvérsias. Devido à sua oposição intransigente à religião xintoísta do Estado, em 1944, foi detido e aprisionado em Sugamo, onde, após 17 meses de confinamento, morreu de desnutrição aos 73 anos.

Educação para uma Vida Criativa tem interesse histórico e contemporâneo. Como ocorreu com os esforços de outros educadores radicais do passado, a luta de Makiguti pela reforma apresenta-se como importante comentário social e político. Não é de surpreender que seu radicalismo tenha origem no tempo e nas circunstâncias. Foi muito influenciado pelo meio intelectual da época, em particular na sua conformação ao avanço da industrialização, pelos crescentes antagonismos de classe e pela luta para chegar a um acordo sobre questões ligadas à ciência e à evolução e seu significado para a vida. Como no caso de muitos reformistas, seu pensamento refletia a fé ingênua na perfeição e progresso humanos através da ciência, característica dos progressistas da época, juntamente com um sentido de grande urgência que muito influenciava o sucesso das propostas: "se [as escolas] não procurarem corrigir os males morais da sociedade, temo que, de fato, apenas somem ao problema".

É fácil identificar paralelos entre a obra de Makiguti e a de outros reformistas do período, que partilhavam muitas de suas preocupações. Por exemplo, observei diversas semelhanças com os escritos de Harold Rugg, um americano contemporâneo. Comungavam a fé em uma nova era para a educação e a sociedade, que já vislumbravam e que poderia ser apressada pelas ações apropriadas de pessoas capazes e bem-intencionadas. Aproveitando as teorias evolucionárias, ambos utilizavam metáforas orgânicas para explicar suas idéias, considerando os sistemas sociais como organismos. Dentro desses organismos, cada parte tinha que desempenhar um papel essencial e complementar para a saúde de todo o sistema; assim, aparentemente, não havia nenhum conflito necessário ou inevitável entre parte e todo, indivíduo e sociedade. Para eles, a educação era a chave do progresso social e econômico: "A reforma das políticas educacionais é o meio para a revitalização da sociedade como um todo", segundo Makiguti. Ambos acreditavam no poder e na potencialidade da razão científica como meio de conduzir à verdade e criar um consenso em torno

dela, que possibilitaria o progresso centralizado. E, baseados nas tradições orientais, desejavam equilíbrio e harmonia na vida, "o desenvolvimento pleno da personalidade humana... unidade mente-corpo — uma harmonia entre as partes e de cada parte com o todo".
Além disso, assim como John Dewey, cuja obra conhecia bem, Makiguti buscou aperfeiçoar os dualismos, o tipo de pensamento "ou isto ou aquilo", que reflete dogmatismo e dificulta a compreensão mútua. Procurou construir escolas ligadas à comunidade e à vida. Makiguti possuía também uma base clássica. Como Dewey, acreditava que o universo físico e social tinha uma ordem baseada em leis universais desvinculadas do conhecimento adquirido pelo homem: "A aplicação de procedimentos científicos de observação e classificação ao mundo humano revela uma ordem proposital que a tudo encerra."

Ainda que as questões a que Makiguti se dedicou fossem de preocupação imediata, como, por exemplo, sua reação às várias propostas de reforma educacional, em 1931 (analisadas no Capítulo 3), muitas delas ainda são atuais; é isto que torna *Educação para uma Vida Criativa* de interesse contemporâneo. Apontarei alguns dos problemas que ele combateu e que ainda permanecem: atemorizado pela ausência de objetivo na educação, argumentava que este, em última instância, devia se originar daquilo que "as pessoas têm como meta da vida humana. O objetivo da educação deve coincidir com a finalidade maior da vida daqueles que estão sendo educados". Para ele, esse objetivo era a felicidade, como a definia, que representa a união do bem público e privado e se origina através do "pleno comprometimento com a vida da sociedade... compartilhando os esforços e os sucessos das outras pessoas e da nossa comunidade". É fato que nenhum dos problemas vivenciados atualmente pela educação é de maior premência que a questão da sua finalidade.

Ele afligia-se com o poder dos exames na educação, que foi fortalecido nos anos posteriores à sua morte, e com a ênfase dada pelos professores à memorização de fatos, o que Paulo Freire, em tom depreciativo, denomina "educação bancária". Makiguti considerava que essa educação não só era irrelevante e tediosa mas, no final das contas, educava mal, sendo destrutiva para o indivíduo e a sociedade, que deveriam se voltar para o futuro; a educação deve estar relacionada à vida como é vivida e enriquecê-la.

Reconhecendo a impossibilidade de se aprender todos os fatos, que são inúmeros, preocupava-lhe a ênfase da educação no processo de aprendizagem em vez do produto, onde o professor funciona como exemplo e orientador: "É função da educação orientar a vida inconsciente para a consciência, a vida sem valor para o valor, a vida irracional para a razão." Infelizmente, havia poucos professores com essa qualificação. Falando de modo geral, Makiguti afirmava que faltava aos professores embasamento acadêmico adequado, tópico que hoje atrai muita atenção, porém, mais importante ainda, lhes faltava caráter, outro tema que merece atenção, mas não a recebe. Para corrigir esta situação, sugeriu uma série de mudanças na formação de professores, em especial daqueles ligados à aprendizagem de artes e ofícios.

Makiguti foi também um grande crítico dos teóricos da educação e insistia em que os professores se colocassem na posição de estudantes tanto em relação à própria prática como à de outros profissionais. Argumentava que a teoria surge da prática. Havia outro problema: despendeu-se muito pouco esforço na organização do conhecimento originado do estudo da prática, para que pudesse ser desenvolvido e transformado em regras e procedimentos úteis. Este problema só começou a atrair os pesquisadores da educação recentemente. Estas são apenas algumas das questões que inquietavam Makiguti.

Enquanto lia *Educação para uma Vida Criativa*, muitas vezes percebi-me discordando da análise, principalmente da epistemologia de Makiguti, de seu conservadorismo implícito e de várias de suas propostas; e devo admitir que, por vezes, me diverti com sua ingenuidade, um sentimento possibilitado por quase seis décadas de conhecimento. Ainda assim, muito me impressionou sua sinceridade, óbvia coragem e inteligência, e o incrível otimismo que persistiu, apesar da percepção antecipada do fracasso de suas propostas de reforma. Vivemos em um tempo difícil para a educação e seus profissionais, talvez em alguns aspectos não muito diferente do de Makiguti; e é um período que necessita de educadores com as qualidades que Makiguti demonstrou possuir, corajosos e esperançosos, apesar da consciência da complexidade dos problemas de reforma.

Finalmente, essa leitura lembrou-me a importância de se valorizar as obras dos educadores do passado. Lamentavelmente, nós, educadores, temos memória muito curta; entregamo-nos, sem saber, a causas cheias de popularidade, pela fama do momento, mas que já foram rejeitadas por terem se mostrado sem valor, por não servirem. Há muito o que aprender com escritores como Makiguti, que nos oferecem a oportunidade de uma nova percepção e compreensão dos problemas que enfrentamos, se dela tirarmos proveito. Ao menos, eles podem ajudar-nos a formular as perguntas certas.

ROBERT V. BULLOUGH, JR.
Professor Adjunto de Estudos Educacionais
Universidade de Utah

Introdução

Estamos vivendo em uma época apropriada para tornar a obra de Tsunessaburo Makiguti na área de educação acessível aos leitores do mundo inteiro. A educação está passando por uma crise generalizada. Isto é fato, principalmente, em alguns países industriais desenvolvidos, onde comissões dos setores particular e público, bem como grupos de trabalho, estão empenhados em intensos debates sobre as causas do caos em que se encontra a educação, e buscam soluções para os problemas educacionais.

Em meio à confusão criada por opiniões, argumentos e contra-argumentos conflitantes, as criteriosas idéias e orientações de Makiguti relativas à reforma educacional oferecem uma estrutura animadora, por sua clareza e utilidade, para examinarmos o atual dilema educacional. Sua análise da educação nas sociedades industriais releva as discordâncias aparentemente irreconciliáveis quanto a questões tais como o ensino das habilidades básicas e o ensino individualizado, e vai ao âmago da questão maior e fundamental da natureza da aprendizagem humana propriamente dita.

As idéias de Makiguti sobre a educação, bem como seus esforços, no sentido de instituir reformas educacionais através do trabalho que desenvolveu como professor e diretor no sistema educacional japonês, devem ser considerados e avaliados no contexto da sociedade e da cultura japonesa em que viveu nas primeiras décadas do século XX. O Japão, nesse período, estava envolvido no processo de industrialização, mais amplo e universal, que ocorria na Europa e na América do Norte. Makiguti lutou contra os mesmos tipos de problemas e realidades educacionais enfrentados pelos educadores de outros países. Apesar de não ser possível, nesta introdução, uma discussão sobre o processo mais amplo de industrialização, é essencial que se tenha algum conhecimento do seu impacto nas instituições econômicas, sociais, políticas e educacionais de uma sociedade, para que se possa compreender as idéias e orientações de Makiguti.[1]

Temas Básicos na Obra de Makiguti

Makiguti afligia-se com as imperfeições que percebia na educação japonesa. Suas preocupações com a educação poderiam até mesmo ser consideradas obsessivas. Os esforços para entender as complexidades do sistema educacional de sua sociedade e instituir reformas tornaram-se o sentido principal de sua vida. Daí surgiram seis temas, ou áreas de interesse básico que, juntos, compõem a essência de suas idéias sobre educação e de suas propostas para a reforma educacional.

O OBJETIVO NA EDUCAÇÃO

O processo de formulação do objetivo na educação era o pensamento central de Makiguti. Acreditava ser esta a área de maior deficiência na educação japonesa. Segundo ele, a sociedade erra quando deixa a cargo de acadêmicos e filósofos as decisões relativas a objetivos e metas educacionais. Ele argumentava que, no passado, os objetivos educacionais eram freqüentemente formulados por estes profissionais, sempre ocupados com pensamentos abstratos muito distantes da realidade da vida diária. Considerava essencial, segundo escreveu,

> o redirecionamento dos estudos pedagógicos, no sentido de que passem a ter relação com as situações reais de ensino. O processo de teorização deve se basear nisto. Em vez de permitir aos acadêmicos "lá de cima" pronunciamentos sobre o que acontece "embaixo", nas escolas, perturbando a estratosfera com esta ou aquela teoria, para depois modificá-la de acordo com as tendências do momento, os profissionais que atuam na educação, embasados em suas experiências diárias, devem abstrair indutivamente princípios e reaplicá-los em suas práticas na forma de melhorias concretas.[2]

Para Makiguti, portanto, um primeiro passo importante em direção à reforma educacional é o reconhecimento de que o objetivo na educação deve ter origem nas necessidades e no dia-a-dia dos indivíduos. Colocando em prática esta convicção, ele empreendeu um estudo amplo sobre a vida e as atividades cotidianas de pessoas, famílias e comunidades, um componente importante de sua vida profissional. Sua intimidade com a realidade da vida das pessoas está refletida em todos os seus escritos, e levou-o à conclusão de que esta deve ser a origem do objetivo da educação.

FELICIDADE

Os leitores de Makiguti devem estar alertas para evitar problemas de comunicação devidos à escolha de palavras, principalmente no uso do termo *felicidade*. Quando afirma que a felicidade é o objetivo principal da educação, e que todos os planos e programas educacionais devem começar por esta compreensão básica, Makiguti quer dizer algo mais do que um hedonismo superficial, egocêntrico, que o uso desta palavra pode evocar.[3]

Fica claro que, para Makiguti, a felicidade é mais do que uma preocupação com a satisfação imediata do indivíduo, quando enfatiza ter como pré-requisito o desenvolvimento, em cada pessoa, da consciência social, que possibilita a compreensão e avaliação do grau em que todo ser humano tem um dever para com a sociedade, "não só para suas necessidades básicas e segurança, mas para *tudo* o que constitui felicidade."[4] Segundo Makiguti, a tragédia da educação no Japão moderno foi precisamente o fato de ter falhado na tarefa mais importante e fundamental, o desenvolvimento da consciência social nos estudantes; em vez disso, criou exatamente o oposto, uma preocupação com a imediata satisfação pessoal e material, destrutiva em termos da felicidade.[5]

CRIAÇÃO DE VALORES

Um terceiro tópico fundamental no pensamento educacional de Makiguti é a percepção de que o ser humano é criativo por natureza. A criatividade é a essência humana, e o homem a expressará em seu comportamento, a não ser que esse potencial seja reprimido ou destruído. Resumindo suas opiniões sobre educação, em 1930, escreveu: "Começamos reconhecendo que o ser humano não pode criar matéria. Pode, no entanto, criar valores. A criação de valores é, na realidade, a essência da natureza humana. Quando elogiamos pessoas por sua 'força de caráter' estamos, na verdade, reconhecendo sua capacidade superior de criar valores."[6]

A questão fundamental, portanto, é resolver para que fins, e no interesse de que valores, a criatividade humana deve ser direcionada. Makiguti sustenta que, com educação adequada, o ser humano optará por utilizar sua criatividade para melhorar a própria vida e beneficiar sua comunidade. É isto que significa criação de valores. No pensamento de Makiguti, uma pessoa plenamente ativa, feliz e realizada tem sua existência centrada na criação de valores, o que intensifica ao máximo a vida pessoal e a rede de relações de interdependência que constitui a vida comunitária do indivíduo. A educação criadora de valores é aquela que orienta para este fim.[7]

A NATUREZA DO PROCESSO DE APRENDIZAGEM E O TREINAMENTO DE PROFESSORES

A transferência de conhecimento não é, e nunca poderá ser, o objetivo da educação, de acordo com Makiguti. Na verdade, o objetivo da educação é orientar o processo de aprendizagem, colocando a responsabilidade nas mãos do próprio estudante. A educação como processo de orientação da aprendizagem do estudante é a base da pedagogia de Makiguti. Ele comparou esta abordadem à educação tradicional, que era firmemente baseada na concepção do processo de aprendizagem como transferência e organização de conhecimento. Descreveu a aprendizagem mecânica da educação japonesa que conhecia como

> aquele método não econômico de educação, considerado correto em todo o mundo. É com certeza um dos esquemas mais antigos e primitivos jamais utilizado por seres humanos. Cada estudante copia exatamente o que o professor faz. É o retrato exato dos povos pescadores que sempre utilizaram varas e não conhecem redes; dos fazendeiros que continuam a trabalhar o solo com pá e enxada, como aprenderam com as gerações passadas, nunca pensando em aperfeiçoar suas ferramentas.[8]

Makiguti muito se angustiava com o fato de a educação japonesa, em sua época, ainda estar presa a esse método defasado e ineficaz de aprendizagem.

Ele observou que a idéia da educação como um processo de orientação dos esforços do próprio aluno para aprender não é nova, sendo uma mera reafirmação das idéias formuladas por Comenius, Pestalozzi e outros há séculos. O problema da educação japonesa, para ele, era que esse princípio básico da aprendizagem nunca fora posto em prática. Culpava grande parte dos professores por esta reação, e uma de suas principais preocupações é a formação desses profissionais, com o objetivo de prepará-los para orientar com eficiência os estudantes no processo de aprendizagem, em vez de apenas transmitir partes estanques de conhecimento obsoleto.

Makiguti concluiu que os métodos de aprendizagem forçada e a abordagem do ensino como organização de informações eram responsáveis pelas imperfeições, ineficácia e condições deploráveis da educação japonesa de seu tempo. Segundo ele, o professor deve deixar a descoberta de fatos para os livros, e assumir o papel de apoiar a experiência de aprendizagem desenvolvida pelo educando; deve decidir se quer impor ao aluno a aprendizagem, ou orientá-lo em seus esforços no caminho do autoconhecimento; se deseja organizar informações, ou provocar o interesse e a curiosidade natural do estudante. Makiguti acreditava que a decisão dos professores seria o fator mais importante na reforma do sistema educacional e, mais ainda, na mudança do conceito de método na educação.

A NECESSIDADE DE UMA CIÊNCIA DA EDUCAÇÃO

Intimamente relacionada à reforma de aprendizagem de Makiguti, estava a sua convicção de que a educação devia se tornar uma ciência. Nisto, certamente, estava sintonizado com a época em que vivia. A ciência, no começo do século XX, quando ele viveu, era quase universalmente aclamada como a grande libertadora da humanidade. O positivismo era o caminho para o futuro. O interesse de Makiguti pela ciência, no entanto, era mais do que compartilhar do clima intelectual predominante. Ele estava convencido de que os educadores deviam descobrir princípios da aprendizagem universalmente aplicáveis e se orientar por eles, para que pudesse haver alguma esperança de melhoria da educação.

> Refiro-me à abordagem positivista: em vez de jogar afirmações dogmáticas e por demais contraditórias de um lado para outro, um grupo de provas positivas é acumulado e transmitido de forma que, mesmo com algumas variações individuais na interpretação, se possa chegar a conclusões semelhantes com alguma constância. Não é preciso adotar nada sem saber o porquê. Segundo o positivismo, na educação devemos colocar as realidades diárias diante de nós como o conhecimento a ser trabalhado e, então, manejar o bisturi meticuloso do cientista para dissecar a teoria educacional; isto é, descobrir verdades constantes a partir do âmago da prática educacional. Só assim a educação abrangerá um conjunto de conhecimentos integralmente sistematizados.[9]

Como se vê, a ciência, para Makiguti, era um meio sistemático e objetivo de se chegar aos princípios subjacentes à aprendizagem humana, sobre os quais se poderia instituir um sistema educacional consistente. Sua concepção de ciência e a relação desta com a educação é expressa na seguinte comparação entre educação e medicina:

> Ainda que medicina e educação, por legitimidade, devam ser irmãs da ciência aplicada — uma administrada passiva e preventivamente ao corpo; a outra, ativa e construtivamente à mente —, a distância entre as duas não poderia ser maior. Creio que isto se deve ao fato de que a primeira já tem uma longa história de desenvolvimento, a ponto de se constituir em uma ciência verdadeira, com princípios técnicos definidos, enquanto que a outra ainda teme caminhar em terreno científico, e até duvida da possibilidade de se tornar científica. E, assim, os educadores continuam voltados para tarefas imediatas do dia-a-dia, fortemente ligados à tradição e aos costumes, tateando seu caminho no escuro. Este é o resultado da adesão ao método filosófico de pensamento abstrato, em vez do método científico da indução a descobertas, a partir da experiência real.
>
> Quando aprenderemos? Apesar de precisarmos contar com a interpretação de filósofos ou sociólogos quanto aos propósitos maiores da vida humana para chegar à formulação dos objetivos educacionais, uma vez que esses dados sejam esclarecidos, será um erro permitirmos que tais acadêmicos também influenciem as questões de metodologia. A própria história da ciência não terá sentido se não nos transmitir isto.
>
> Aqui e agora, o que nós, educadores, mais necessitamos, nas atividades cotidianas de ensino, é encontrar respostas para as questões referentes a como melhorar os métodos no futuro, e como promover uma eficiência ainda maior na educação. Com sessenta anos de experiência, desde a instituição da educação moderna no Japão, por quanto tempo mais continuaremos transferindo para ideologias e filosofias importadas o estabelecimento de prioridades pedagógicas? Esta é a razão do meu sentido de urgência, ao conclamar reformadores para pôr fim à paralisação atual da educação japonesa e instituir uma educação criadora de valores.[10]

Makiguti acreditava que a objetividade científica possibilitaria aos professores e educadores, com convicções e idéias muito divergentes sobre educação, um trabalho conjunto de reexame do sistema educacional japonês e que, dessa experiência, se poderia chegar a um acordo quanto aos objetivos e às práticas educacionais.

Em última análise, a ausência de valores da vida real na pedagogia contemporânea fornece um triste testemunho da negligência da comunidade educacional quanto às questões de estrutura de valor subjacente. Vamos, então, reexaminar nossas idéias sobre educação e reestruturá-las numa perspectiva orientada para princípios de valor. Que todos os educadores se unam para a criação de uma nova pedagogia sob estas diretrizes:
Começar da experiência real!
Concentrar os esforços em objetivos de valor!
Fazer da economia de recursos um princípio de trabalho!
Hoje, mais do que nunca, estamos diante do desafio da criação de uma ciência madura da educação, uma pedagogia que a definiu a partir de lições amargas de inúmeras experiências de ensaio e erro, ajustadas para se direcionarem para objetivos da vida real.[11]

O PAPEL EDUCACIONAL DA ESCOLA, DO LAR E DA COMUNIDADE

As idéias e propostas mais revolucionárias de Makiguti, considerando a natureza centralizada do sistema educacional japonês, estavam relacionadas a sua alegação de que a escola tinha usurpado papéis e responsabilidades educacionais que, por direito, pertenciam a outros setores da sociedade, isto é, ao lar e à comunidade. Makiguti defendia que uma educação eficaz só pode ser alcançada se houver uma tripla parceria entre escola, lar e comunidade. Era fundamental em seu programa de reforma educacional, portanto, a proposta de criação de um sistema educacional inteiramente novo, no qual cada setor — escola, lar e comunidade — seria responsável por uma parte específica da tarefa educacional. O elemento-chave dessa proposta era a redução do tempo da criança na escola para meio período, reservando parte de seu tempo para atividades de aprendizagem na comunidade e em casa, incluindo o aprendizado de artes e ofícios, e outros tipos de atividades de trabalho adequadas à natureza e às necessidades de cada criança.

Makiguti fez muitos apelos com respeito à sua proposta de uma escola com turnos de meio período, criadora de valores. Argumentava que a adoção da proposta resultaria em uma educação de melhor qualidade, a uma fração do custo da manutenção do tradicional sistema educacional. Porém, apesar de considerar os fatores orçamentário e econômico importantes, os tinha como secundários. O resultado mais importante do sistema proposto, a seu ver, seria a transformação de estudantes entediados e apáticos, que estudavam apenas quando forçados, em alunos ativos e autodirigidos. Para ele, a idéia da educação de meio período criadora de valores se fundamenta em que

> o estudo não deve ser visto como preparação para a vida; ao contrário, ele deve acontecer enquanto se vive, e o viver acontece em meio ao estudo. Estudo e vida real precisam ser considerados mais do que paralelos; pois devem trocar informações entre si e as interpenetrar de acordo com cada contexto, o estudo na vida e a vida no estudo, por toda a existência do indivíduo. Neste sentido, o que passa a ser o ponto principal das mudanças propostas não é o melhor orçamento econômico dos programas escolares, mas a introdução da alegria e o gosto pelo trabalho.[12]

Quando essas afirmações são introduzidas no contexto geral das idéias de Makiguti sobre valor, sociedade, indivíduo e a natureza do processo de aprendizagem, o sentido revolucionário de sua proposta de reforma educacional torna-se claro. Ele propôs nada menos que abandonar as estruturas e práticas educacionais existentes na sociedade japonesa, elaboradas durante vários séculos de desenvolvimento industrial nos países do Ocidente e transplantadas para o Japão, nos anos que se seguiram à restauração Meiji, e substituí-las por estruturas e práticas educacionais baseadas em um conceito totalmente diferente do processo de aprendizagem e da relação entre sociedade e indivíduo, na qual este é uma parte do processo. A escola representava o centro do processo de aprendizagem no sistema educacional vigente e foi desenvolvido a partir da experiência dos países em industrialização. O objetivo desse tipo de educação era formar indivíduos capazes de operar as máquinas e assumir as responsabilidades de um processo produção-consumo controlado pela elite. Os fatos e as informações descobertos até então constituíam o currículo a ser transmitido aos alunos. Os educadores, exercendo os papéis de professor, administrador e teórico, serviam de intermediários entre os alunos e fatos e informações a serem aprendidos.

O conceito de aprendizagem proposto por Makiguti alterou radicalmente essa concepção tradicional. No seu modelo, o aluno é o centro do processo de aprendizagem, e não a escola. O currículo básico é organizado de acordo com a natureza do indivíduo e a estrutura social (local, nacional, regional e global). O educador é um orientador, cuja função principal é encorajar e motivar o aluno na busca de objetivos de aprendizagem e na autodeterminação de conhecimentos, bem como auxiliá-lo na remoção de obstáculos que possam retardar ou impedir o processo de aprendizagem. Estes princípios e metas educacionais contrastam radicalmente com as políticas e práticas de ensino contemporâneas do Japão. Se as propostas de reforma de Makiguti tivessem sido adotadas e se firmado, teriam mudado profundamente a natureza da educação e da sociedade japonesas. No entanto, isto não ocorreu, e suas idéias nem foram levadas a sério no país, por duas razões. Primeiro, provavelmente porque, não tendo formação universitária — sua educação de nível superior limitou-se à escola normal —, foi ignorado pela comunidade acadêmica japonesa. Após a publicação do primeiro volume de *Soka Kyoikugaku Taikei* (Teoria educacional criadora de valores), em 1930, Makiguti teve a oportunidade de proferir conferências e apresentar suas idéias em vários locais. Ele esperava ser reconhecido e provocar debates sobre sua proposta. Seus esforços, no entanto, esbarraram no silêncio. Foi sumariamente ignorado pela elite intelectual, que controlava as questões educacionais da sociedade. Muitos anos depois, Makiguti descreveu seu desapontamento: "Tendo iniciado com uma palestra, no congresso sobre educação na Universidade Imperial de Tóquio, em 1931, apresentei minha teoria para a comunidade acadêmica. No entanto, não houve reação. Devido à situação atual da educação em nosso país, fiquei profundamente desapontado com este fato."[13]

Apesar de rejeitadas pela elite intelectual, as idéias de Makiguti ainda poderiam ter tido eco, não fosse o concomitante crescimento da militarização no país. Mesmo com o desprezo das autoridades educacionais, algumas pessoas muito respeitadas e influentes da sociedade japonesa tomaram partido de sua causa. Entre estes, encontravam-se líderes reconhecidos como Tsuyoshi Inukai, primeiro-ministro do Japão de dezembro de 1931 a maio de 1932; Magoichi Tsuwara, ministro do Comércio e Indústria; e Itamu Takagi, professor de medicina na Universidade Imperial de Tóquio. Estes e outros indivíduos de prestígio defenderam e apoiaram as idéias e propostas de Makiguti.[14] É muito provável que, com esse apoio, suas propostas de mudança radical da educação japonesa tivessem uma certa audiência no devido tempo. Essa situação modificou-se, contudo, com a crescente militarização do país, principalmente após o assassinato do primeiro-ministro Inukai, em 1932. No novo regime militar não havia lugar para as idéias e convicções representadas por Makiguti que, a partir de então, foi afastado da atividade educacional.

A tarefa que Makiguti se determinou a empreender permanece inacabada. A "aprendizagem forçada" continuou sendo a forma principal de ensino na maioria dos países do mundo, se não em todos. A confiança prolongada nesse tipo de ensino está levando às conseqüências previstas pelo autor desta obra. Elas são evidentes no Japão e nos Estados Unidos, onde atualmente pessoas mais alertas e conscientes estão pressionando para que haja uma reconsideração quanto ao sentido, ao propósito e à prática educacionais. Este livro é dirigido aos membros da comunidade internacional, com o objetivo de contribuir para essas discussões.

O Processo Editorial

Alguns aspectos da tradução e edição do livro devem ser esclarecidos. Em primeiro lugar, é preciso ficar entendido que a obra *Soka Kyoikugaku Taikei* de Makiguti não é um livro, mas uma compilação de apontamentos que rascunhou e acumulou ao longo de 30 anos. Este material, praticamente sem nenhuma preparação editorial, foi publicado em 1930. No prefácio, Makiguti desculpa-se pela publicação de apontamentos não revisados.[15] Explica-se, manifestando profunda preocupação quanto aos efeitos prejudiciais da educação de seu tempo sobre as crianças. Segundo escreveu, enquanto desenvolvia as tarefas diárias de professor, tinha sempre essa preocupação, e fazia algumas anotações à medida que as idéias para uma educação mais eficiente lhe ocorriam.

Makiguti descreveu a grande frustração que sentiu nesse período de sua vida. Desejava ardentemente salvar as gerações futuras das conseqüências destrutivas que, segundo ele, as políticas e práticas educacionais, então utilizadas, provocavam na personalidade das crianças. Estava convencido de que suas idéias poderiam resultar em mudanças desejáveis na educação, se tivesse oportunidade de colocá-las em prática. Porém, não tinha recursos para isto. Precisava continuar trabalhando todos os dias, sem tempo de preparar seus escritos para publicação. Confrontado com este dilema, decidiu publicá-los com um trabalho de revisão limitado. Não sendo possível separar o joio do trigo (ou, como expressou em seu idioma, "separar o cascalho do couro"), como se esperaria de um acadêmico, foi obrigado a apresentar o material "não peneirado".[16]

A verificação de que tínhamos recebido a incumbência de traduzir para o inglês uma obra que não era um livro propriamente dito e sim um conjunto de apontamentos, levou-nos a concluir que, para sermos fiéis ao autor e ao espírito da tarefa, isto é, a preparação de um todo coerente das idéias e propostas de Makiguti sobre educação, teríamos que efetuar a separação e integração de seus apontamentos, o que não lhe foi possível fazer. Foi nisto que nos empenhamos. Acreditamos que este trabalho representa suas idéias, na forma que as teria expressado, se tivesse condições para tal. Devemos esclarecer, porém, que não o consideramos o manifesto final das idéias de Makiguti sobre educação. Esperamos que, nos anos vindouros, uma nova geração de estudiosos e pesquisadores bilíngües reexamine e analise seus escritos e suas implicações para a política e a prática educacionais.

Outro ponto a ser ressaltado é que se trata de um trabalho inacabado. Quando Makiguti estava preparando suas anotações para a publicação dos quatro volumes de *Soka Kyoikugaku Taikei*, pen-

Makiguti e alunos na Escola Primária Shirogane.

sou em volumes adicionais, nos quais desenvolveria e comunicaria os resultados da aplicação de suas idéias. Entretanto este trabalho não foi realizado.[17] Ao ser demitido das atividades escolares e impedido de qualquer participação no sistema formal de ensino em seu país, Makiguti se voltou cada vez mais para o Budismo de Nitiren Daishonin, como fonte de motivação e, também, como meio de prosseguir com atividades de reforma. Seus últimos escritos tratavam principalmente de temas religiosos, e suas intenções anteriores de desenvolver e testar idéias e propostas educacionais nunca foram cumpridas. Portanto, se, com a leitura do Capítulo 5, o leitor sentir falta de alguma coisa, será por este motivo. Trata-se de uma obra incompleta porque, pelas razões apresentadas, o autor não terminou o que a princípio se determinara a fazer. Fica a cargo dos educadores contemporâneos, que se sintam desafiados e inspirados pelas contribuições de Makiguti para o pensamento e a compreensão da educação, testar e implementar suas propostas de um sistema mais humano de aprendizagem.[18]

Crítica e Avaliação

Na obra *Makiguti, o Criador de Valores*, resumi trechos em que percebi inconsistência nas idéias de Makiguti e citei as limitações e os obstáculos que ele encontrou, em seus esforços de reforma da educação japonesa.[19] Outra crítica me chamou atenção, em um excelente estudo de Makiguti feito por Koichi Mori.[20] Este afirma que a idéia de Makiguti, de tornar a felicidade o objetivo da educação e da vida, centrava-se em uma busca da felicidade individual, subjetiva, dentro dos limites do sistema social vigente, sem crítica ou questionamento das políticas e estruturas sociais em vigor. De acordo com a análise de Mori, Makiguti via a sociedade como algo a que os indivíduos deviam obediência. Para ele, a nação era o mesmo que o governo então no poder. "É impossível esperar qualquer crítica contra o governo daquela época, com seu entendimento da nação e da sociedade. Makiguti identificava as políticas governamentais com a vontade do povo."[21] Mori conclui que o autor era ingênuo neste aspecto, e que suas propostas para modificar a sociedade através da reforma educacional não levaram em conta que as estruturas de poder de uma sociedade podem negar aos indivíduos oportunidades de auto-expressão e comportamento criativo.[22]

Há uma justificativa para a crítica de Mori. Makiguti parece ter percebido os sistemas sociais vigentes como dados e, ao que parece, não via, ou não o incomodava, essa aparente contradição em seu pensamento. Mori atribui isto à ideologia do sistema imperial, que considera a nação uma família. Ele acredita que Makiguti estava tão imbuído dessa ideologia que nunca a questionou.[23]

Apesar da inegável presença, nos escritos de Makiguti, de limitações e falhas, como os apontados anteriormente, a meu ver, elas não prejudicam o valor e a importância de suas idéias e propostas de reforma na educação. Demonstram que Makiguti não era possuidor de toda a sabedoria e conhecimento. Era apenas um homem comum, com uma profunda preocupação com os outros seres humanos, que se identificava com dores, necessidades e desejos de seus semelhantes, em particular os mais jovens. Acredito ter sido este pensamento o que o levou a concentrar seu trabalho e sua capacidade criativa na compreensão da aprendizagem humana e das instituições sociais mais diretamente ligadas ao processo de aprendizagem. Foi este esforço que o conduziu à formulação de sua pedagogia criadora de valores.

Considero que, em sua tentativa de compreender a natureza da personalidade humana e do processo de aprendizagem, Makiguti antecipava o trabalho de filósofos, educadores e psicólogos de décadas posteriores do século, em especial o trabalho e as contribuições conceituais de Abraham Maslow, Erich Fromm, David Norton, Carl Rogers, Robert Theobald e outros. Sua obra permanece como uma comprovação da validade de princípios e hipóteses expressos por esses acadêmicos mais recentes, cujas contribuições para a compreensão da educação representam uma evidência da genialidade e importância de Makiguti como educador.

Tsunessaburo Makiguti

1

Reflexões sobre o Objetivo na Educação

Na educação, como em qualquer empreendimento humano, os fins justificam os meios. Assim, a partir dos objetivos de programas educacionais seguem-se, naturalmente, métodos educacionais apropriados. O problema da educação atual é a ausência de objetivos claramente definidos. Não se pode esperar que uma flecha atinja um alvo obscuro, mas foi isto que ocorreu com a educação; e são as crianças que sofrem mais diretamente com as práticas de ensino irracionais e mal planejadas resultantes desta de satenção quanto ao objetivo.

A formulação e o esclarecimento do objetivo da educação não podem ficar a cargo do julgamento arbitrário dos teóricos. Ao contrário, esta formulação deve se originar das realidades da vida diária, levando em conta toda a amplitude da vida humana, mas ao mesmo tempo considerando as necessidades específicas da família, da sociedade e da nação. O objetivo da educação, quando abordado em uma estrutura abrangente como esta, leva inevitavelmente à felicidade como elemento básico da aprendizagem humana. O tema central deste livro é que o alcance da felicidade é o objetivo principal da educação, e todos os planos e programas educacionais devem começar com esta noção básica.

A pergunta "O que é felicidade?" foi tema favorito de dicussões filosóficas durante séculos, porém, para chegar a uma definição que me satisfizesse, comecei por observar e analisar o "modo de viver" ou as atividades cotidianas das pessoas, em diversas situações. Foi desta forma que cheguei, afinal, ao princípio fundamental do valor, como sendo a base da felicidade.

A Formulação do Objetivo na Educação

CAMINHOS PARA A FORMULAÇÃO DO OBJETIVO NA EDUCAÇÃO

O primeiro passo para a formulação do objetivo da educação é a determinação de como se deve alcançá-lo. Creio que a decisão sobre o objetivo da educação não pode ficar a cargo de acadêmicos e filósofos. Este tem sido um grande erro no planejamento educacional. Não estou, com isto, depreciando a valiosa contribuição desses estudiosos, cuja função é importante e necessária. Mas desejo deixar claro que uma preocupação fundamental na formulação do objetivo educacional deve ser a identificação daquilo que os próprios indivíduos consideram o propósito da vida humana. O objetivo da educação deve coincidir com a finalidade maior da vida dos educandos.

Ainda sabemos muito pouco sobre a maneira como a personalidade humana se desenvolve, mas é óbvio que o ser humano não nasce com metas predeterminadas. Tampouco é inteiramente isento de finalidade. Estudos e observações levaram-me a concluir que existe algo inato que orienta a vida de cada indivíduo, mas é também comum a todos. O que quer que seja, molda as noções inconscientes de finalidade, que tendem a direcionar a criança para algum modo de viver. Este algo inato não pode ser percebido pela observação externa de outra pessoa, nem é acessível aos sentidos. Mesmo assim, está lá na mente, vagamente discernível na vida global do indivíduo.

Em vista da complexidade do processo de crescimento do homem e da nossa ignorância do mesmo, não é de admirar que a maioria das tentativas de elaboração de filosofias de vida tenham evitado as questões mais importantes, ficando nos precedentes, isto é, nas teorias de estudiosos do passado que, não testadas, foram aceitas sem crítica, por deferência a esses grandes precursores. Mas como eles chegaram a essas teorias? Supostamente por intuição, ou pela dedução de premissas ainda mais antigas. Em qualquer das hipóteses, ficamos apenas com essas teorias não testadas e não comprovadas.

Há também outro problema. Uma filosofia de vida, que se desenvolveu a partir de necessidades e desejos de uma determinada sociedade no passado, pode ter sido apropriada naquele contexto, naquela época. Entretanto, isto não significa que ela seja relevante para nossa sociedade atual. Erramos ao perpetuar muitas idéias defasadas sobre o objetivo da educação e, por isso, enfrentamos problemas sérios na educação contemporânea.

Assim como não se pode esperar que uma flecha atinja um alvo obscuro, não se pode planejar métodos eficientes para a educação se o seu objetivo não foi claramente definido. A questão principal é, portanto, como formular objetivos claros e relevantes para, então, desenvolver os programas educacionais. A tarefa diante de nós é particularmente difícil porque o sistema educacional da nação alcançou proporções enormes, mesmo sem um objetivo claro para orientá-lo.

Esta situação requer estudo e esclarecimento. É preciso determinar o que a sociedade espera da educação. Isto envolve pelo menos dois aspectos: as aspirações dos pais quanto a seus filhos e as expectativas da sociedade como um todo para a geração futura. Pais que realmente amam seus filhos não pensam em usá-los para alcançar a própria felicidade. Esta afirmativa pode ser ilustrada pela famosa história do julgamento do Lorde Ooka de Echizen, que estava diante de um conflito entre uma mãe e uma madrasta sobre a custódia de uma criança.[1] Enquanto a segunda pensava principalmente no seu direito, sem considerar a criança, a mãe verdadeira valorizava mais a criança do que a própria necessidade de tê-la de volta.

Uma sociedade deve se preocupar igualmente com as necessidades do indivíduo e o bem-estar das crianças. Se a sociedade considerar apenas o proveito que se pode tirar do estudante que se formou, o resultado é desastroso para ambos. O objetivo da educação, formulado pela sociedade, deve ser compatível com as necessidades e os objetivos dos indivíduos. A educação deve ser conduzida de tal forma que a sociedade não utilize o ex-estudante como meio de alcançar seus objetivos e vice-versa. A razão de ser de um deve ser reconhecida e aceita pelo outro.

Uma nação ou sociedade é, afinal, o seu povo; é uma sociedade de indivíduos. Onde houver desenvolvimento e realização individual haverá prosperidade, enriquecimento e saúde na sociedade como um todo. Por outro lado, quando o indivíduo é reprimido, a sociedade enfraquece e se deteriora.

A importância da educação na sociedade moderna, em todo mundo, pode ser comprovada pelo grau de envolvimento dos governos com o processo educacional. Primeiro, assumiram a responsabilidade de ensinar, que seria do lar e da comunidade local; depois, unificaram e sistematizaram as práticas educacionais, com modificações na organização e na estrutura, terminando por lhe atribuir tal prioridade que a política educacional implica longos debates parlamentares e sua implementação requer uma complexa infra-estrutura administrativa. Esta reorientação e institucionalização da educação provocaram mudanças importantes e inevitáveis no processo. Mas será que as pessoas têm alguma dúvida quanto ao seu benefício? À medida que a responsabilidade pela aprendizagem dos filhos é retirada de suas mãos, os pais questionam a orientação do sistema educacional? Será que todas as famílias apóiam o sistema de forma consciente, cientes do objetivo da educação de suas crianças? A resposta para essas perguntas, infelizmente, parece ser negativa. A maior parte das famílias envia seus filhos para a escola sem raciocinar, tão logo a criança alcança a idade escolar. Não há questionamento ou reflexão sobre o objetivo último do sistema de ensino. Ainda que algumas vezes expressem insatisfação, suas reações são, na maior parte, passivas. É raro um pai ter a iniciativa de pesquisar um meio de melhorar a educação. Este silêncio generalizado tende a ser interpretado, pelos educadores, como prova tácita da aprovação do *status quo*. Isto não é suficiente. São imprescindíveis a efetiva identificação e declaração de propósitos comuns a todos para a educação. Sem isto, é impossível chegar a um acordo universal quanto ao objetivo da educação.

A FELICIDADE COMO DENOMINADOR COMUM

Supostamente, há uma concordância generalizada de que a felicidade das crianças é a principal preocupação dos pais ao enviarem seus filhos à escola. Apesar das várias opiniões quanto ao sentido de *felicidade*, nenhuma outra palavra expressa melhor o desejo de todo ser humano Na prática, no entanto, é difícil interpretar o que isto significa. É comum dizer-se que a educação deve ser uma preparação para a vida adulta. Uma versão simplista desta opinião defende que o conteúdo acadêmico tradicional é suficiente. Outros criticam a educação por não ter relevância para o mundo real. Eles argumentam que ela deveria corresponder melhor à opinião popular. No entanto, com muita freqüência, os dois pontos de vista tendem a limitar as perspectivas a um utilitarismo míope que enfatiza apenas o que pode servir *após* a fase dos estudos, negligenciando o que as próprias crianças consideram importante, interessante, ou mesmo abrangente durante seus anos de formação. Assim, a maioria dos professores, pensando apenas nas necessidades dos adultos, tendem a sobrecarregar seus alunos com informações sem sentido para sua vida. É de se esperar, portanto, que as crianças não se interessem pelos estudos e, muitas vezes, nem mesmo os compreendam. O ensino compulsório de inglês, como existe no sistema educacional japonês, é um excelente exemplo disto.[2]

Os efeitos negativos de impingir conteúdo acadêmico a uma criança pequena só aparecem devido à incapacidade do pequeno corpo de metabolizar mais do que consegue digerir. O volume excedente atravessa o sistema infantil e sai como massa não digerida. Ou, pior ainda, pode alojar-se no trato digestivo e, pouco a pouco, putrefazer-se e envenenar todo o sistema. Infelizmente, os efeitos da intoxicação psicológica nas crianças, causada pela aprendizagem forçada de conteúdos incompreensíveis, não são percebidos de imediato. Por isto, as conseqüências perniciosas desse processo de envenenamento na vida das crianças não são reconhecidas. A situação é séria, mas, ao pesquisarmos as causas do problema, defrontamo-nos com um paradoxo: professores e pais acreditam estar colaborando com futuro bem-estar das crianças, apesar de as tornarem infelizes durante o processo.

Não está em discussão se o atual sistema educacional proporciona preparação adequada para a vida adulta. Além disso, não é prerrogativa dos educadores decidir que a preparação para vida adulta deve ser o objetivo da educação. Mais cedo ou mais tarde, todos os envolvidos com a educação concluirão que a escola que sacrifica a felicidade presente da criança e faz da felicidade futura seu objetivo violenta a personalidade infantil e o processo de aprendizagem propriamente dito. Este raciocínio levou-me a deduzir que o objetivo da educação é preparar as crianças para se tornarem células responsáveis e saudáveis no organismo social, a fim de contribuírem para a felicidade da sociedade e, com isto, encontrarem sentido, propósito e felicidade em suas vidas.

Tenho consciência de que esta conclusão simples não é prontamente aceita por alguns acadêmicos. Sabe-se, por exemplo, que Kant e seus seguidores objetaram a fazer da felicidade individual o objetivo da educação.[3] Ainda que eu não possua qualificação para contestar filósofo tão eminente, proponho a felicidade como objetivo da educação, baseando-me na observação e análise sistemática de um objetivo de vida comum a todos. Com este argumento, defendo que o objetivo da educação deve derivar do objetivo da vida propriamente dita, deduzido e reconhecido pelas pessoas, a partir do modo como vivem, e não por filósofos e teóricos. Sem dúvida, a objeção de Kant surgiu, em parte, do pensamento tradicional de que o objetivo da educação deve ser determinado por filósofos e acadêmicos e, em parte, da interpretação estreita do conceito de felicidade de seu tempo.

De qualquer modo, minha tese principal é que a consideração mais importante na formulação do objetivo na educação é a felicidade dos alunos. O que isto significa em termos práticos e como podemos desenvolver a tarefa de definição da finalidade mais ampla e dos objetivos específicos dos programas educacionais são questões para as quais devemos nos voltar.

A Felicidade como o Objetivo da Educação

O SENTIDO DE FELICIDADE

Felicidade é um termo tão utilizado e familiar que, à primeira vista, parece prescindir de explicação. Um exame mais cuidadoso, porém, mostra que as opiniões quanto ao seu significado divergem muito. Para servir de base à determinação dos objetivos da educação, é necessária uma definição mais precisa do que queremos dizer com *felicidade*.

Uma explicação através de palavras ou concepções filosóficas idealistas provavelmente causaria mal-entendido, pois a felicidade é baseada em experiência pessoal e não em teoria. Sendo algo que experimentamos em nossa vida, alguns exemplos reais serão mais eficazes do que definições extensas. A fim de entendermos melhor o conceito de felicidade, analisaremos sua antítese, a infelicidade, e citaremos algumas concepções incorretas mais comuns, para delineá-la melhor.

Comecemos por perguntar se existe algum outro ideal ou propósito na vida além da felicidade. Se a resposta for positiva, é provável que se deva a uma compreensão do conceito de felicidade diferente da minha, ou que haja algum equívoco quanto a algum de seus componentes. A palavra *felicidade* pode ser interpretada de várias formas, dependendo da experiência de cada indivíduo, sendo difícil chegar a uma definição universal: para alguns, representa a riqueza material, pois é o que lhes satisfaz; outros se sentem felizes com uma alta posição ou *status* na sociedade. Muitos outros exemplos poderiam ser citados, mas todos oriundos de uma concepção incompleta do conceito de felicidade.

Uma ocasião, um acadêmico de renome perguntou-me se o objetivo de vida de um indivíduo poderia ser explicado por uma palavra tão simples como *felicidade*. Era evidente que ele não considerava isto possível. Mas, se concluirmos que ela não é satisfatória, haverá outra para tomar o seu lugar? A humanidade parece ter outras metas, no entanto, é difícil encontrar palavra mais abrangente. Alguns poderão resistir em aceitá-la como o objetivo da educação, por acharem que é egoísta e pessoal. Mas, à medida que a analisarmos racionalmente, a seguir, como um fenômeno social, encontraremos uma definição mais ampla, como uma meta de vida confiável.

Uma conclusão de nossas reflexões quanto à felicidade é que o indivíduo que opta por um sentido único para sua vida, seja a acumulação de riqueza, uma posição social elevada, ou qualquer outra coisa específica, está confundindo a parte com o todo e, ao fazê-lo, se propõe a algo menos do que o bem-estar pleno. Tais escolhas podem ser atribuídas a uma estruturação reprimida do conceito de felicidade, uma fixação em algum aspecto específico da vida, com a exclusão de outras possibilidades igualmente vitais. Este fenômeno leva-nos a perceber que não estamos falando de felicidade como um alvo fixo a ser alcançado, mas como algo *mutável*. Esta natureza dinâmica e crescente da felicidade é o que mais preocupa a nós, educadores. Isto porque, implícita na orientação pragmática da educação "para a vida, da vida e pela vida" está a noção de vida e de aprendizagem como *processo*.

Nossa noção de felicidade foi enriquecida nos últimos anos pelo surgimento da sociologia. Como mencionei anteriormente, Kant opunha-se à felicidade como objetivo da educação. No entanto, estou certo de que teria pensado de outra forma se essa ciência tivesse surgido naquele tempo. Seu conceito de felicidade não inclui nenhum elemento social. Antes do desenvolvimento da sociologia por Augusto Comte, a sociedade não era objeto de conhecimento e, por isto, não foi levada em consideração por Kant.

Com as novas ferramentas conceituais fornecidas pela sociologia, podemos, por exemplo, distinguir melhor entre elementos subjetivos e objetivos presentes na felicidade como e comumente concebida pelos membros de uma sociedade. Os mesmos fatores ambientais, isto é, condições objetivas, podem provocar duas reações inteiramente diferentes em duas pessoas, ou até na mesma pessoa em ocasiões distintas; uma série de circunstâncias em um momento trará felicidade e, em outro, infelicidade. Além disso, sabemos que o ser humano pode apresentar sinais externos de bem-estar apenas para provocar inveja à sua volta e ainda assim, não se sentir realizado, mas infeliz. E, novamente neste caso, a situação inversa pode ser verdadeira. Portanto, é evidente que há pelo menos dois aspectos para esta questão da felicidade.

Se, além disso, dividirmos o elemento objetivo em requisitos individual e social para a felicidade, perceberemos que, apesar de excluir o outro, o último é particularmente importante. A felicidade verdadeira não pode ser alcançada por completo em termos puramente individuais. Não vivemos sozinhos. Direta ou indiretamente, o ambiente social influencia o indivíduo, e qualquer atrito tende a eliminar as aparentes vantagens do desejo de se ter as coisas à maneira de cada um. Em vez de procurarmos egoisticamente nosso prazer, devemos ter em mente que o bem-estar individual, para ser duradouro, deve englobar a existência cooperativa e contributiva na sociedade. Nossa vida estará sempre vinculada a dos outros. A ignorância desta verdade leva a um egoísmo tacanho. Essa subjetividade extrema não tem lugar na decisão do sentido de felicidade, especialmente como objetivo da educação de nossas crianças.

O homem não pode se fechar às preocupações da comunidade. Nem mesmo a riqueza pode comprar um isolamento total, exceto a um preço desumano. Uma bela mansão, protegida por muros altos e guardas de segurança, possibilitaria ao seu morador uma vida despreocupada por algum tempo, porém, um dia ele perceberia sua maldade e pobreza de espírito. Como então se pode encontrar a felicidade? A verdadeira felicidade só é alcançada compartilhando-se as tentativas e sucessos dos outros membros da comunidade. É fundamental, portanto, que qualquer conceito genuíno de felicidade contenha a promessa de comprometimento total com a vida da sociedade.

FELICIDADE E RIQUEZA

Para chegarmos a uma definição correta de felicidade, é essencial um exame da relação entre felicidade e riqueza. Nada tem tanto poder de destruir a felicidade individual e o bem-estar social quanto a riqueza e os usos que dela se faz, sendo um dos aspectos da vida em que o pensamento é mais confuso e tem resultados muito desastrosos. Alfred Nobel colocou isso bem ao afirmar que é possível herdar riqueza, mas é impossível herdar felicidade. É uma lição importante para esta época de competição implacável e materialismo obsessivo. É preciso repensar o que realmente tem valor. Com isto, ricos e pobres, patrões e empregados vivenciariam uma descoberta muito importante, principalmente se interrompessem por um momento o ódio e a violência. Se pudéssemos colocar essas verdades em uma linguagem simples e acessível, creio que as pessoas começariam a pensar em melhorar a sociedade, procurando os meios para esse fim e, eventualmente, trariam felicidade a todos. Infelizmente, porém, a maioria das pessoas parece acreditar que, se não podem tirar proveito eles próprios, então seus filhos poderão. Os ricos continuam acumulando riqueza como se a felicidade fosse uma prenda que acompanha o *status* e a propriedade. Quanto mais acumulam, menos suficiente parece ser, porque se convenceram de que isso será magicamente transformado em felicidade para seus filhos. Isto é uma ilusão, pois é comum o legado de grandes fortunas resultar na herança da infelicidade. A grande ironia é que essas pessoas nem mesmo têm prazer no que fazem. Sem necessidade, sacrificam suas vidas, empenhando-se na compra dessa ilusão. Se pensassem um pouco, perceberiam que a mesquinhez necessária para acumular uma fortuna seria herdada pelos filhos, tornando-os crianças muito infelizes. Quem quiser comprovar isto, poderá passar a vida tentando tirar vantagem do sistema imperfeito e desigual da propriedade privada, mas estará perdendo muitas outras oportunidades.

Com a percepção do vazio da vida materialista, vem a compreensão de que a alegria de dar é melhor do que o medo de ficar em desvantagem em relação aos outros; que a paz de espírito alcançada com o conhecimento da essência de nosso ser é melhor do que o desperdício da vida na busca de bens materiais. Uma pessoa com tal clareza de visão se dedicaria a auxiliar os que ainda dão um valor exagerado ao dinheiro, ou estão presos na teia do materialismo, levando-os a reconhecer suas ilusões. O ponto de partida, no entanto, é cada um de nós se libertar das ilusões da riqueza e, assim, ajudar a construir o caminho para a paz, através da segurança econômica de todos.

Se estas verdades referentes ao dinheiro e à riqueza fossem aceitas ninguém desperdiçaria a vida simplesmente acumulando riqueza. Quem compreende isto se sente recompensado e alegre ao dar dinheiro aos outros. Tais indivíduos buscam um estado de felicidade e tranqüilidade que decorre da compreensão dos valores essenciais e duradouros da vida, e não perdem tempo na procura de ganhos materiais.

É muito difícil auxiliar o outro no alcance dessa clareza de visão. A história está cheia de exemplos de insensatas buscas egocêntricas de riqueza, porém, se o indivíduo ainda não chegou a um certo grau de compreensão, continua insensível a tais exemplos. Mas o que significa "um certo grau de compreensão"? Aqui deparamo-nos com um aparente paradoxo: o desenvolvimento da clareza de visão e da compreensão, que permite avaliar o papel das coisas materiais, requer tempo disponível e capacidade de reflexão espiritual, que parecem possíveis somente com a riqueza e um certo *status* social. Devemos analisar isto com cuidado. Enquanto parece difícil ao indivíduo comum a aquisição dessas características, estou convencido de que, se as pessoas fossem orientadas para uma consciência social verdadeira, compreenderiam suas concepções anteriores, incorretas, relativas aos bens materiais. Devemos, portanto, dirigir nossa atenção para essa consciência social elevada, em vez de nos concentrarmos no alcance da percepção que tem origem na reflexão nos momentos de lazer, à qual poucos têm acesso. Mais adiante, será enfatizado que uma responsabilidade fundamental da educação é precisamente o desenvolvimento dessa consciência social elevada.

FELICIDADE E VIRTUDE

Segundo um velho ensinamento japonês, a boa sorte não cai do céu, nem brota da terra, ou nos visita de repente, vinda de longe. Ela tem origem nas ações da virtude e, portanto, é apenas um outro nome para o estado espiritual em que a pessoa se encontrava. As bênçãos verdadeiras recaem nos humildes, nos que trabalham para o bem-estar da família e seguem as Cinco Relações.[4] De modo inverso, a má sorte também não acontece por acaso. As desventuras que nos aniquilam e roubam nossa vida surgem da inversão da ordem natural do mundo, através do egoísmo e da desconsideração, das deslealdades, impiedades, brigas conjugais, rivalidades entre irmãos e do abandono das obrigações familiares. A desgraça recai sobre aqueles que levam uma vida execrável.

Aceitando ou não esse raciocínio em sua totalidade, devemos admitir que ele contém alguma verdade. A experiência de vida mais completa é obtida quando felicidade e virtude coincidem. Como foi observado anteriormente, a acumulação egocêntrica de riqueza é uma ilusão que não leva à felicidade, mas ao vazio e ao desapontamento. Se nossa sociedade desculpa e encoraja a falta de virtude e os falsos valores na vida de seus membros, é preciso então reestruturá-la, de forma que felicidade e virtude ocorram ao mesmo tempo.

Um movimento de revitalização como este trataria os problemas de desigualdade social, que são parte da mesma disparidade. Uma deficiência grave do sistema de propriedades privadas sem limite é a possibilidade de aumento da discrepância entre o bem particular e o público. A triste verdade é que a desigualdade na distribuição de riqueza está aumentando. Esta tendência deve ser controlada extremamente, pela redefinição da política governamental, e internamente, levando os indivíduos à compreensão de que a propriedade privada que excede ao necessário é isenta de valor intrínseco.

FELICIDADE E SAÚDE

Finalmente, na consideração da felicidade como objetivo da educação deve ser analisada a relação entre felicidade e saúde. A saúde é a base fisiológica da felicidade, mas, com freqüência, esta verdade simples é negligenciada. De nada adianta riqueza, *status* ou erudição, se o corpo ou a mente não permite aproveitar isso tudo. A saúde é condição primeira e símbolo do bem-estar.

Portanto, a felicidade depende da saúde, mas esta, por sua vez, depende da ação positiva. Muitas vezes, as energias de uma pessoa são desperdiçadas na vida sem objetivo, na apatia ou em atividades não construtivas. Ao chegar à fase adulta, geralmente é tarde para mudanças; os padrões de comportamento, em sua maioria, estão estabelecidos. Porém, crianças e jovens podem ser orientados para a canalização de energias em atividades construtivas e uma vida de criação de valores. Afinal, esta é a razão da educação.

O Objetivo da Educação e a Sociedade

O OBJETIVO DA EDUCAÇÃO NO CONTEXTO SOCIAL

Para a educação atingir o objetivo de felicidade e realização para todos, precisa transformar a apatia da existência social, alienada e egocêntrica em um comprometimento consciente com a sociedade. A educação pode e deve levar o indivíduo a reconhecer seu comprometimento com a sociedade e o Estado a que pertence, não apenas com relação à satisfação de suas necessidades básicas e da segurança, mas de *tudo* que constitui felicidade. Cada item recebido representa um dever com a sociedade. Ela permite ao homem alimento, abrigo, vestuário, proteção para seus bens e sua vida. É uma espécie de organismo dentro do qual o ser humano vive, aproveitando seus benefícios a tal ponto que, sem ela, não sobreviveria por muito tempo. Muitos não têm consciência dos benefícios que dela recebem e se preocupam apenas com sua vida particular; não admitem o que não lhes convém; proclamam seus direitos em voz alta, mas ignoram as responsabilidades que os acompanham. O educador acredita que essas pessoas, conscientizadas da contribuição da sociedade para a felicidade de cada um, se sentirão encorajadas a buscar formas de viver em harmonia com os outros; crê que elas chegarão a apreciar as leis morais da existência social e entender que o melhor caminho para a felicidade individual é a participação produtiva na sociedade a que pertencem. Sem esta reciprocidade, não é possível uma sociedade justa e humana. Somente quando cada indivíduo perceber que sua vida na sociedade não está sendo positiva, assumirá a tarefa de trabalhar para o bem de todos, em prol de uma sociedade melhor.

A educação procura formar o caráter individual, de modo a tornar os membros da sociedade capazes de participar dela criativamente. Como já foi visto, para realizar esta tarefa social ela deve elevar a consciência do indivíduo, do foco limitado dos direitos e privilégios pessoais da vida privada à aceitação e deveres e responsabilidades da vida social coletiva.

O objetivo da educação, portanto, é transformar a vida social inconsciente em uma vida bem planejada e racional. Em outras palavras, a educação é um fator importante na sociedade do indivíduo. Como escreveu Durkheim, "a educação é a socialização sistemática de um menor".[5] O educador, cuja tarefa principal é orientar cada indivíduo para essa socialização, deve, acima de tudo, acomodar a própria vida à sociedade e para ela contribuir de todas as formas possíveis.

A INTERDEPENDÊNCIA DOS INDIVÍDUOS NA SOCIEDADE

O conceito de *humano* inclui uma forma física, sensorial e tangível, e um aspecto espiritual, que difere da forma física, mas tem nela sua base. Da mesma forma, o conceito de *sociedade* transcende as circunstâncias visíveis dos indivíduos e se concentra em um conjunto de inter-relações intangíveis, a base organizacional da vida em grupo. A sociedade não é uma mera agregação de pessoas, mas sua união mental e espiritual. Consideremos uma caneta, um tinteiro, alguns lápis e papéis, e alguns livros empilhados em uma escrivaninha. No plano físico, pode não haver muita diferença entre esta coleção de objetos e uma casa onde pais, crianças e, talvez, alguns empregados ocupem o mesmo espaço, mas a semelhança termina aí. A remoção de um dos itens da escrivaninha não afeta o resto. Por outro lado, a reunião de um grupo de indivíduos, com um certo grau de continuidade, normalmente adquire um elemento de interdependência emocional ou psicológica.[6]

Mesmo em uma situação de sala de aula, onde os alunos desenvolvem suas tarefas sem muita interação ou percepção do outro, no dia em que um colega está ausente todos sentem que alguma coisa está diferente, que algo está faltando. A carteira vazia logo suscita conjeturas; talvez aquele aluno esteja doente, ou tenha faltado por outra razão qualquer. Ocorre o mesmo com relações superficiais. O sentimento de perda de alguém, no caso de uma ligação mais próxima, é ainda mais forte. No exemplo anterior, o grau de desapontamento da turma inteira seria maior se estivessem contando com a presença daquele colega.

As forças que unem as pessoas são sutis, mas implacáveis. Podemos fazer uma analogia física mais ligada à natureza das coisas com as forças da atração molecular e atômica que, apesar de imperceptíveis dentro e fora delas, podem produzir efeitos solidificadores sobre partículas individuais. Da mesma forma, as leis de atração e repulsão governam a socialização humana. A atração e ligação mútua entre alguns indivíduos, talvez encorajada ou reforçada por alguma ameaça externa comum, não apenas os obriga a um determinado tipo de comportamento, mas também afeta a configuração do grupo.

Há 30 anos, no livro *Geografia da Vida Humana*, tentei conceituar sociedade como uma rede de relações interdependentes. Apesar de meu conceito de sociedade ter amadurecido desde então, os exemplos que usei ainda parecem pertinentes. Os trechos a seguir foram tirados desta obra:[7]

> A palavra *sociedade* está sendo utilizada em diferentes contextos e inclui vários sentidos e conotações, como "sociedade educacional", "sociedade econômica", "socialismo" e "partido socialista". Alguns fazem alusões como "para a sociedade", "sanções sociais" etc. Em seu uso mais comum, pode significar "o mundo", "a comunidade", ou "o público".
>
> Quem acumula riqueza por meio de transações ilícitas, exclusivamente com fins pessoais, recebe a retribuição da sociedade; quem, não pensando em si, assume um grande empreendimento em benefício da sociedade, tem seu reconhecimento e aplauso. A ação de uma pessoa é recebida com louvor ou condenação: o primeiro lhe apraz, mas a última é temida. Assim, o indivíduo que possui algum senso de ética o utiliza em suas

ações. Mas que entidade é essa que sanciona, louva ou condena um ato? Não podemos vê-la como um corpo físico, mas devemos ser capazes de percebê-la através de seus feitos. Poderíamos definir *sociedade* como uma organização na qual os indivíduos partilham suas vidas em algum tipo de relação com certa duração, na qual cada um constitui um de seus membros.

Como podemos descrever uma sociedade? Suponhamos que um grande público se reúna para assistir a uma conferência, mas, entre as pessoas, se encontre um bêbado que interrompa a palestra. A voz popular de todos os presentes criticaria sua atitude, de modo que ele seria forçado a deixar o recinto. Esta reunião é uma sociedade pequena, cujos membros se agruparam com um objetivo comum e estão, temporariamente, unidos pelo mesmo interesse. A família é outro exemplo: ela consiste em pais e filhos, marido e mulher, irmãos e irmãs e, talvez, empregados. Todos os membros partilham suas vidas, desempenham determinadas tarefas e, por muitas gerações, comungam uma vida conjunta. Se um deles não cumpre seus compromissos, altera a ordem pacífica da casa, causando tumulto, dificulta sua prosperidade e, eventualmente, ameaça sua unidade. Este é outro exemplo de sociedade pequena. Consideremos agora uma escola, seja ela pequena, com no máximo 100 alunos, ou grande, com alguns milhares, onde haja professores, alunos, corpo administrativo, empregados para a manutenção e um diretor responsável por tudo. Cada um tem seu papel no funcionamento da instituição. Este também é um exemplo de sociedade. Da mesma forma, um vilarejo, uma pequena cidade ou uma grande metrópole, cada um deles constitui uma sociedade. Ao nível nacional, um país representa a sociedade mais plenamente desenvolvida até o presente. Ainda assim, o conceito da sociedade não se restringe a esses exemplos. Pode significar um grupo de pessoas com princípios ou heranças comuns, independentemente de fronteiras nacionais ou, em uma esfera ainda maior, pode ser a comunidade do mundo inteiro. Portanto, a delimitação de uma sociedade pode abranger um pequeno grupo de indivíduos ou o mundo todo, e o conceito de sociedade varia, dependendo do exemplo utilizado. Apesar disto, podemos observar que o conceito de sociedade sempre inclui as seguintes características:

1) Uma sociedade consiste em vários indivíduos, assemelhando-se a um organismo vivo com células individuais.
2) Todos os seus componentes, consciente ou inconscientemente, têm um objetivo comum.
3) Os membros dessa sociedade compartilham, por um certo tempo, um laço ou interação espiritual, análogo à relação entre as células que formam um organismo vivo.
4) Todos os indivíduos se reúnem e trocam experiências em algum local determinado.
5) Todos os indivíduos se unem para formar uma organização, assim como as partes de um organismo vivo na formação de um corpo inteiro.
6) Os membros dividem tarefas necessárias à continuidde da atividade do grupo, do mesmo modo que o funcionamento dos órgãos de um corpo vivo.

CONSIDERAÇÕES SOCIOLÓGICAS SOBRE O OBJETIVO DA EDUCAÇÃO

Resumindo, podemos reiterar que a sociedade é um agrupamento orgânico e psicológico de indivíduos que têm um objetivo comum. Estamos nos referindo à psicologia, mas o objeto de nossa preocupação é o ser social, isto é, caráter, crenças, costumes, sentimentos, idéias e tudo que seja importante em contextos grupais.

A educação moderna procura envolver e desenvolver esse ser social. No passado, a pedagogia era fundamentada na ética e na psicologia. Mas essa pedagogia clássica, filosoficamente orientada, não é muito relevante para as necessidades dos profissionais da educação. Assim, para os professores, a importância das noções e idéias no campo da sociologia não pode ser exageradamente enfatizada. Temos a sorte de contar com o livro *Sociologia* do sociólogo americano Lester Ward, e com as obras de Émile Durkheim, fundador da escola francesa de sociologia,[8] traduzidos e introduzidos no Japão por Hisatoshi Tanabe e seus colegas. São leituras valiosas para todos os que se preocupam com a qualidade da educação. A educação é uma ciência, atualmente, e o educador deve responder às preocupações da sociedade, de crescimento individual e eficácia no ensino através de uma integração de sociologia, psicologia, ética e pedagogia.

Formas de Viver do Homem

A VARIEDADE DE EXPERIÊNCIAS NA VIDA HUMANA

A educação é um meio de desenvolver o homem. Seus objetivos deveriam harmonizar-se com os do ser humano. Esta afirmação não é fortuita. Foi dito anteriormente que o objetivo da educação deve ser determinado com base nas finalidades específicas e na meta maior de vida dos indivíduos da sociedade. Devemos reconhecer, no entanto, a probabilidade de haver uma variedade de metas de vida talvez equivalente ao número de pessoas que possuem formação, classe social e nível econômico diferentes. Então como proceder na formulação de objetivos universais para o ser humano? Uma abordagem profícua seria pesquisar os vários modos de vida entre pessoas do passado e do presente, no Ocidente e no Oriente, procurando se aproximar o máximo possível das realidades do dia-a-dia, e resumindo-as em grupos específicos de comportamento humano. Estes poderiam ser comparados com nossa vida e as dos outros e, comprovada sua universalidade, seriam considerados válidos para todos.

A aplicação de procedimentos científicos de observação e classificação ao mundo do homem revela uma ordem funcional e global. Assim como ciclos e leis periódicas podem ser identificados no amplo espectro dos fenômenos naturais, também é possível reconhecer, dentro da gama de detalhes e do quase arbitrário curso de eventos humanos, certos padrões recorrentes de evidente confiabilidade na experiência humana. Eles são as bases das relações interpessoais, da administração dos recursos humanos e do planejamento social. A essência da natureza humana pode ser distinguida por idiossincrasias secundárias, permitindo a formulação de conceitos ou leis de vida. Assim, vários tipos de experiência de vida emergem do modo de viver, e podem ser instrumentos conceituais de auxílio na tarefa da formulação do objetivo da educação.

Houve várias tentativas de formulação e classificação da variedade de experiências da vida humana, como a classificação das motivações de comportamento proposta por Eduard Spranger e os níveis de interesse de J. F. Herbart.[9] Até o momento, nenhuma delas me satisfez plenamente. A classificação de Spranger, por exemplo, embora louvável pela visão da vida do homem como uma progressão psicológica, não considera a sociedade para seus componentes. Se nossa preocupação principal fosse a análise psicológica das razões individuais de comportamento, ela sem dúvida seria suficiente. Porém, com o reconhecimento de que a sociedade é mais do que a soma de seus membros, ela não atende ao nosso propósito, e ficamos sem nenhum meio de extrapolar os verdadeiros objetivos do homem. Para as regras básicas que definimos para a educação, é preciso um tipo de análise que revele com clareza a interação dos papéis individuais na vida da sociedade.

MODOS DE VIVER COMO ESTÁGIOS DO DESENVOLVIMENTO HUMANO

Estas considerações compeliram-me a procurar classificações com uma orientação mais social e maior abrangência da vida humana. Apesar de enfrentar este problema por cerca de 30 anos, desde a publicação do livro *Geografia da Vida Humana*, não considero definitivas as classificações a que cheguei, e as apresento na esperança de atrair aliados na tentativa de traçar um quadro claro e sem distorções da vida humana.

Chamo novamente a atenção, para efeito de esclarecimento, de que *modo de viver* se refere a um padrão de atividade contínuo e necessário à manutenção da vida, uma divisão de trabalho sociológica, por assim dizer. Cada indivíduo, enquanto elemento da sociedade como um todo, é responsável por uma parte específica do total das funções que prestam apoio à vida dos outros e daquele todo e, em troca, tem direito a algum tipo de apoio dos outros membros. Imaginemos, por exemplo, uma pessoa que vive distante, em um vale escondido, ou uma ilha encantada, sem qualquer necessidade de envolvimento com outros seres humanos. Ela seria forçada a desempenhar todas as tarefas de subsistência sozinha. A vantagem de uma vida de cooperação é a garantia de que todas as necessidades são satisfeitas com uma fração do trabalho. A classificação dos modos de vida está ligada a esse aspecto participativo da vida humana.

A principal e mais óbvia diferença entre as maneiras de viver reconhece dois tipos de atividade: a inconsciente e a consciente. Ninguém pode se dar o luxo de estar consciente de tudo na vida a todo momento. Se as pessoas tivessem que prestar atenção a cada movimento que fazem, nunca chegariam aos pensamentos mais elevados da consciência humana. Esses procedimentos simples são desempenhados como reflexo automático, sem impressionar os centros nervosos sensoriais superiores do córtex cerebral, apesar de representarem a maior parte das atividades diárias. Isto assume maior importância quando levado em consideração o curso do crescimento humano.

Se analisarmos com cuidado o processo de desenvolvimento humano, perceberemos que o reflexo inconsciente e automático não se inicia no nascimento. Um bebê aprendendo a andar concentra toda a sua atenção em cada passo, demonstrando que a atividade diária repetitiva e inconsciente de um adulto começou, na infância, com a prática atenta e consciente. Como resultado dessa capacidade de afastar da mente consciente as atividades mecânicas mais tediosas, o homem é capaz de gastar mais energia em atividades espirituais mais elevadas e complexas. Há nisto uma nítida economia mental.

Aproximando esse esquema de diferenciação da aplicação na educação e na metodologia do ensino, pode-se comparar os estágios de consciência do indivíduo aos dois pólos de organização governamental: governo centralizado (a vida consciente de uma nação) e governo descentralizado ou local (a vida inconsciente de uma nação). Sob um regime autoritário absoluto, há o envolvimento do governo central em cada decisão a ser tomada. Este envolvimento exagerado geralmente resulta na negligência de obrigações governamentais importantes, em detrimento de todo país. Como acontece com o crescimento individual, essa atenção centralizada no começo é inevitável, mas convém conceder às autoridades locais autonomia e responsabilidade administrativa.

Na realidade, as atividades da vida diária não podem ser classificadas nessas duas categorias, consciente e inconsciente, mas em graus incrementais de semiconsciência entre esses dois pólos. Dividindo-as com mais precisão, podemos identificar certas caracterísicas diferenciais. Todos os seres vivos, plantas e animais são impulsionados pelo desejo da vida e o temor da morte, e desempenham atividades nesse sentido. Estas ações são nitidamente distintas da atividade mecânica da matéria inanimada ou de outros fenômenos naturais que atuam de acordo com leis físicas. Mesmo as formas de vida mais simples, como minhocas, lesmas e semelhantes, demonstram comportamento defensivo ou fugidio quando em perigo de vida, apesar de aparentarem ausência de atividade mental ao nível de consciência humano. Enguias presas na rede e descarregadas na margem de um rio tentam escapar e voltar à água, e parecem assumir atitude de resistência ao ser humano que tenta capturá-las. Nas formas ainda mais complexas de vida, como pássaros e animais, observamos um comportamento intencional de autopreservação, como a luta contra inimigos. O homem deduziu a presença de consciência nessas formas de vida subjetivamente, a partir desse tipo de comportamento, sem nenhum meio de comunicação. Na verdade, eles não possuem consciência no sentido em que a palavra é usada para o ser humano.

Aplicando essas analogias à vida do homem, uma classificação de quatro tipos de comportamento humano parece adequada:

1) Comportamento da planta — Sono
Atividade inconsciente
Ausência de autoconsciência

2) Comportamento do animal — Atividade consciente
Ausência de autoconsciência

3) Comportamento individual — Autoconsciência
Atividade individualmente orientada

4) Comportamento social — Autoconsciência
Atividade socialmente orientada

Comportamento da Planta

O sono interrompe apenas uma parte do comportamento que o ser humano manifesta quando acordado. Apesar da aparente redução de toda atividade ao mínimo indispensável à sobrevivência, algumas funções do corpo, como a digestão, ficam mais pronunciadas durante o sono profundo. No entanto, a diferença mais perceptível entre o sono e a vigília é a total ausência de consciência no sono. O homem adormecido não tem consciência de qualquer atividade. Como o sono é prontamente diferenciável da consciência da vigília, não precisamos entrar nesta análise. O comportamento irracional e fisiológico no estado de sono inconsciente pode ser caracterizado como quase igual ao da planta.

Comportamento do Animal

As atividades da vigília diferem do sono no sentido de que o homem tem consciência do que é aparente, mas essa consciência ainda não possui uniformidade ou identidade. Em meio ao indiscriminado fluxo de eventos, o homem não tem continuidade, e muda a cada momento, de acordo com estímulos externos. Tem uma possibilidade maior do que no caso do sono de fazer alguma coisa conhecida extremamente pela mente de vigília, mas a existência de um "eu" ainda é duvidosa neste estágio. Esta ausência de autoconsciência distingue esta categoria das que vêm a seguir. Neste estado indefinido, no meio do caminho, há o conhecimento de que alguma atividade está ocorrendo, mas nenhuma noção de que é o próprio indivíduo que a está desempenhando, ou de que ela produz um resultado. O homem olha sem realmente ver, ouve sem escutar, come sem degustar; precisa depender dos outros e não tem consciência da possibilidade de ele próprio realizar as coisas.

Comportamento Individual

Enquanto a atividade consciente do estágio anterior permanece, ocorre um avanço evolucionário muito importante com o advento da autoconsciência. Como em reconhecimento ao famoso ensinamento de Sócrates, "conhece-te a ti mesmo", nesta fase o homem está muito preocupado consigo mesmo. Ainda que desde a primeira infância ele dirija um pouco de atenção para o meio ambiente e as circunstâncias, podendo até ajudar os outros, neste estágio inicial da autoconsciência toda sua maneira de viver e seu próprio ser se identificam com o objetivo de satisfação das necessidades e dos desejos individuais. Seu comportamento é centrado nele mesmo. Além disso, essa orientação individual é marcadamente emocional e, depois, racional, em diferentes etapas.

Comportamento Social

Uma consciência crescente de algo acima e além do indivíduo considera que o eu se efetiva como instrumento para o alcance do propósito maior da realização social. Este passa a ser o centro da consciência humana neste estágio.

Outra classificação semelhante que corresponde a divisões das ciências é a seguinte:

1) Vida fisiológica   Um estado inconsciente de existência individual

2) Vida psicológica   Um estado de atividade consciente mas ainda sem objetivos claramente definidos

3) Vida ética   Após selecionados os objetivos principais da vida humana, o estado de busca intensa

Finalmente, a união de todos esses critérios nos fornece um esquema de classificação que poderia facilitar a formulação do objetivo da educação e a consideração de metodologias de ensino para alcançá-lo:

1) Vida inconsciente	Comportamento fisiológico, como o da planta Atividade inconsciente sem autoconsciência
2) Vida semiconsciente	Comportamento do animal Existência sensorial não direcionada dependente
3) Vida consciente	Existência psicológica proto-humana Existência emocional não direcionada
4) Vida de consciência individual	Autoconsciência identificada com o objetivo de satisfação individual, e ausência de algo mais elevado Busca consciente dos valores de lucro e beleza
5) Vida de consciência social	Autoconsciência direcionada para a satisfação do todo social Busca consciente de valores morais

COMPORTAMENTOS EMOCIONAL E RACIONAL

O conceito dos modos de viver também pode auxiliar na compreensão de como os comportamentos emocional e racional expressam as maneiras de viver. Esses dois tipos de experiência são diferenciáveis entre os indivíduos e no processo de desenvolvimento psicológico de qualquer pessoa. A emoção é o fator dominante no comportamento nos primeiros estágios de vida, mas, à medida que o indivíduo cresce e amadurece, ela é moderada pela razão. Se este ajuste não ocorre, provoca uma nota desarmônica nos relacionamentos, desde a simples interação social até a diplomacia internacional. A vida em verdadeira harmonia social implica a manutenção de condições de cooperação pacífica com os outros e, para isto, é necessário o equilíbrio entre emoção e razão no comportamento pessoal.

Até onde se pode determinar, o ser humano primitivo não compreendia o raciocínio. Ele sabia se conduzir sem muito uso do pensamento, vivendo de acordo com os sentimentos, nas circunstâncias do momento. Enquanto tudo corria bem, isto era suficiente; quando os problemas surgiam, podiam ser desastrosos. O temor de que algo de errado pudesse acontecer estava sempre presente e, mesmo assim, esse ser primitivo pouco fazia no sentido de se proteger, precisamente porque não direcionava o pensamento para o planejamento do futuro.

Os povos civilizados, por outro lado, caracterizam-se pela previsão e preparação contra incertezas. Esta é a origem da vida da razão. Quando alguma coisa acontece, nosso primeiro pensamento é procurar o seu significado, em termos de como e quanto afeta nossa vida; procuramos repetir ocorrências favoráveis e evitar ou minimizar os danos ou perigos; analisamos as condições que podem ter propiciado esses fatos e procuramos identificar suas origens. Noções de causalidades tornaram-se nossa segunda natureza. Mas a verdadeira prova é a repetição da cadeia de eventos. Evidentemente, este é o método indutivo.

A vida da razão também poderia ser denominada vida lógica, pois assim como as leis da causalidade funcionam no mundo natural, a ordem lógica da vida em sociedade não permite viver segundo preferências subjetivas. É lamentável que algumas pessoas entendam e aceitem a validade das leis do raciocínio lógico apenas teoricamente, não as seguindo na vida pessoal, e ficando imersos em sentimentos confusos. Eles perdem a confiança no que a sociedade tem para oferecer e precisam aprender o valor da razão da maneira mais difícil, não de uma só vez, mas continuamente.

CLASSIFICAÇÃO DO COMPORTAMENTO NA VIDA SEGUNDO OS NÍVEIS DE DESENVOLVIMENTO INTELECTUAL

No ponto em que nos encontramos na procura de um esquema universal de classificação dos níveis de experiência humana, podemos ser auxiliados recorrendo aos três estágios de desenvolvimento do conhecimento humano de Augusto Comte. Sua classificação explica o aspecto sociológico do comportamento em contraste com os níveis de consciência analisados anteriormente:[10]

1) Pensamento teológico baseado em crenças religiosas no sobrenatural.
2) Pensamento metafísico baseado em relações causais, ontologia, princípios interiores e essência.
3) Pensamento positivo baseado em conhecimentos científico e empírico.

Esta progressão no desenvolvimento geral da espécie humana também pode ser observada no decorrer do crescimento individual. Como educadores, podemos sobrepor este esquema de desenvolvimento às nossas observações do desenvolvimento mental infantil, e chegar a três períodos distintos no relacionamento da criança com os outros e com o mundo à sua volta:

1) Vida imitativa baseada na fé e em um padrão rotineiro.
2) Vida autodeterminada baseada em questionamento e dogma.
3) Vida racional, científica.

Durante o primeiro período, a criança demonstra fé absoluta nos pais e professores e os obedece incondicionalmente. O papel do educador é orientá-la neste primeiro estágio até o segundo e, eventualmente, o terceiro. Para algumas pessoas, este desenvolvimento não ocorre, e elas vivem grande parte da vida em uma fé cega, aceitando o que quer que lhe digam sem analisar o conteúdo, e se moldando conforme as palavras e os exemplos dos outros. Ironicamente, mesmo os educadores muitas vezes não vão muito além da imitação dos superiores e das "autoridades" da pedagogia. Ouvimos falar de muitas práticas de ensino sem qualidade, resultantes da transmissão incorreta ou má interpretação de teorias aceitas ao pé da letra.

A fé pode ser perigosa e, em geral, é difícil distinguir, entre religião e ciência, qual a mais perniciosa. Em última instância, nenhuma delas deve ser seguida cegamente. Pois mesmo a proclamação da verdade, a ordem do universo, que a religião afirma ser conseqüência da vontade divina, deve coincidir com as leis naturais a que a ciência chega pelo caminho oposto, a experiência indutiva. Devemos nos precaver de quem, sem ter estudado tudo sobre um assunto, se considera dono da verdade e nega as crenças dos outros para proclamar dogmaticamente a sua.

Ainda assim, quando a experiência pessoal é pouca, a fé pode ser o melhor professor. É comum acadêmicos e filósofos levarem seus estudos a tal extremo que suas descobertas não são compreendidas, causando impacto somente a um pequeno grupo de pessoas que partilham seus pontos de vista. Para a grande maioria das pessoas, o que está fora dos limites de sua experiência de vida não é compreensível. Não se pode esperar que alguém aprecie abstrações que não se originam de sua experiência. O estudioso pode se satisfazer em questões acadêmicas, mas seria um esforço inútil tentar explicá-las a quem não estudou ou trabalhou naquela área. O adulto pode conseguir a atenção da criança e ser ouvido, mas isto não significa que ela o compreenda, a não ser que já possua experiência necessária para apreciar o que está sendo dito. Apesar disto, o adulto muitas vezes tira proveito de sua capacidade mental ao tratar de um assunto com a criança, que não tem outra saída senão acreditar nele e aceitar, sem real entendimento. O que ocorre neste caso é o reconhecimento da autoridade da pessoa, e não da idéia em si. O corolário do enaltecimento desses guardiães mais velhos e conhecedores da verdade é a sufocação, na criança, do impulso de tentar ela própria a solução dos problemas, acreditando ser isto muito difícil. Por isto, muitas pessoas nem se dão o trabalho de procurar conhecer, por si mesmas, algo mais além daquilo que lhes é informado.

Esta tendência de aceitar cegamente os pontos de vista de autoridades, mesmo em relação aos assuntos que mais afetam a nossa vida, é generalizada. Não importa o grau de inteligência do homem, no confronto com verdades que não entende ou são de difícil interpretação; não tenta processar intelectualmente o pensamento, e aceita cegamente as opiniões dos mais velhos ou de outros que aparentem possuir autoridade. É ainda mais lamentável quando a pessoa depende de leitores da sorte, da astrologia, do *I Ching* e de outras alternativas semelhantes para suas decisões de vida. No extremo oposto, o homem tende a procurar não despender muito esforço no que é simples e comum, adotando reações intuitivas que não resultam da análise racional. Em geral, consegue se sair bem, apesar de também acabar precisando conviver com enganos repetidos, da mesma forma que erros operacionais podem transformar a matriz de um experimento.

Em contraste com esta tendência infantil de simples fé e aceitação de opiniões ou idéias sem reflexão ou exame crítico, com a aquisição de experiência, o indivíduo passa a ter consciência das contradições e concepções incorretas. Isto provoca dúvidas e ceticismo. Essa compreensão deve ser acompanhada do pensamento. Conhecimento produz conhecimento. Só então a vida racional pode ter início. Portanto, pode-se verificar que a dúvida e o ceticismo representam um estágio intermediário, que leva à vida racional e científica.

O objetivo da educação moderna, portanto, é orientar as crianças no período primitivo em que se encontram, em direção à vida racional e científica. Isto não significa que a vida racional e científica contradiz a religião. Acredita-se, às vezes, que religião e ciência são incompatíveis, mas não é bem assim. A verdade científica, estabelecida pelo raciocínio indutivo e comprovada através de experimentos, deve ser reconhecida como verdade e lei no universo. Ora, se todos os fenômenos no universo são manifestações de Deus, como defendem alguns religiosos, e se a lei do universo é a vontade divina, então as verdades universais estabelecidas pelos cientistas através de meticuloso esforço devem ser compatíveis com as da religião.

VIDA MATERIALISTA E ESPIRITUAL COMO EXISTÊNCIA INDIVIDUAL *VERSUS* SOCIAL

O contraste entre materialismo e espiritualidade oferece ainda outra perspectiva da vida humana. É verdade que a humanidade não vive só de pão, mas os objetivos dos empreendimentos comuns do homem estão relacionados com a vida propriamente dita. Por mais elevada que seja sua meta, ele se esforça por uma vida melhor. Pode se empenhar em alcançar objetivos não diretamente vinculados às exigências da vida, mas isto só é possível tendo garantidas as necessidades básicas.

É desnecessário dizer que as exigências da vida variam de acordo com o indivíduo, seu nível de cultura, a classe social etc. Nada disto é único, entretanto. Não há disparidade qualitativa, apenas graus quantitativos de orientação, de tal modo que a vida em um nível prepara e fornece meios para chegar ao próximo. O nível material é o passo inicial de todos. Como disse o filósofo chinês Kuan-tsu, há muito tempo, "Com os celeiros cheios, podemos ficar atentos a questões de educação e integridade; com roupa e alimento suficientes, é possível pensar em honra".[11] Esta observação de Kuan-tsu tem validade universal. Os pensamentos mais elevados implicam uma base material garantida.

Com o reconhecimento da necessidade de uma base material para qualquer tipo de vida espiritual, podemos observar que o valor é relativo ao tipo de vida. Quanto menos o indivíduo valoriza a própria vida, mais ele superestima as coisas materiais. O escravo do salário e o avarento atribuem o mesmo valor ao dinheiro e à própria vida, e temem igualmente pelos dois. Se caíssem doentes e precisassem despender todas as economias em tratamento médico, provavelmente se conscientizariam da preciosidade da vida. No entanto, passado o perigo, voltariam a trabalhar para acumular dinheiro, não se importando em estarem encurtando seu tempo de vida.

Por outro lado, há também indivíduos dispostos a morrer por seus ideais. Por exemplo, o artista que persegue a arte pela arte, desperdiçará sua vida em prol da arte. Um jovem que tenha perdido a pessoa que ama pode sentir que a vida não vale a pena sem esse amor. Em tais casos, o objetivo da vida e os meios para sua realização foram invertidos. Normalmente, esta inversão é apenas temporária, não representando uma oposição entre vida material e espiritual.

Outra concepção incorreta muito comum é a de que a existência individual está inevitavelmente em desacordo com a social. Apesar de ser possível conceituar a vida individual *versus* a social de modo abstrato, no plano concreto é difícil diferenciar as duas. Todo ser humano é formado por duas dimensões teoricamente distinguíveis, porém, inseparáveis: a sua existência individual, espiritual, e emoções, pensamentos, crenças e hábitos que representam não o indivíduo, mas as organizações ou a sociedade a que ele pertence. Tudo isto constitui a existência social. O objetivo da educação é instilar esse conteúdo no eu individual. Isto remete-nos novamente à minha afirmação de que a educação deve desenvolver em cada pessoa o reconhecimento de seus deveres para com a sociedade, para manter a própria vida.

Neste contexto, e utilizando como critério a ausência ou presença da consciência social, podemos perceber dois tipos radicalmente diferentes de qualidade de vida:

1) Vida individual centrada na satisfação material pessoal.
2) Vida social centrada na elevação espiritual da comunidade.

Eles representam dois modos de vida cuja oposição dos meios e dos fins é facilmente discernível na sociedade moderna. A educação, obviamente, deve difundir o segundo.

VIDA COOPERATIVA E COMPETITIVA

Repetindo o que acabamos de afirmar: a vida orientada inconsciente e individualmente fixa-se na acumulação material individual, enquanto a vida orientada consciente e socialmente, no enriquecimento espiritual da comunidade. Esta noção pode ajudar a entender a cooperação cordial e a competição violenta na vida do homem. Por muito tempo, isto me pareceu inexplicavelmente estranho. Como podiam as mesmas atividades e envolvimentos levar a algo tão belo como a confiança mútua e a troca entre indivíduos e, ao mesmo tempo, à tirania terrível da desconfiança e da avidez? Após muitas décadas dedicando-me ao assunto, cheguei à conclusão de que a vida competitiva está associada à consciência individual, enquanto a vida cooperativa resulta do despertar da consciência social. Enquanto o indivíduo pensa apenas em si mesmo, não há lugar para a ética. Para a vida ética, cooperativa e harmônica ter sentido, primeiramente é preciso ser receptivo às necessidades dos outros, isto é, ter despertado para uma conscientização do significado e da importância da sociedade na vida de cada um. De outra forma, nenhum conselho pode surtir efeito.

O individualista que, vivendo inconscientemente, segue alguns padrões, pode aparentar um comportamento ético, porém, tudo o que se relacione à sua experiência interior continua em penoso conflito. A preocupação com o eu ainda existe no mundo, e por nenhuma aparente cooperação, se pode escapar ao fantasma de uma luta ansiosa pela sobrevivência.

A vida cooperativa só pode se desenvolver quando o indivíduo se torna capaz de perceber as próprias fraquezas e capacidades tão bem quanto as dos outros. Da mútua compreensão dessas características entre indivíduos pode surgir uma união de esforços genuína, que beneficie todos os envolvidos. Com o reconhecimento das vantagens do relacionamento, os membros de uma comunidade preparam as bases da confiança duradoura, tornando possível a vida em cooperação total.

Se a educação tem o dever de transformar o indivíduo que encara a vida como uma luta para se sobrepor aos outros em uma pessoa que valoriza e aprecia as recompensas da vida cooperativa, ela precisa elevar a consciência social, ajudando o estudante a se conhecer através da comparação com outros. A escola é o ambiente ideal para esses exercícios orientados de vida social.

MODOS DE VIVER COMO DIVISÕES DE TRABALHO

Estaremos mais aptos a entender a natureza desta tarefa e o papel da escola ao empreendê-la, analisando os modos de viver como divisões de trabalho. Os sociólogos classificam o comportamento social do homem segundo várias divisões de trabalho observadas entre os membros do grupo. Um desses esquemas é o seguinte:

1) Atividade política
2) Atividade econômica
3) Atividade cultural.

Outras classificações poderiam abranger atividades legais, morais, religiosas, acadêmicas, técnicas, artísticas, educacionais etc., mas seriam meras subdivisões já incluídas nessa estrutura tripla, mais ampla.

1) Atividade política	Legislativa
	Administrativa
	Judiciária
2) Atividade econômica	Produtiva
	De troca
	Distributiva
	De consumo
3) Atividade cultural	Acadêmica
	Artística
	Religiosa
	Educacional

A atividade econômica serve de base para a atividade política, sendo que ambas, por sua vez, fornecem os fundamentos para as atividades culturais. Mas onde elas se encaixam em nosso modelo dos modos de viver? Até o momento, foram definidas três classes de comportamento humano como níveis progressivos de consciência:

1) Comportamento inconsciente
2) Comportamento consciente
3) Comportamento de auto-reflexão (vida consciente individual e vida consciente social)

Como será observado, esses níveis derivam de diferenças fenomenológicas intrínsecas à própria consciência do sujeito. A situação vista de fora apresenta um quadro completamente diferente. Investigando as origens objetivas dessas classes de vida, podemos perceber duas forças dominantes nas atividades humanas. As leis, por exemplo, nada mais são do que a estrutura preventiva e punitiva do certo contra o errado, e o governo é o meio pelo qual o certo combate o errado. Em outras palavras, é através dele que a sociedade procura manter ou remover uma minoria perversa com o poder abusivo. Por outro lado, a estrutura educacional e cultural serve para preservar e incentivar a ordem certa das coisas.

O ser humano nasce em sociedade e, para o bem de todos, a ela deveria servir, da melhor maneira possível. Ninguém vive isolado; nenhuma ocupação surge independentemente das necessidades dos outros. Na reciprocidade, cada pessoa, cada trabalho é parte do todo. Em termos individuais, seria suficiente a mera subsistência fisiológica e psicológica, porém, para a vida social cooperativa, é preciso que os fins da vida individual sejam aplicados simultaneamente, como meio de satisfação da vida da comunidade. Evidentemente, os meios são inúmeros, variando de acordo com as capacidades do indivíduo e as características específicas do ambiente social. Vista objetivamente, a diversidade das atividades humanas se enquadra em classes diferentes de contribuição à vida da sociedade e, em cada uma dessas classificações gerais, encontram-se as particularidades em termos de ocupação. Na seqüência natural em que elas ocorrem na vida humana, encontramos:

1) vida dependente dos esforços dos outros, ainda sem autoconsciência ou autodefinição;
2) vida autoconfiante pelo próprio esforço, com autoconsciência e definição do próprio eu;
3) vida cooperativa pela ampliação do próprio aos outros, com consciência de um eu maior e autodefinição pública.

Ou, em termos de dispêndio de energia·

1) Vida dependente	Vida de benefício	Vida por meios normais de sustento
		Vida pela mendicância
	Vida de extorsão	Vida pela violência
		Vida pela manipulação
2) Vida de troca	Vida econômica	
	Vida política	
	Vida cultural	
3) Vida contributiva		

Normalmente, as pessoas vivem de acordo com a sociedade. Quando alguém percebe a falta de um fator, considera essa ausência problemática para a sociedade e se empenha em corrigir a situação. O público em geral reage de modo naturalmente favorável. Por exemplo, se alguém oferece uma nova invenção ou uma mercadoria, o público a recebe bem e a utiliza de bom grado. Quando esse indivíduo acha possível obter um lucro suficiente, inicia um novo negócio e passa a viver dele. Em vez de lidar com poucas pessoas, anuncia ao público em geral, de quem espera receber um pagamento justo. Este é um exemplo típico da segunda categoria e pode ser considerado uma vida de troca consciente.

Por outro lado, a primeira categoria, a vida dependente, e a terceira, a vida contributiva, são vidas de troca inconsciente. Na primeira, o indivíduo tem consciência de receber, mas lhe falta a intenção de dar em troca. Na terceira, ele está preocupado principalmente em dar à sociedade e não espera compensação. Procura a prosperidade e a felicidade da sociedade, sem qualquer expectativa consciente de recompensa. Quem contribui desta forma para o todo, sem pensar na própria vida, recebe em troca o respeito da sociedade. Mesmo que ela não proporcione o sustento financeiro correspondente, seu esforço é compensado de alguma forma que garanta a sua existência no mundo.

Em essência, portanto, todo este esquema classificatório se divide em duas categorias: troca de material com material ou troca de material com espiritual. Como cada elemento da sociedade está interligado espacial e temporariamene, um não pode viver em absoluto isolamento dos outros, isto é, sem dar ou receber. Portanto, o comportamento na sociedade pode ser classificado como a troca de material com material, material com imaterial e imaterial com imaterial; ou, visto por outro ângulo, como troca consciente e inconsciente; ou, ainda, como troca direta e indireta.

Uma criança, protegida no seio materno sem nenhuma outra capacidade que não o crescimento, pode ser a causa do fortalecimento do amor dos pais, contribuindo assim para a felicidade doméstica e, conseqüentemente, para a prosperidade da família. Logo, mesmo a vida de uma criança não pode ser classificada como simples dependência.

Essas considerações sugerem que as classificações analisadas nesta seção não são exatamente especializações ou divisões de trabalho, mas categorias de participação. Em outras palavras, se as divisões de trabalho constituem uma classificação estática da sociedade, estas categorias de participação poderiam ser consideradas uma classificação de desenvolvimento.

Organizando esses elementos, de modo a concentrarem-se em classes de participação na troca social, e combinando-os com a preocupação anterior relativa à mudança ou à auto-realização, chega-se à seguinte classificação do comportamento humano:

1) Interação anti-social   Vida irracional como parasita ou marionete sem autoconsciência

2) Interação pseudo-social   Vida obscura como indivíduo independente com autoconsciência parcial

3) Interação social verdadeira   Vida iluminada como líder ou contribuinte com autoconsciência plena

MODOS DE VIVER EM RELAÇÃO AO MEIO AMBIENTE

Neste ponto, é necessário o reconhecimento de que a vida humana se define, em grande parte, pela troca física e mental consciente entre indivíduo e meio ambiente. Será útil, portanto, categorizar a vida de acordo com quatro bases distintas de atividades:

Base de atividade	Relacionamento	Lei governante
1) Natureza	Sujeição Harmonização Conflito Conquista	Lei física
2) Indivíduos	Conflito Cooperação	Princípio psicológico Lei social (pública e privada) Política Economia
3) Sociedade	Participação	Ética Moral Tradições e costumes sociais
4) Universo	Causa e efeito	Lei casual Princípio religioso

Nossa atitude em relação à natureza deve ser, primeiramente, o reconhecimento de que somos criaturas da natureza e, como tal, estamos sujeitos às leis físicas. Mas procuramos seguir o "curso natural" das coisas ou triunfar sobre a natureza? Uma terceira possibilidade é a moderação, a harmonia com ela e sua utilização direta ou indiretamente em benefício do homem. Podemos também, até certo ponto, domesticá-la para servir aos nossos objetivos, recebendo as vantagens sem nenhum dos perigos de sua conquista. A chave para isto é procurar um relacionamento de interação intelectual equilibrada entre o homem e o meio ambiente.

O relacionamento com os semelhantes gera sentimentos e emoções Além disso, como cada indivíduo é um objeto ligado aos outros e vice-versa, ele procura definir sua posição ou identidade relativa. Para isto, é preciso controle do eu pela vontade. A auto-reflexão permite ao homem desvendar os princípios que comandam sua existência e, aproximando as ações do conhecimento através desses princípios, pode alcançar uma vida de comunhão harmoniosa com os outros. Ele descobre as características comuns básicas do espírito e do pensamento que enfatizam sua noção de integridade, valor da interação, proveito próprio e benefício dos outros, que são os fundamentos da vida política e econômica, apesar de até este ponto o eu e os outros ainda não vislumbrarem fins mais elevados do que os que envolvem segurança.

Pelo reconhecimento de que o homem é parte de uma sociedade maior do que a soma de seus membros, e pelo envolvimento de sua vida com a da unidade maior, ele alcança o aspecto da ética. Deste momento em diante, precisa comportar-se no desafio consciente ou na obediência às tradições e costumes sociais coletivos.

Ao se deparar com questões essenciais de vida e morte, o ser humano mantém uma atitude de humildade diante do universo vasto e impossível de conhecer. Mesmo os sábios e acadêmicos mais capazes, os nossos heróis e os talentos criativos são partículas desamparadas na totalidade da criação. O fato de o homem pesar a sua vida ínfima na balança significa uma evocação à religião, ainda que, na realidade, sua existência social seja considerada parte dessa consciência. Neste momento, o indivíduo pode descobrir a ligação entre religião e moral.

MODOS DE VIVER EM RELAÇÃO AO TEMPO

Finalmente, é preciso reconhecer a relação entre os modos de viver e o tempo. O ser humano vive no presente, um ponto no tempo do qual pode rever o passado e se preparar para perseguir suas esperanças para o futuro. No entanto, alguns usam o presente como estágio preparatório para o futuro; outros pensam apenas no passado e vêem o presente como seu efeito; outros ainda ficam tão absortos nas atividades do momento, que não consideram nem passado nem futuro. Estes vivem integralmente no presente, imersos no curso indiscriminado de fenômenos, na interminável ascensão e queda de lugares, objetos e eventos, sem olhar para o futuro ou o passado.

O desprendimento através do qual o indivíduo alcança uma perspectiva equilibrada do tempo não é obtido de imediato. Isto pode ser apreciado do ponto de vista do desenvolvimento da idade. Na infância, o presente e o passado imediato monopolizam a atenção, e a criança não se desvia das circunstâncias do momento para pensar no futuro. Na juventude, os ideais e as esperanças não têm limites, mas carecem de base. É freqüente o jovem tropeçar e cair por não reparar onde pisa. Na velhice, por outro lado, os desejos materiais relativos ao futuro regridem e o pensamento se desloca cada vez mais para as recordações. A atividade mental tende a diminuir, e o homem idoso torna-se cada vez mais conservador.

Esses três tipos de atividade podem ser observados durante a vida de qualquer pessoa. Além disso, diferentes circunstâncias desde o nascimento e a interação da vida social com a espiritual geram orientações otimistas ou pessimistas para a vida do indivíduo. Portanto, seus modos de viver distintos podem ser identificados com referência ao tempo:

1) Ação imediata de estímulo-resposta no presente:
   a) Otimista
   b) Pessimista
2) Atividade de previsão ou preparação para o futuro:
   a) Otimista
   b) Pessimista
3) Atividade de reflexão e síntese em relação ao passado:
   a) Otimista
   b) Pessimista

A educação deve contribuir para auxiliar a criança e o jovem a desenvolverem uma perspectiva positiva e otimista em relação à vida e um equilíbrio efetivo na relação com o passado, o presente e o futuro.

O Objetivo da Educação e a Criatividade

Definido que o objetivo legítimo da educação é capacitar o estudante para a criação de valores, examinaremos a questão do valor mais detalhadamente no Capítulo 2. Resta-nos analisar a criatividade, qualidade ainda não definida.

Primeiramente, devemos observar que a criatividade parece ser uma característica peculiar à educação do homem. Muitos animais são orientados pelos pais, sendo possível até suplantarem o homem nas destrezas que desenvolvem, mas seu comportamento é instintivo e passa de geração a geração, seguindo os mesmos padrões de associação. Mudanças comportamentais em animais provocam modificações físicas no organismo, o que caracteriza a evolução. Já a aprendizagem humana não é estruturada na conformação corporal ou na informação genética. As habilidades que uma geração aprende por si mesma não são transmitidas para a próxima, a não ser através da educação. Esta natureza comparativamente aberta e não estruturada da aprendizagem é o fator principal no desenvolvimento da criatividade humana.

O homem não pode aumentar ou diminuir as forças quânticas ou a matéria encontrada na natureza, mas pode controlá-las e criar algo que tenha valor para si. Seja isto originalidade ou descoberta, tem o poder de modificar a forma e redirecionar, em benefício da humanidade, o que quer que a natureza ofereça. Ao fazê-lo, está sendo orientado por seu objetivo com respeito à vida humana, livremente definido ou reconhecido.

Se a educação deve alcançar o objetivo de desenvolver as capacidades do estudante para a criação de valores em prol do bem-estar da sociedade e dele próprio, deve diversificar sua atuação em três áreas metodológicas: a estimulação da virtude, do benefício e da beleza. Cada uma constitui apenas uma parte da personalidade global; nenhuma é suficiente por si só. Este tipo de educação tripartite é fundamental para o desenvolvimento pleno da personalidade humana.

A Evolução do Objetivo na Educação

Os povos do mundo inteiro chegam, inevitavelmente, à idade da iluminação quando começam a intuir a necessidade da educação, ainda que vagamente. A princípio, ensinam sem nenhuma metodologia e, durante o processo, aprendem a técnica. À medida que a percepção das necessidades educacionais, inicialmente vaga, se torna cada vez mais precisa quanto ao papel da educação na sociedade, a consciência dos fins e meios se desenvolve de acordo com o número cada vez maior de pessoas a serem educadas. Expansão segue expansão, estimulando o desenvolvimento e a integração de conteúdo e metodologia.

Há duas tendências distintas na evolução histórica do objetivo da educação. A primeira é o distanciamento da concentração nas habilidades específicas e nas áreas de estudo estanques, que correspondem às diversas divisões na estrutura da natureza humana, visando a uma abordagem mais holística da pessoa. Isto não significa a eliminação das matérias básicas, pois, de acordo com a concepção de pais e professores, a pessoa ideal consideraria essas habilida-

des básicas necessárias e valiosas. A questão principal é o que é importante para a pessoa integral e, não, as partes a serem combinadas uma a uma. Fora do âmbito do indivíduo, a tendência é a mesma, relacionando a pessoa ao meio regional e, eventualmente, a toda a sociedade. Da mesma forma, a educação se destina cada vez menos a pequenos grupos e classes sociais, para se expandir e atingir a todos
A segunda tendência é o reconhecimento da necessidade de o homem ser capaz de coexistir com seu meio ambiente natural e social. Com relação a isto, podemos distinguir três períodos históricos.

1) A fase da educação especializada, direcionada para a aprendizagem de habilidades morais e literárias necessárias ao seu *status*, os guerreiros eram treinados em cavalaria e artes marciais, e os mercadores em habilidades ligadas a negócios e contabilidade
2) A fase da educação geral para todas as classes sociais, como uma necessidade para o preenchimento da vida do indivíduo. Neste estágio, a educação é vista, principalmente, como um meio para o alcance do ganho pessoal; a preocupação básica é a existência individual, e a importância e as necessidades da vida social praticamente não são reconhecidas. A pessoa comum considera o processo político pouco mais do que o meio utilizado pelos líderes da sociedade para obterem ganhos pessoais e, em conseqüência, resiste ao "sistema" em busca de liberdade individual sem limites.
3) A fase da educação global, com reconhecimento consciente do indivíduo como integrante da estrutura e da vida da sociedade. A real satisfação do bem-estar social é considerada o bem maior. Quando os membros de uma sociedade alcançam esta condição, seus heróis e líderes não mais percebem o povo como um meio para atingir objetivos pessoais, mas lhes oferecem seus esforços como contribuição para a satisfação das necessidades da sociedade.

Analisando nossa experiência no Japão em termos dessas tendências históricas, pode-se observar que a educação se expandiu de forma verticalmente descendente, abrangendo classes cada vez mais baixas, acompanhando uma estrutura de controle e influência política. Paralelamente à ampliação das bases econômicas para a riqueza material, que era prerrogativa exclusiva da aristocracia, a educação se infiltrou nas classes dos senhores e guerreiros, chegando até as classes menos favorecidas, apesar de, nesse momento, o sistema feudal já estar em decadência. A ênfase limitada na moralidade do feudalismo também foi ampliada, passando a uma visão da educação mais igualitária, proporcionando a todos o conhecimento e as habilidades necessárias às tarefas da vida e da modernização. Durante a transição do período Meiji (1868-1912) para o Taisho (1912-26), o objetivo educacional era concebido em termos da utilidade. As preocupações e os objetivos culturais ainda ficariam para o futuro no curso da evolução da democracia.

Atualmente no Japão, a pressão dos companheiros e a moda constituem os principais fatores de motivação na vida da maioria das pessoas. Essa imitação irracional ainda é, para muitos, o incentivo mais forte para a aprendizagem. Assim, pode-se verificar que o Japão ainda se encontra no segundo estágio do desenvolvimento histórico, no que se refere à evolução do objetivo educacional. A dúvida é se a educação japonesa tem condições de passar para o terceiro estágio, com sua orientação universal e social. De qualquer modo, doravante a tarefa e o desafio principal são promover a causa da educação integral.

Os Fundamentos do Valor

Tratando da questão do valor, o primeiro problema que devemos encontrar, e, portanto, o primeiro na ordem do esclarecimento conceitual, é a determinação da natureza do valor com relação à verdade. A questão em si possui uma história considerável, sendo muitos os filósofos que consideravam a verdade um valor teórico ou um elemento dentro de um *continuum* verdade-bem-beleza, no qual seus sistemas de valor se baseiam. Este procedimento, no entanto, apenas dá a questão como comprovada, e evita nossa compreensão tanto de verdade como de valor.

Um exame fenomenológico dos distintos processos psicológicos de cognição e avaliação será de grande ajuda para a demonstração da enorme diferença existente entre verdade e valor. Para tanto, será necessário eliminarmos a ordem "que dispensa explicação" dos valores verdade, bem e beleza aceitos na filosofia, para que possamos elaborar um modelo de explicação mais moderno e melhor. Consideremos a possibilidade da criação de uma ciência de avaliação que nos forneça padrões com os quais possamos pesar e determinar valores, assim como a estrutura conceitual da lógica oferece regras para o reconhecimento da verdade.

Valor e Educação

As teorias educacional e econômica, como ramos da ciência social, têm o valor como objeto de estudo. Na área da educação, a questão do valor é um pouco mais intricada. Enfrento este problema há vários anos e não posso dizer que encontrei uma resposta definitiva. Ainda assim, como as questões envolvidas necessitam de tratamento urgente, creio que devo apresentar meu entendimento do assunto.

Poderiam perguntar por que me concentrar no valor e me dedicar tanto a um problema tão complexo. Considero o esforço necessário para que a educação tenha sentido, ou melhor, para criarmos um sistema educacional que tenha sentido para o ser humano. A vida humana é um processo de criação de valores, e a educação deve nos orientar para este fim. As práticas educacionais devem incentivar a criação de valores. Isto é de suma importância e, quanto mais refletimos sobre este ponto no contexto social, mais necessário parece o esclarecimento conceitual.

A dignidade humana origina-se da criação de valores. Um acadêmico chegou a afirmar que a criação de valores é a forma mais elevada da atividade humana. Cada indivíduo deve desempenhar seu papel e criar valores que respondam às inesgotáveis demandas da vida. A educação pode fazer muito pelo cumprimento deste compromisso básico do homem. Sem ser preciso lamentar os erros passados, os educadores devem intensificar seus esforços no sentido de revitalizar a educação, de modo a envolver as pessoas na criação de valores. A questão é como esses educadores podem se relacionar com o problema da criação de valores.

Evidentemente somos o que aprendemos, portanto, devemos escolher uma educação que leve ao melhor. Vimos que o homem vive em níveis variáveis de busca consciente de felicidade, autosatisfação e auto-realização, que são metas que compõem o objetivo da educação. Viver realizando plenamente o potencial individual significa alcançar e efetivar valores. O objetivo da educação é ajudar o ser humano a aprender a viver como criador de valor.

As considerações quanto ao valor não devem terminar na especulação filosófica, pois ela também pode fornecer princípios para a determinação da diretriz que a educação deve tomar. A verdadeira educação deve lidar com a vida como os educandos a vivem. Até o presente, isto não foi feito, o que tornou a educação ineficaz e irrelevante. O valor é uma preocupação da vida real, com aplicações na mesma. É preciso que o educador reconheça a importância do valor para a vida e a aprendizagem.

Cognição e Avaliação

VERDADE E VALOR

Para o esclarecimento dos nossos conceitos de valor, é necessário primeiramente que façamos a distinção entre o que deve ser incluído e excluído neste tópico. Para tanto, é fundamental a diferenciação entre verdade e valor, e a compreensão da relação que existe entre ambos. O trabalho de descoberta de uma verdade implica isolar algumas características comuns ou qualidades gerais da miríade de objetos do universo. No caso do valor, no entanto, procura-se determinar a maneira particular ou peculiarmente característica pela qual algum objeto difere dos outros em seu relacionamento com a vida do indivíduo e da comunidade. Assim, a expressão das coisas como elas são é reconhecida como fato ou verdade, enquanto que a expressão da relação entre o eu e o objeto é valor. A verdade continua sendo meramente um conceito, a concepção verdadeira de algum objeto ou de uma inter-relação entre objetos. O valor, por outro lado, adota a forma de um laço emocional que transporta o objeto para dentro da vida humana. Em tudo diferente da verdade, que identifica um objeto por suas qualidades essenciais, o valor surge como a medida da adequação do objeto ao avaliador.

O ser humano não presta atenção ao que não tenha alguma relação consigo, chegando ao ponto de ignorá-lo. Somente aquilo que produz algum efeito sobre o homem é percebido e adquire um sentido de proximidade pessoal. Quanto maior sua importância para a vida do indivíduo, menos este pode ignorá-lo.

Isto se reflete na diferença entre animais selvagens e domesticados, o que se deve à presença ou ausência do fator humano. A princípio, o homem não procurava os animais por não considerá-los importantes para sua vida. Posteriormente, alguma coisa levou-o a perceber nos padrões do comportamento animal uma certa docilidade e adaptabilidade, e começou então a mantê-los próximos quando lhe parecia útil, domesticando-os por fim. O benefício e a praticidade decorrentes dessa experiência difundiram a atividade. A profundidade com que a interdependência simbiótica entre animal e homem penetrou e "civilizou" a consciência humana é uma prova do valor que damos a essa convivência. A ligação homem-animal é reconhecidamente valiosa.

Em contraposição, o conceito de verdade se pauta na verossimilitude, a expressão do que é como é. Não devemos analisar aqui a realidade de forma emocional. Verdade é verdade, independentemente da influência que possa excercer ou não na vida humana, ao passo que os conceitos de valor não podem ser formulados sem alguma relação fundamental com a realidade de vida do homem. Isto tudo ocorre numa progressão epistemológica definida. A realidade, em sua essência, começa com sinais que são transmitidos através dos órgãos dos sentidos, que se unem em imagens e, posteriormente, são estruturados em idéias. Mas o impacto da percepção no sistema não termina com a simples estimulação dos sentidos. Além da pequena quantidade de energia envolvida na detonação, a informação perceptiva, uma vez introduzida no sistema, provoca uma diferença ou mudança na vida do indivíduo. O organismo aceita e aprova este desafio ao *status quo,* ou resiste e o rejeita; assim, o homem se sente satisfeito ou insatisfeito. Os padrões definidos por cada pessoa com base neste processo de relacionar subjetivamente o objeto perceptivo a si mesma são denominados valores, por consenso da sociedade, e as idéias abstraídas dessas características mais consistentes e mais comuns entre esses objetos perceptivos são classificadas como verdades.

A verdade implica um tratamento objetivo de dados perceptivos, de modo a isolar qualidades semelhantes, enquanto que o valor tem a conotação de uma reação subjetiva ao cociente afetivo, ou da quantidade de influência que o dado perceptivo demonstra exercer sobre o indivíduo. O processo de cognição da verdade é uma proposição sim-não: isto é verdadeiro e aquilo é falso, sem meio-termo. Já a determinação de valor é totalmente relativa: isto parece apropriado e aquilo inapropriado, com relação ao ponto de vista do indivíduo, sem que se procure descobrir uma identidade verdadeira. A verdade não varia de acordo com a pessoa ou o tempo, mas o valor não pode ser desvinculado das pessoas.

A diferença em termos do homem é enorme. Ele não pode criar a verdade; pode apenas descobrir o que já é latente na natureza. No entanto, ele cria valores e, de fato, estes existem para serem criados. Todas as matérias que utilizamos a princípio foram usadas como na encontradas na natureza, sem que nelas se procurasse outros valores. Com o passar dos séculos, a experiência, a inventividade e o simples trabalho da humanidade resultaram em avanços notórios e melhorias sensíveis nos tipos de utilização. O curso do progresso tem sido assim até o presente.

Quando falamos de criação, referimo-nos ao processo de apresentação do que quer que tenha significado para a vida humana entre elementos existentes na natureza, avaliando-se essas descobertas e, com o acréscimo do trabalho humano, aumentando a sua importância. Em outras palavras, a criação transforma a "ordem encontrada" da natureza em uma ordem com benefícios específicos para a humanidade. Assim, o ato de *criação* só se aplica ao valor, e não à verdade, pois esta pára no momento da descoberta.

Evidentemente, há ocasiões em que o homem pode apenas descobrir o valor. Ressaltar o que não era percebido e torná-lo aparente é um ato de descoberta, não de criação. Mas, quando se unem coisas sem ligação anterior para beneficiar a humanidade, ou se produzem melhorias em trabalhos anteriores para aumentar sua importância, dá-se a isto o nome de invenção, produção ou criação.

Desta simples visão geral das questões envolvidas, percebe-se que verdade e valor não podem ser confundidos. A deferência inconteste ao que nossos ancestrais e antecessores acreditavam não torna as coisas verdadeiras. A verdade não nos permite escolher a teoria de nossa preferência entre as existentes na suposição de que cada uma tem seus méritos. Não é como escolher lentes para uma máquina fotográfica. Mas também não devemos descartar um conjunto de valores apenas porque contradizem um outro, como se fossem mutuamente exclusivos, verdadeiros ou falsos. Os valores podem coexistir até certo ponto, quando apropriado; a verdade é solitária.

A verdade exige provas. Explicações profusas e eloqüentes, sem comprovação real, não eliminam a dúvida quanto à verdade; além disso, a correção de uma proposição deve ser verificada por meio de considerações cuidadosas e racionais, não devendo se fundamentar no sentimento do homem a respeito. Estudos corretos, como o termo subentende, devem manter-se libertos de inclinações emocionais e preferências, para evitar que a coerência universal da questão seja perdida. Os sentimentos são o campo da avaliação da forma com que o homem, como sujeito de seu universo emocional, interage com as coisas, e não podem ser nada além disso. Portanto, seria inútil procurar reconhecer a verdade por meio da avaliação. Não devemos esquecer isto, sob pena de provocar conseqüências desastrosas.

Tomemos como exemplo a notícia de um terremoto ou um incêndio. Os que têm algum interesse na situação procuram verificar os fatos. Ocorreu mesmo aquilo? A resposta positiva significaria que as informações eram verdadeiras; a resposta negativa, que eram falsas. Não há margem para julgamento de bem ou mal; ninguém se preocupa com avaliações estéticas. A verdade ou falsidade das notíciais não tem grau. O máximo que se pode dizer é que algum aspecto do evento foi melhor ou pior do que poderia ter sido. Somos livres para comparar os fatos: a água a vinte graus centígrados é sentida como morna em contato com mãos acostumadas à água a dez graus, mas parece fresca para mãos aclimatadas a trinta graus. Até aí pode haver relatividade.

Porém, isso é muito diferente de preferência e de sua base subjetiva de beleza, bem e benefício, que não são universais. O que é belo para um pode ser desagradável para outro; o ganho de um é a perda de outro. E ainda que bem e benefício tenham em essência uma diferença muito sutil, não são invariáveis, pois envolvem julgamentos subjetivos da sociedade como um todo ou do indivíduo em particular. Esta diferença no padrão do avaliador é o que distingue os valores benefício e bem. Pelo benefício e prejuízo avaliam-se os meios para a sobrevivência de cada indivíduo e as atividades intencionais boas e más das pessoas com respeito à manutenção do bem-estar da sociedade.

O homem normalmente não gosta daquilo que percebe como mau, feio e prejudicial, mas essas características não têm relação com a verdade ou falsidade das coisas. Não adiantaria chamar uma cascata de rio, pois seria uma denominação incorreta; a realidade da cascata não se modifica, independentemente do nome que lhe demos, ela é o que é. O que está em questão é sua descrição verbal, que pode ser precisa ou enganadora. Uma vez que a realidade seja identificada como cascata, continuará sendo uma cascata para fins comunicativos, independente do seu significado para a vida humana. De qualquer modo, o homem jamais apreciou ou não alguma coisa por ser verdadeira ou falsa.

Ao contrário da noção universalmente aceita de que a procura da verdade é inerente à natureza humana, a verdade pura não tem valor para as pessoas. O ideal filosófico clássico de verdade, bem e beleza se mostra inadequado quando a verdade demonstra não ter preocupação com o valor. Os conceitos de bem e beleza não fazem parte dessa mesma categoria. Conceitos de valor não podem nos aproximar da realidade última das coisas, enquanto que a verdade é, por definição, um conceito último em si mesmo. O homem é incapaz de ir além de certo ponto na explicação sobre a verdade por meio de palavras: ele pode apenas conhecê-la por meio das faculdades intuitivas. Já no caso do valor, há algo que lhe interessa diretamente, pois nele está subentendido o conceito da relação sujeito-objeto. O valor não pode ser comprovado pela atividade intelectual; a força da relação sujeito-objeto que quantifica o valor precisa ser testada na prática e, só então, o indivíduo pode saber com certeza o quanto o objeto tem influência sobre ele

Com base nessa linha de raciocínio, deve estar claro que associações ideológicas de verdade e valor, como no caso da doutrina pragmatista, que considera a verdade "valor teórico", são incorretas. A explicação do pragmatismo é que, quanto mais universal a validade, isto é, quanto maior sua aplicabilidade, mais o valor se aproxima do "valor teórico" denominado verdade. Ao considerar verdade e valor iguais na essência, diferindo apenas em grau e não em categoria, o homem caiu na pior espécie de confusão semântica. Assim, se perceberá confrontando afirmações por achar que, na escala de valores, algo pode ser verdadeiro por que é útil. A imprecisão aqui é evidente. Para esclarecermos este mau uso da linguagem, será preciso ou demonstrar que a utilidade na vida do homem é suficiente por si para tornar as coisas verdadeiras, ou traçar uma linha divisória entre verdade e valor, de modo a transformá-los em classes lógicas ou categorias conceituais distintas. Sem adotar o reducionismo utilitário extremo, nada na vida do homem parece sustentar a necessária equação inversa em que a verdade torna as coisas úteis. Todos conhecemos fatos absolutamente inaplicáveis às nossas vidas.

A busca contínua da verdade é inevitável, levando ou não a algo útil. No mínimo, devemos admitir que as grandes descobertas e invenções desde tempos imemoriais não foram motivadas, necessariamente, apenas pelo bem-estar material; mas também não devemos concluir que, em seu amor pela humanidade, os grandes pensadores estão acima das preocupações práticas.

Eu não afirmaria que a busca da verdade é egoísta, pois a verificação e a criação de valores são igualmente necessárias, porém, sem proporcionar o bem para todos de forma abnegada, a verdade não tem sentido. Nisto o humanismo concorda com o pragmatismo: não podemos viver a verdade, precisamos viver o valor. A vida permite ao homem o acesso à verdade, porém seu avanço depende do valor. A vida observa a verdade, mas se relaciona com o valor. Além disso, os valores denotam o grau em que as coisas penetram na vida do ser humano e o tocam, avaliadas por meio de padrões de beleza, bem e benefício; já a verdade mantém distância em uma atividade puramente discriminatória. O homem necessita de uma distância entre eles, do contrário a confusão verdade-bem-beleza reaparecerá de outra forma. Mesmo com o risco de parecer insistente, examinemos essa diferença por outra perspectiva.

A verdade é imutável, enquanto que o valor muda. Todavia, isto pode ser objeto de dúvida. Há aqueles que ridicularizam tudo, céticos que duvidam da constância da verdade. Consideremos a cosmologia de Ptolomeu. Por muito tempo tida como verdadeira, foi derrubada com o advento da teoria de Copérnico. Que garantia temos de que as verdades mais preciosas não terão o mesmo destino? Quanto esse presságio ruim ainda permanecerá nas tendências da educação? Muitos estudiosos defendem que os princípios da metodologia educacional não podem ser considerados verdades permanentes e imutáveis.

Analisemos a questão. Haverá algum cético tão convicto, a ponto de aplicar o mesmo ceticismo à própria vida, reduzindo suas atividades diárias ao mínimo de certeza, talvez até eliminando-as? Existirá alguém tão minucioso no método crítico, a ponto de duvidar ou mesmo negar os detalhes mais triviais do raciocínio? Onde exatamente o bom senso se separa da verdade, e esta deixa de ser suspeitada?

Uma criança de três anos sabe que um trem em movimento não descarrila, salvo em circunstâncias especiais. O cético exagerado duvidaria disto. A água de uma chaleira sobre o fogo ferve e, eventualmente, evapora, até desaparecer. Não há nada mais comum, sendo uma demonstração direta da verdade da causalidade. No dia em que o homem resolver duvidar até disto, não descansará um minuto sequer. Nunca, em toda a História, existiu um fogo que não fervesse a água, e nunca houve motivo para se achar que haveria alguma água que não pudesse se tornar vapor. Haverá algum grande estudioso que deseje refutar a verdade desses fatos, como Copérnico desafiou o pensamento anterior? A falácia do argumento cético é que a lógica, levada a extremos, não se aplica à vida diária. O que torna seguro viver de acordo com as regras e convenções do dia-a-dia e, ao mesmo tempo, continuar o bombardeio à própria arquitetura das suposições racionais? Como as verdades do bom senso não são insentadas das destruições provocadas por verdades mais teóricas?

Alguns protestariam argumentando que não se trata da mesma espécie de verdade. Haverá, no entanto, dois tipos de verdade? Se o homem aceita a realidade da vida diária, por que duvidaria de outra verdade, sendo ela suficientemente comprovada? Quanto à concepção de mundo de Ptolomeu, era tida como verdade absoluta e foi contestada. Não se tratava de uma crença cientificamente comprovada, como foi demonstrado por Copérnico. Da mesma forma, as teorias aceitas atualmente não poderiam ser rejeitadas no futuro pelo aparecimento de uma verdade nova e mais exata? Continuaríamos indefinidamente nessas conjeturas, sem muito embasamento. Adotar a incerteza com relação a cada fato novo não nos aproximaria da verdade. De qualquer modo, não há razão para se rejeitar todas as verdades apenas porque uma crença não científica foi derrubada. A concepção errônea que leva a essa inquietude é a reverência indevida à verdade como algo grandioso e profundo. Qual é então a natureza intrínseca da verdade? Estou convicto de que a verdade é a expressão do objeto exatamente como ele é, e nada mais que isso. Portanto, o problema de se duvidar de verdades reconhecidas por meio de estudo científico adequado não está nas verdades, devendo-se à instabilidade ou irregularidade daqueles que duvidam. Isto pode ser observado com freqüência no mundo à nossa volta.

Vejamos como o valor se modifica. Ao contrário da verdade, como já foi visto, o valor não tem constância ou consistência. Sabe-se, por experiência, que uma coisa pode ser de vital importância para uns e totalmente inútil para outros, ou que, pelo menos, pode diferir em grau relativo de necessidades. Sabe-se também que o valor de um mesmo objeto pode se modificar para uma mesma pessoa com o passar do tempo. Portanto, o valor varia de acordo com as circunstâncias.

Enquanto a verdade expressa o objeto como ele é na essência, isto é, por suas características invariáveis determinadas pela observação objetiva, o valor surge da relação entre o sujeito avaliador e o objeto de avaliação. Se um dos dois se modifica com relação ao outro, é evidente que o valor percebido também muda. As diferenças e mudanças nos códigos éticos através da História são provas notáveis da mutabilidade do valor.

Não há contradição nesta definição aparentemente paradoxal: a mutabilidade do valor é uma verdade invariável. O objeto que se modifica (valor) não deve ser confundido com a sua representação fiel (verdade). O que é a ciência, se não a organização sistemática das fiéis representações do mundo, de conceitos que se mostraram válidos e universais, seletivamente discriminados e abstraídos do nosso meio ambiente sempre em mutação? Que verdades podem haver além dos princípios imutáveis obtidos pelo método científico? Não sendo exatamente uma prova formal, esta é apenas uma exposição popular, suficiente por enquanto. Posteriormente, tratarei com mais detalhes da natureza da verdade, mas meu objetivo no momento é delimitar melhor a diferença entre valor e verdade com base no contraste evidente e imediato de propriedades mutantes e permanentes. Com isso, estou apresentando o debate de 2.000 anos atrás, entre Sócrates e Protágoras, sobre outra forma. A controvérsia entre os que defendiam uma verdade permanente e absoluta e os céticos, que consideravam as pessoas como a medida de todas as coisas, continua até nossos dias. Para o pragmatista, utilidade é verdade, repetindo Protágoras em seu desafio a uma verdade rarefeita e constante. Eu interpretaria sua afirmativa como significando que os códigos éticos podem e irão mudar através dos séculos em relação à realidade das coisas, uma verdade que em si mesma permanece imutável. O que ele afirmou é, sem dúvida, verdade de valor, pois, segundo sua teoria, a pessoa deve ser a medida de tudo. Seja como for, é estranho que essa discussão e confusão de palavras tenham durado tanto tempo, pois é um tipo de problema que pode ser resolvido com uma diferenciação clara entre os conceitos de valor e verdade.

Quando penso no mundo atual não encontro nada tão traiçoeiro quanto essa confusão entre verdade e valor, cognição e avaliação. A união das duas dificulta a compreensão e evita que o indivíduos adotem uma atitude de clareza e responsabilidade com relação às posições por eles escolhidas. Mesmo os intelectuais não percebem o quanto essa indistinção permeia suas palavras. Discutem temas incansavelmente, porém sem prestar atenção a seu julgamento arbitrário, e expressam suas preferências pessoais nas filigranas da aprendizagem. São inúmeras as formas pelas quais as pessoas direcionam mal seus pensamentos e ações.

Alguns diriam que a moralidade pode ser legislada ou que a recitação formal dos preceitos da educação promoveria a aprendizagem. Porém, a solenidade ou a exaltação dos tributos ao princípio não acompanhada da compreensão se resume a formalidade vazia e enganosa. Os julgamentos de valor são posteriores à compreensão dos fatos. Esta distinção é particularmente importante na educação. Isto não significa que não se deve ter preconceitos na educação, mas é preciso conhecê-los antes de lhes dar tanto valor. Não há saída para a obediência irracional e, mais importante ainda, não há como ampliar o que já se sabe.

Suponhamos que um aluno pergunte ao professor o significado de algo, e que a resposta seja uma reprimenda do tipo "O que quer dizer com isso? Ainda não entendeu?" Este professor confunde avaliação com cognição. O aluno não pediu uma avaliação de sua capacidade, mas uma informação ou instrução sobre um item ainda não compreendido. A avaliação crítica da pessoa, se empreendida, deve ocorrer após a compreensão. Um professor não melhora a aprendizagem pelo simples fato de censurar o aluno e desviar a atenção para o que não tem relação com o assunto em questão. Ignorando a intenção do aluno e o que realmente era solicitado, o professor não só insultou sua inteligência, como mostrou não estar ensinando no sentido genuíno da palavra. Infelizmente, este é o modo de agir dos disciplinadores. O professor que se irrita e repreende o estudante devido à lentidão de seu progresso, ou que considera que o processo cognitivo ocorre de qualquer modo e acha que o aluno atinge uma compreensão maior do que na realidade acontece, distorce o processo de aprendizagem. Esse professor cria um abismo entre o aluno e o que deve ser aprendido. É pena que se encontrem transposições de julgamento similares a esta em todos os níveis da sociedade: no governo, no trabalho e em casa. As pessoas desviam-se da busca do conhecimento, dos fatos, da verdade; debates polidos transformam-se em discussões e afetam as relações, não tanto por deslizes na sutileza das palavras, mas pela absoluta confusão quanto a verdade e valor, cognição e avaliação.

A fim de evitar confusão ainda maior, apresentarei um resumo das considerações até este ponto:

1) Verdade	Conceitos espaciais	Reconhecimento da natureza intrínseca da forma, substância e realidade	
	Leis temporais	Reconhecimento da natureza intrínseca da mudança e da permanência	
2) Valor	Estética		Julgamentos da beleza
	Vantagem	Ganhos privados	Julgamento do benefício
		Ganhos públicos	Julgamentos do bem

COGNIÇÃO E AVALIAÇÃO

O homem pode reconhecer, em sua vida mental, cognição e avaliação como atividades inteiramente distintas. Como ambas em geral são consideradas uma só, poucos dão atenção às diferenças, e muitos não as compreendem. Como ocorre com os conceitos de verdade e valor, a confusão dificulta consideravelmente nosso progresso epistemológico, portanto devemos fazer a distinção entre eles.

A operação mental através da qual se conhece as coisas intelectualmente se denomina cognição. A avaliação, envolve valoração ou julgamento das coisas. Como fenômenos mentais, ambas são apenas manifestações da mesma psicologia unificada, relacionadas mas não idênticas. Conforme já foi mencionado, a cognição, que é a percepção de uma coisa entre outras, é objetiva, e a avaliação, que é a percepção da coisa com relação ao eu, é subjetiva. No caso da primeira, os padrões são universais, ao passo que na segunda são emocionais e podem depender do estado de espírito e da realidade exterior.

O objeto da cognição, evidentemente, não precisa se limitar a substâncias fixas ou estacionárias, podendo incluir fenômenos dinâmicos variáveis, tais como a noção abstrata da mudança propriamente dita. A cognição, portanto, tem a capacidade de contraste, comparação e discriminação. O trabalho da mente é compor um retrato acurado do mundo.

A cognição define se uma coisa é ou não é, identificando-a com algo encontrado anteriormente e percebendo semelhanças ou diferenças. Por exemplo, a afirmação "isto é um cachorro" compara o que está diante dos nossos olhos com o arquivo mental das coisas já vistas, rejeita sua semelhança com qualquer outra coisa e o coloca na classe de coisas denominadas "cachorros", pois reúne as características de um cachorro. A cognição "um cachorro é um mamífero" não envolve uma percepção nova, apenas compara e distingue dois conjuntos conceituais predeterminados. Em qualquer dos casos, adota-se um ponto de referência; pode-se reconhecer apenas o que é familiar.

A utilização de uma certa quantidade de referências oriundas de outra situação também está implícita na avaliação. A operação da mente de um indivíduo ao distinguir beleza e feiúra, por exemplo, e ao julgar um objeto perceptivo como estando ou não dentro da sua concepção de beleza, funciona como na cognição No entanto, na avaliação o indivíduo não atenta para o significado ou a razão da coisa. Ao contrário, vai além da suposta existência ou inexistência, verdade ou falsidade, direcionando a mente para o quanto aquilo tem relação positiva ou negativa consigo mesmo. Portanto, enquanto a cognição determina a verdade por retirar as contradições, inconsistências e impossibilidades, a avaliação pesa o valor nas balanças de relatividade, complementação e oposição.

Os dois processos estão em interação contínua mas, como será verificado através de um exame minucioso das atividades da vida diária, o homem lida com os fenômenos do meio ambiente utilizando três padrões predominantes: proceder a avaliações após atingir uma cognição completa; tentar alcançar a cognição somente depois de avaliações; ou avaliar as coisas sem nenhuma cognição definida.

Na compra de algum objeto para casa, por exemplo, após pesquisar o mercado para se inteirar do que existe disponível para responder às necessidades, pode-se chegar à avaliação de que a compra é compensadora, ou desejar o objeto por estar na moda ou por recomendação de terceiros. Fazemos isto com freqüência, na vaga convicção de que nossas avaliações são fatos, confundindo-as com cognição. Às vezes, nem se tenta examinar o objeto para saber que "parece ser bom".

Os mesmos padrões são utilizados no caso da avaliação do caráter de alguém. Há indivíduos que tomam partido de alguém com base apenas na reputação, sem realmente ver, ouvir ou conhecer aquela pessoa. Mesmo aqueles que não se apressam em declarar seu ponto de vista sem antes examinar a situação, muitas vezes modificam suas opiniões pelo poder do consenso geral. Podem ter uma pessoa em alta estima, depois achar que onde há fumaça há fogo, e terminar por concluir que deve haver alguma verdade na má reputação. Em muitos casos, é assim que a opinião prevalece na sociedade.

Esta pode ser a origem de inúmeras fraquezas sociais. Há cidadãos que não dão oportunidade para a compreensão — a menos que já defendam um ponto de vista em particular —, e acreditam nas palavras de pessoas respeitadas, verdadeiras ou não. Por outro lado, todos vivemos em maior ou menor dependência do julgamento dos outros nas áreas em que não somos qualificados, pois ninguém pode obter sozinho uma compreensão exata de tudo.

De qualquer modo, as pessoas tendem a confundir cognição e avaliação. Os problemas ocorrem em combinação; a avaliação geralmente toma o lugar da cognição, ou se baseia na cognição incorreta. Assim, há médicos e advogados que se preocupam excessivamente em se manter garbosos, imponentes e bem-vestidos porque os clientes julgam pelas aparências e não procuram se informar sobre sua competência. A jovem mulher que se veste exageradamente na moda também demonstra preocupação em agradar os admiradores.

Não se deve procurar resolver esses desequilíbrios entre cognição e avaliação pela simples supressão da avaliação. Se cognição e avaliação são os únicos meios de se lidar com o mundo exterior, eliminá-las não seria a solução. Ambas devem ser utilizadas para a obtenção de um retrato mais completo da realidade, com o maior número possível de informações.

Nossa existência no mundo e do mundo resiste à atitude passiva própria do espectador, que coloca o que é externo em disputa com o estado interior do outro e, efetivamente, nega essa realidade interior. O ser humano deve experimentar, mas também interagir. Colocando dessa forma, a convivência com o mundo se aproxima de nossa própria fenomenologia:

1) Experiência — atividade sensorial ou intelectual
2) Interação — atividade sensual ou emocional

Desde Galileu, o cientista tenta adotar a primeira atitude, para remover os elementos emocionais e subjetivos, mantendo uma visão impessoal do objeto de investigação, como se este não tivesse relação consigo mesmo. Tenta evitar uma empatia com o objeto, talvez compreensível, pois o cientista não deseja fazer julgamentos apressados com base nas emoções subjetivas a que é propenso o leigo. Porém, a cura com freqüência é tão ruim quanto a doença. Quando exagerada, essa preocupação com a objetividade pode levar o cientista a conclusões extremamente limitadas e obtusas, pela ausência da síntese. Um cientista de renome pode se tornar um reducionista intelectual e julgar suas cognições como sendo a totalidade do objeto investigado. Pode prender-se a princípios e ignorar os sentimentos e intuições que aparecem no andamento da pesquisa, em especial as aplicações relativas ao valor. O que existe em sua mente que impede seus pensamentos são os refugos do conhecimento — pós-imagens objetivas, porém improdutivas.

Essa atitude é uma negação dos verdadeiros objetivos da ciência. Se o homem deve aprender tudo o que há para ser conhecido com respeito ao mundo mental e físico, precisa desenvolver uma cooperação harmoniosa entre experiência e interação, ou será enganado pelo preconceito. Bergson discorre sobre isto quando afirma que os cientistas, que sem essa interação não teriam acesso ao santuário interior das coisas por considerarem apenas o que é exterior, devem ser providos de "simpatia" pelo conhecimento das coisas, em especial em sua vida interior.[1]

À primeira vista, a simples experiência autêntica e a interação emocional pareceriam mutuamente exclusivas; no entanto, a psique nunca se dicotomiza tendo uma parte contra outra. Razão e emoção são partes de um mesmo todo, como a realidade nunca é dividida. Se o homem deve refletir o todo da realidade, deve usar o espelho da mente em sua totalidade. Estamos repetindo o apelo de Dilthey para uma educação que envolva a pessoa como um todo: razão, emoção e vontade.[2] A procura de métodos educacionais também encontrará nesta reflexão um apelo para a adoção de práticas que enfatizem a unidade mente-corpo, através da qual vivemos no mundo. Isto também implicaria a necessidade de experiência e interação, atividade cognitiva e avaliativa.

Poderíamos aplicar essas idéias em um esquema duplo de orientação educacional da seguinte maneira:

1) Abordagem sensorial e intelectual da compreensão — experiência — pensamento

2) Abordagem emocional e intuitiva do pensamento — interação — sentimento

Orientação abrangente da vida

Cognição

PROCESSOS COGNITIVOS

Como vimos, a cognição emprega os dois processos opostos e complementares de diferenciação e analogia para determinar que um objeto percebido é ou não é. Essas funções, em sua essência e primitivismo, são evidentes no animal. O peixe distingue a isca que pode comer e, aparentemente, até as plantas selecionam os nutrientes de que necessitam. Não há razão para insistirmos nas habilidades discriminatórias das plantas, mas podemos reconhecer uma certa base evolutiva da cognição humana. A consciência humana é decididamente mais complexa, apesar de haver correspondências ao que percebemos como instinto no mundo não humano. Mas, se consideramos a cognição como a transferência da realidade física exterior para a realidade conceitual interior por meio da linguagem, torna-se fenômeno exclusivamente humano.

A classificação e a lembrança estão implícitas nas linguagens formal e verbal que governam o processamento de informações perceptivas e conceituais no ser humano. De fato, sabemos que, quando procuramos classificar algum fenômeno recentemente encontrado, algo refresca nossa memória e descobrimos vários aspectos dele análogos a experiências passadas. Portanto, a mente discrimina a identidade das diferenças, entre contingências temporais e espaciais. Além de simples comparação e contraste, a mente raciocina com suas cognições, isto é, além das capacidades de discriminação, nossos processos cognitivos utilizam faculdades de análise na formação de conceitos. O raciocínio ou inferência é a progressão para uma convergência de idéias, ou o desenvolvimento seriado de conceitos em direção a um retrato unificado do mundo. Esta busca de síntese mental procura ultrapassar a forma exterior de fenômenos aparentemente desconexos e chegar à ordem interior por entre as coisas: o conteúdo e a estrutura subjacentes, o organismo ou mecanismo comum a cada objeto de cognição. Com isto, o homem constrói princípios e padrões cognitivos através de repetidas lembranças e classificações. Abstrai paralelos e características latentes comuns, adquirindo pouco a pouco proficiência em seu esquema de metaclassificação. Chega a comparar cognições aparentemente conflitantes, a fim de descobrir a verdade "mais verdadeira". Por exemplo, somos capazes de reconhecer alguém como a pessoa que conhecemos há três anos, mesmo com as mudanças que o ser humano sofre a cada instante da sua vida. Alguma coisa permanece fundamentalmente a mesma, ainda que tudo o mais possa mudar.

As variedades de cognição são infinitas, mas nossas operações mentais têm regras comuns: primeiramente, separamos nossas percepções para isolar e identificar verdades específicas, as quais, em seguida, reavaliamos e reestruturamos em verdades maiores, enfatizando as ligações entre os elementos mais essenciais. Mas o que é essencial? Como devemos distinguir essência de não-essência antes de combinar tudo isso numa síntese?

Essência significa o que permanece constante através de nossas observações de fenômenos perceptíveis. Este não só é o objeto de toda pesquisa científica, mas é o que nos permite viver com confiança e segurança. Não fosse por essa consciência, estaríamos presos em uma corrente implacável de coisas e eventos randômicos. O conjunto de informações obtidas pelo método científico seria um catálogo incompreensível de grupos representativos momentâneos no curso da existência sensível, fragmentos no rastro da existência contínua. Em verdade, esta capacidade de generalização do universal partindo do específico é nossa salvação. A experiência ensina o que é confiável e o que não é comprovado repetidamente como verdade. Não precisamos adquirir toda essa experiência de imediato, pois outros nos deixaram extratos de sua própria experiência. Seja em forma de escrita, pintura, escultura, partituras musicais ou publicações, somos o receptáculo de uma vasta armazenagem de propriedade cultural que a sociedade preserva e permuta sobre e acima da propriedade material. O que não aprendemos através de ensaio e erro, adquirimos com essas coisas importantes que outros antes de nós, através de análise e síntese cognitiva, consideraram adequado separar das inconseqüências.

De qualquer modo, devemos admitir que a aprendizagem tem um papel importantíssimo na vida do ser humano. Viver sem aprendizagem é tatear na escuridão. Ao mesmo tempo, a aprendizagem desligada da vida é teoria vazia. O conhecimento deve ser comparado com a experiência pessoal, especialmente quando a fonte desse conhecimento não é o próprio indivíduo. Em algum momento, o homem deve fazer a transição intuitiva, afastando-se dos escassos detalhes da proximidade imediata conhecida em direção a um quadro mais abrangente. É difícil a aprendizagem verdadeira acontecer apenas através da reestruturação do que já sabemos, pois ela subentende sempre um elemento de experiência nova. Do contrário, as atividades mentais serão limitadas pela memória e nunca a excederão. O homem deve estar sempre aberto a novas explicações e experiências, se realmente deseja viver e aprender.

O apego obstinado à própria experiência, sem passar à lei abstrata, é uma falha muito comum no homem ignorante, mas também é muito ruim quando o indivíduo possui um conhecimento parcial e se agarra à teoria, renunciando ao teste da vida. Quando alguma experiência induz à descoberta de uma relação casual, o ideal é não deixá-la passar, proceder a um extenso levantamento das condições semelhantes e juntar os elementos essenciais daquele princípio causal, pelo uso da análise comparativa. Mesmo assim, o indivíduo não fica totalmente convencido, nem com absoluta certeza de ter descoberto a verdadeira essência da situação, a não ser que testemunhe demonstrações repetidas. Só então a cognição adquire o aspecto tão importante da compreensão. Talvez o maior paradoxo seja este: o homem precisa vivenciar a experiência em outras circunstâncias, para saber que entendeu a sua verdade constante; necessita experimentar as coisas outras vezes, de formas diferentes, para entender o porquê de acontecerem sempre da mesma maneira.

INTUIÇÃO E RACIOCÍNIO

A mente humana pode chegar à cognição por meio da intuição ou do raciocínio. O processo da intuição pode ser exemplificado pela visão do poeta ou artista que tenta captar a essência da experiência da maneira mais direta e concreta possível. No outro lado da balança está o cientista, que trabalha utilizando o processo racional de eliminação. O artista focaliza o que é único e específico, vendo o objeto de cognição como um todo. O cientista adota a abordagem oposta, concentrando-se nos elementos comuns e universais para formar conceitos abstratos.

A intuição e o raciocínio são comumente caracterizados como os aspectos ativo e passivo da cognição. O artista é visto como tendo uma sensibilidade ou receptividade aguçada, enquanto que o cientista está sempre preparando circunstâncias para provocar a ação dos princípios que deseja investigar. Mas, na verdade, a cognição nunca pode ser inteiramente passiva; a consciência pura e simples é um pré-requisito da cognição, mas não são sinônimos. A cognição raramente é como uma simples reprodução fotográfica. O homem continuamente ajusta e reposiciona as lentes dos sentidos para focalizar e produzir imagens na mente; ele procura idéias.

Mesmo assim, há uma diferença perceptível entre intuição e pensamento. Não é somente uma questão de concretude ou abstração relativa, mas de metodologia. Ambos são meios para se chegar à compreensão e revelar verdades comumente reconhecidas, mas o raciocínio é hierarquicamente mais avançado e estruturado. Ele utiliza a intuição como passo preliminar e fonte de fenômenos experimentais, e então exclui os detalhes estranhos à abstração de uma verdade generalizada. No caso da intuição, somente a verdade específica resultante é acessível ao exame da consciência, ao passo que o raciocínio deixa toda a sua atuação aberta a qualquer exame. Procedendo ou não como o cientista que formula uma hipótese de trabalho, nossos processos de pensamento obedecem natural e inevitavelmente a um determinado curso de procedimento. As leis da lógica codificam esse curso e, mesmo que não enfatizemos a configuração lógica de nossos pensamentos no dia-a-dia, estamos nos aproximando constantemente dos métodos do cientista. De fato, é a lógica que garante a universalidade de nossas idéias, estruturando o curso mais exato de volta aos fatos da experiência.

Valor

O CONCEITO DE VALOR

Agora que o conceito de valor deixou de se limitar ao aspecto econômico e passou a ser usado nas mais variadas áreas, como arte, ciência, ética e religião, é importante entender como a palavra *valor* está sendo empregada, antes de analisar o significado que deve ter para a educação. O objetivo do exame dessas definições operacionais é ir além das interpretações e associações idiossincráticas habituais e considerar a palavra pela análise objetiva. Desse modo, é possível também corrigir conotações especializadas ou ocupacionais.

Talvez seu uso mais antigo tenha sido no sentido econômico de "valor", isto é, com que eficiência alguma coisa correspondia a uma demanda ou satisfazia um desejo. Os farrapos indesejáveis e desprovidos de valor para o rico poderiam satisfazer um desejo de vestuário do pobre.

Como vimos anteriormente, o valor é uma expressão quantitaviva da relação entre o sujeito que avalia e o objeto da avaliação, o que se traduz na micro e na macroeconomia como lucros privados e públicos *versus* custos. Aqui também, o que o indivíduo lucra pode ser "bom" em sua análise subjetiva e "mau" para a sociedade; ou, de modo inverso, há o exemplo dos fazendeiros que, para o "bem" comum, são forçados a vender parte de sua terra para a passagem de uma linha férrea, por ordem governamental, sendo enganados ao receberem outros acres de terra. Assim, a avaliação depende com mais freqüência do avaliador do que do objeto. O mesmo objeto pode representar proveito ou prejuízo, bem ou mal, dependendo da amplitude e do ângulo de visão. No entanto, não se deve confundir o uso comum dos vocábulos *bem* e *mal* com os termos apropriadamente aplicados às ações individuais no amplo contexto social.

Porém, o ser humano não vive apenas da economia. Nem tudo que tem valor pode ser quantificado monetariamente. Podemos reconhecer o valor através de fins e meios. Isto é, para todos os propósitos, não há nada na experiência humana diária cujo valor não suporte o teste do quanto serve como meio para o alcance de fins, tangíveis ou não. Muito além da miopia materialista, o homem também acha necessário nutrir o ser vital contra a fadiga, a solidão e a dor, que enfraquecem a vontade, a energia e o crescimento. Ele precisa do alimento espiritual chamado consolo. Ativa ou passiva, consciente ou inconsciente, essa necessidade é parte natural e real da vida do homem que, para atingir esses fins, procura o valor no alívio estético.

Ninguém pode negar o fator emocional nos julgamentos de valor. O que o indivíduo considera valioso lhe dá pelo menos algum sentido de prazer, apesar de não se dever ir ao outro extremo e reduzir todo o sentido de valor a mero princípio de prazer. Haverá coisas que gerem prazer e não sejam consideradas de valor? O homem é mais suscetível à intensidade da satisfação sensual. Contudo, quando sua busca de prazeres físicos magoa os outros, ou suas ações de interesse individual prejudicam propriedades de outros, onde está o valor do que faz? O senso de decência envergonha quem adota esse tipo de conduta e provoca o desprezo para com os que assim agem. Estritamente falando, mesmo os prazeres socialmente desaprovados possuem algum tipo de valor para o indivíduo. Se assim não fosse, ninguém os perseguiria. Mas cada valor é pesado na balança; portanto, admitindo a existência de uma grande variedade de valores, devemos insistir em que os valores da educação recebam uma abordagem bastante ampla, a fim de promover o maior bem para todos.

O VALOR DA RELAÇÃO

Como vimos, a simples relação de objetos cognitivos com coisas e fatos do mundo não é suficiente para constituir valor. É preciso uma relação sujeito-objeto antes que o valor seja criado. Somente as relações em que a influência de algum objeto tenda a reforçar ou diminuir, prolongar ou encurtar o ser vital podem ser consideradas benéficas ou prejudiciais, boas ou más. Primeiramente nos conscientizamos da existência dessas relações, e depois avaliamos sua importância para a vida humana. Além disso, podemos proceder à avaliação em várias bases, as quais podemos denominar padrões de valor econômico, moral e estético.

Na definição de valor como medida da relação entre a vida humana e seus objetos, no que ele difere do que os economistas chamam de utilidades ou eficiência? Esses conceitos têm ligação com as mesmas relações sujeito-objeto, mas apenas unidirecionalmente. Portanto, a não ser que queiramos falar de antiutilidade, não nos aprofundaremos na discussão de valor negativo. Não me agrada abordar a palavra *valor* por este ângulo.

As coisas que podem ser prejudiciais se relacionam conosco e nos tiram da indiferença da mesma maneira que o que nos beneficia, mas em ambas as situações nossa avaliação se baseia na força da relação. Por exemplo, a água por si só não tem valor, e freqüentemente passa despercebida. Quando uma pessoa deseja beber água, ela se torna benéfica, e é tida como capaz de matar a sede, assim como a pessoa é capaz de se satisfazer com ela. Em outras situações, a água pode ser desastrosa, como no caso de uma enchente. O valor não é inerente ao sujeito (pessoa) nem ao objeto (água); ele se manisfesta na força de atração ou repulsão entre os dois.

Esta definição ainda é passível de crítica. Alguns filósofos sugerem que a importância de um objeto pode ser inerente ao objeto em si. Para Durkheim, a vida tem valor para as pessoas porque elas próprias são seres vivos. Assim, o trigo teria um valor intrínseco na sua relação nutricional de manutenção da vida; a justiça seria uma virtude porque apóia a necessidade de vida, e o assassinato seria um crime pela razão inversa. Em muitos casos, o valor parece ser a expressão de uma característica inerente às coisas como nos são apresentadas feitas para um fim lógico.

Estes argumentos, ainda que meritórios, não explicam os fenômenos de valor simbólico, como a idolatria. Através da História, muitas coisas têm merecido adoração. Não se pode dizer que ídolos de madeira e pedra possuam características inerentes de valor, mas o homem vincula sentimentos religiosos às coisas mais insignificantes. A noção de que um objeto de adoração estimula a imaginação humana ao máximo cai em inúmeras contradições históricas. Diferentes povos depositaram fé em todo tipo de coisas, cujo valor não tinha ligação com o objeto em si. Essas aparentes contradições não se limitam à religião, elas permeiam a vida moral, onde quer que a fé esteja presente. Uma bandeira é apenas um pedaço de pano, mas os soldados arriscam suas vidas para defendê-la; muitos objetos supérfluos são investidos de valor de troca muito acima de qualquer qualidade inerente que possuam. Assim, voltamos à noção de valor como o que é reconhecido pelo sujeito por sua relação direta ou indireta com ele na representação de um elemento importante no meio ambiente.

ELEMENTOS CONSTITUINTES DO VALOR

Prosseguindo na análise do conceito de valor, é necessário identificar as características nas relações sujeito-objeto avaliadas como diferentes do sujeito ou objeto em si. Podemos começar por distinguir, do total de ligações percebidas, aquelas consideradas relevantes e, nelas, diferenciar os elementos subjetivos dos objetivos.

Vimos que o homem desenvolve algumas atividades inconscientemente, enquanto outras merecem atenção consciente. Os fenômenos e as relações também são tratados consciente ou inconscientemente. Quando o indivíduo adota uma atitude de simples cognição intelectual, sem implicar resposta emocional, não percebe que as coisas têm influência significativa sobre ele, e, portanto, não lhes atribui valor específico. O homem encontra centenas de pessoas na rua todos os dias, mas interage apenas com as poucas que o fazem passar da equanimidade neutra para a simpatia ou hostilidade. Além disso, as "leituras visuais" do mundo à nossa volta são coloridas de fatores como o nível de conhecimento ou o caráter pessoal, que são diferenças individuais que direcionam o julgamento para determinados critérios em vez de outros.

Tendo como base cognitiva padrão para avaliação a continuidade da existência, o homem primeiro distingue o que lhe é útil do que não é. Neste momento, faz a distinção principal entre o que tem valor e o que não tem. No entanto, as circunstâncias raramente são permanentes ou divididas em preto e branco. Por exemplo, vamos supor que um indivíduo possua dez sacas de carvão e tenha utilizado somente a metade durante o inverno, deixando cinco sacas intactas. No início daquela estação, ele não tinha meios de saber quantas sacas seriam necessárias para o aquecimento, então a validade das dez sacas se justificava. Porém, quando o verão chegou, as cinco sacas restantes não tinham propósito, isto é, objetivo imediato, já que se pode usar o argumento da utilidade potencial para o próximo inverno. Estamos considerando apenas o presente, o verão, em que o carvão não tem valor, mas em meio ano recuperará seu valor inicial, ou melhor, seu possuidor lhe atribuirá novamente um valor. O balanço do pêndulo para o valor zero e de volta para o valor inicial é apenas uma questão de meses. Na união apropriada de pessoa, tempo e local, coisas abandonadas no presente podem se tornar valiosas em outra situação.

O princípio de utilidade do valor, puro e simples, no entanto, não atende às complexidades do mundo real — não se trata de uma simples dicotomia sim-não. A avaliação requer um complexo contínuo de considerações, sendo o valor a quantidade de importância atual reconhecida de um objeto material ou simbólico, físico ou mental, na balança dos meios e fins. Fazendo uma projeção, podemos definir a polaridade como o valor contributivo ativo *versus* o valor restritivo passivo, de acordo com nossos hábitos inatos e adquiridos de busca ativa do que é benéfico, e de resistência passiva ao que é prejudicial; ou podemos alinhá-la nas colunas econômicas de crédito e débito como valor positivo e negativo. Em termos mais específicos e familiares, todavia, colocamos o bem contra o mal, o benefício contra o prejuízo e a beleza contra a feiúra. Além disso, em alguns casos, relegamos noções de valor conflitantes a ordens de raciocínio diferentes, ou protelamos o julgamento, como no caso de um valor negativo e um positivo coexistirem, tendo dois resultados previsíveis.

Ao contrário da verdade absoluta, o valor pode mudar, e realmente muda. As luminárias a querosene introduzidas no período Meiji (1868-1912) foram consideradas um grande avanço em relação às lanternas de papel da época, mas foram substituídas em valor pelas lâmpadas elétricas modernas. Ainda assim, na desordem atual, o que tem valor poderia ser considerado obsoleto no futuro, e se tornar convenientemente útil quando a eletricidade falhasse.

O valor modifica-se com a troca mútua entre sujeito e objeto em um ou dois vetores. Primeiro, o objeto de avaliação pode se alterar, pelo processo de deterioração ou entropia, como no caso do exemplo do carvão que, uma vez queimado, se torna cinza sem valor. Por outro lado, a percepção do sujeito pode sofrer algum tipo de transformação. O raio da atenção humana é notadamente limitado, e a novidade logo perde o brilho. Principalmente em especulações econômicas, esta é uma parte importante do que o mercado oferece até alcançar um ponto de saturação. Gossen indicou o fenômeno formulando sua "lei do prazer decrescente", pela qual a magnitude do prazer varia inversamente ao prolongamento da exposição, diminuindo para um limiar mínimo de indiferença, e a exposição renovada ao mesmo prazer não só não recupera a magnitude inicial, como também acelera a taxa de declínio até a indiferença, isto é, a repetição diminui o período e o grau do prazer.[3]

As Variedades de Valor

UMA SISTEMATIZAÇÃO HIERARQUIZADA DO VALOR

Com a rejeição do modelo clássico dos valores verdade-bem-beleza, em favor de uma classificação nova baseada em benefício, bem e beleza, resta-nos integrá-los em uma ordem conceitual abrangente. Como ponto de referência, definiremos *benefício* como os valores de importância direta para a vida do indivíduo como um todo. O benefício é absolutamente pessoal e reage ao indivíduo como um todo. Ao contrário, os valores estéticos se dirigem direta e exclusivamente aos sentidos, envolvendo a vida global do indivíduo apenas superficialmente. Um objeto estético estimula as faculdades de percepção e provoca uma reação emocional agradável ou desagradável, avaliada como bela ou feia, independentemente de qualquer preocupação com a integridade no contexto global da vida. Os valores sensoriais ou sensuais menores são separados do eu maior. Em oposição a isto, em um nível ainda mais elevado, onde a relevância não se centra no indivíduo, mas na influência na vida da sociedade, os valores morais coletivos do grupo constituem um bem. Podemos, portanto, compor um sistema hierarquizado de valores, como uma pirâmide. com valores estéticos na base e morais no topo:

1) Bem — valor social ligado à existência grupal coletiva
2) Benefício — valores pessoais ligados à existência individual orientada para si mesmo
3) Beleza—valores sensoriais ligados a partes isoladas da existência individual

Em cada um dos casos, o que determina o nível de relevância reconhecido entre sujeito e objeto são os critérios do sujeito que avalia, e não a natureza do objeto avaliado. Uma pessoa pode avaliar o mesmo objeto de inúmeras maneiras, fazer diversas correlações, e julgá-lo merecedor de elogio ou crítica: na balança de bem e mal, pesa seu valor moral; na balança de benefício e prejuízo, ou ganho e perda, pesa seu valor econômico; na balança de beleza e feiúra, avalia o mesmo objeto em termos do valor estético. Tudo depende dos padrões da avaliação.

A reação humana ao entrar em contato com um objeto considerado apenas bonito ou divertido é casual demais para provocar algum pensamento relativo à manutenção da vida ou segurança. O homem elimina essas preocupações no enlevo e repouso calmo da apreciação estética. Se a cautela não diminui o prazer, o indivíduo deixa-se guiar pelo livre-arbítrio. Se, por outro lado, ele considera que a magnitude do objeto o coloca fora de seu alcance, resigna-se à adoração ou admiração. Mas quando, em vez disso, o indivíduo é levado a considerar o objeto útil, conveniente ou proveitoso, os sentimentos são de menor êxtase e se concentram mais na utilização; neste caso, ele descobriu o valor econômico do objeto Quando enxerga com os olhos da sociedade, pode ser tão universalmente bom que merece seu amor e respeito; neste caso, o objeto adquire valor moral. A avaliação moral não se limita às ações humanas de vontade pessoal, como se pensa, nem a avaliação econômica a preocupações monetárias, e nem mesmo a avaliação estética a peças de arte. Avaliadores com perspectivas diversas devido a diferenças relativas à posição social, educação e outras circunstâncias culturais, podem julgar a conduta de alguém, por exemplo, como objeto de estética ou de crítica moral. O comportamento grosseiro de um bêbado é observado com algum divertimento pelos passantes. As crianças podem caçoar dele, pois, para elas, não passa de uma pessoa engraçada. No entanto, pessoas de caráter, que considerarem um dever cívico preservar a moral pública, não se contentarão em zombar dele ou ridicularizá-lo, mas se sentirão na obrigação de admoestar o bêbado, para que reflita sobre sua condição moral repreensível. Os amigos e parentes, pessoas íntimas, certamente julgarão suas ações de modo ainda mais severo. E no final, se o infortúnio os acabrunhar a ponto de ferir o amor-próprio, o julgarão em termos do dano individual e se esforçarão em modificar seu comportamento. Da mesma forma, uma briga entre marido e mulher, para a família, não é uma situação de simples observação sem participação emocional, que dirá para aqueles diretamente envolvidos. Todavia, um observador de fora percebe a situação pelo ângulo da estética, como um fenômeno curioso como outro qualquer; ou, talvez, como um assunto de interesse passageiro. Portanto, apesar de os valores morais, estéticos e econômicos diferirem, essa diversidade não está nos objetos, mas nas reações dos sujeitos da avaliação.

VALOR ECONÔMICO

O conceito de valor, a princípio reconhecido como fenômeno econômico, tem implicações nas áreas vizinhas da estética, ética e filosofia, pois auxilia no esclarecimento do significado do sentido original do valor — lucro ou ganho, à luz do esquema mais amplo de valor, comum às muitas áreas de aplicação. Em todos os casos, entende-se que o valor avalia as relações sujeito-objeto. A medida padrão na economia é percebida como um *continuum* infinitamente incremental entre benefício e prejuízo, e estes, por sua vez, são definidos como elementos que tendem a prolongar ou encurtar a vida do sujeito.

Economistas de todo o mundo tentam explicar e analisar o conceito de valor em termos de riqueza, e muitas vezes passam a confundir riqueza e propriedade. Ao nível mais informal, parecem ser a mesma coisa, mas a comparação revela uma separação definida de significado. Em geral, a propriedade é considerada uma dimensão da riqueza. Esta inclui tudo que é capaz de satisfazer os desejos físicos ou mentais do ser humano. Repetirei minha tese inicial de que o homem não tem poder de criar matéria; ele pode apenas criar valor. Todos os economistas concordam neste aspecto, ainda que a terminologia possa diferir. Mesmo não admitindo diretamente a criação de valor, seja isto denominado riqueza, propriedade ou utilidade, o trabalho humano pode introduzir novos usos para os materiais existentes, por recombinação, reestruturação ou reposicionamento.

O ser humano procura obter e utilizar a propriedade como objeto da atividade econômica, com isso enriquecendo a vida no aspecto material. Isto porque reconhece sua capacidade de satisfação material, embora esta qualidade permaneça latente até ser relacionada com os desejos humanos. A utilidade manifesta-se quando alguma coisa necessária à vida deixa de ser suficiente para atender à demanda. Os desejos e a propriedade gravitam entre si, e um deles ou ambos inevitavelmente se adapta de modo a maximizar sua mútua relevância. Essas mudanças alteram ou reestruturam a utilidade de acordo com a nova correlação desejo-propriedade. À medida que a vontade se intensifica, a utilidade da propriedade desejada aumenta e, à medida que o desejo declina, a utilidade diminui proporcionalmente. Da mesma forma, mesmo que a demanda permaneça constante, uma flutuação na natureza da propriedade também faz com que a utilidade varie.

A economia utiliza o termo *valor* em dois sentidos: o valor de utilidade expressa o lucro subjetivo de cada indivíduo, enquanto o valor de troca compara os valores de utilidade no mercado, de modo que o ganho pessoal subjetivo alcance uma medida de reconhecimento objetivo por parte do público. Esta proporção quantificada e padronizada, então, age como uma taxa de troca que controla a transferência de propriedade, que é o resultado objetivo das procuras subjetivas.

VALOR MORAL

Os conceitos de bem e mal são exclusivamente sociais, pois representam julgamentos de aprovação ou reprovação do grupo para com seus membros. A definição de *bem* como aquilo que contribui para o interesse público será considerada simplista por alguns, mas parece não haver outro termo que se aproxime mais do uso real. Há uma nítida divisão entre o lucro no plano individual e familiar e o progresso global de toda a comunidade formada por indivíduos e famílias. Quando os interesses privados conflitam com o interesse público, é de consenso geral que o ganho egoísta, que desconsidera o prejuízo que a sociedade pode sofrer com aquilo, é mau. Nestes casos, a avaliação favorece o grupo. Além disso, uma pessoa cuja preocupação principal seja o bem-estar do grupo, subordinando sua própria vida à vida maior, será considerada virtuosa.

Temos aqui uma evidente dicotomia. Por outro lado, o proveito comum a todos é tido como bom, enquanto que o proveito com a exclusão dos outros é considerado mau. Desde que a perspectiva da avaliação não seja anormal, isto é, ilusória, louca ou deturpada, o que um indivíduo julgar benéfico coincidirá com a visão de bem comum dos membros do grupo. Este bom senso é próprio da natureza humana.

O impulso da autopreservação é a base de todos os julgamentos de valor. A sobrevivência é um valor absoluto, do qual se ramificam os valores relativos. Este instinto funciona não só no homem, mas em todos os organismos; portanto, podemos presumir que, apesar de toda individualidade, os seres humanos têm uma base comum para seus desejos. Não obstante, o único julgamento objetivo desta característica geral é a demarcação de limites. Há uma variedade infinita de coisas que as pessoas procuram ativamente, mas todos partilham um ponto comum quanto ao que resistem passivamente. Podemos achar que o princípio crítico último da moralidade são os limites demarcados pela repressão. No Ocidente, esta linha de resistência é expressa pela regra de ouro, "Faça aos outros aquilo que gostaria que fizessem a você". O adágio é passível de objeção, pois sua formulação ativa sugere que todos procuram, necessariamente, a mesma coisa. Esta universalidade não existe em relação aos desejos positivos das pessoas, nem uma aplicabilidade universal para essa lei, da forma como foi expressa. O provérbio oriental correspondente, "Não faça aos outros o que não gostaria que fizessem a você" [4], é o que alcança a objetividade da verdade científica.

Ainda assim, ninguém se torna virtuoso somente por não fazer nada de errado; apenas se escapa à humilhação de ser um indivíduo imoral. Esta inibição não pode ser interpretada como o único princípio subjacente a toda moralidade, apesar de informar sobre um aspecto da ética.

O crime, portanto, pode ser definido, neste contexto, como um comportamento anti-social, justificável somente no julgamento limitado do depravado, do bobo ou do louco, uma conduta que se mostra desagradável para os outros membros da sociedade. Mas mesmo os que parecem incapazes de compreender seus desejos satisfatoriamente, sem infringir os direitos dos que partilham o mesmo meio ambiente, podem ser persuadidos a buscar o próprio benefício em harmonia com os interesses da sociedade, uma vez conscientizados de sua existência social. Esta é, na verdade, uma função da educação e da formação. As crianças podem violar os direitos dos outros enquanto seu caráter não está formado, mas as famílias dedicadas procurarão eliminar esses problemas, transformando as atitudes erradas em reciprocidade harmoniosa. Este tipo de educação no lar é responsável pela formação de indivíduos responsáveis e merecedores do direito de viver.

A lei regula o nível mínimo de moralidade. Ela não pede que as pessoas façam o bem; apenas pune os atos errados. Tecnicamente, a lei não tem poder de interferir nos assuntos dos que não fazem o bem positivo; ela apenas condena seus transgressores, considerando que devem ser tratados como malfeitores ou criminosos. Assim, as autoridades sempre ficarão atentas à maioria ofensora, cuidando para que ninguém viole os direitos dos outros membros da sociedade. O poder judiciário não existe para promover o bem, tendo apenas sentido punitivo. Não pode, na verdade, impedir o mal.

A moralidade avalia, do ponto de vista da sociedade, em uma escala de bem a mal, o benefício individual oriundo da conduta de uma pessoa. A lei apenas regula um lado da escala, julga se um dado ato transgride o limite mínimo de moralidade em direção ao âmbito do não humano, e exige medidas corretivas cabíveis.

Examinemos os aspectos do julgamento moral mais detalhadamente:

1) Os termos *bem* e *mal* podem ser aplicados a outros fenômenos que não os humanos?
Não, não da forma como estamos usando os termos.
2) Então todas as ações humanas, dependendo do conceito de quem as julga, podem ser consideradas boas ou más?
Não. Somente uma determinada parte da atividade humana pode ser tomada como objeto da avaliação moral.

3) *a)* Que espécie de ação pode ser boa ou má?
Somente as ações intencionais ou voluntárias.
b) Que espécie de ação humana não pode ser denominada boa ou má?
Evidentemente, as ações que não são intencionais, pois em nada diferem de qualquer outro fenômeno natural.
4) Todas as ações intencionais podem ser denominadas boas ou más?
Não. Apenas as que afetam a sociedade como um todo podem ser consideradas boas ou más.
5) *a)* O tipo de ação intencional direcionada para a própria pessoa deve ser considerada boa ou má?
De maneira geral não, apesar de a maior parte das sociedades considerar atos como o suicídio maus.
b) As ações intencionais direcionadas a coisas não humanas devem ser consideradas boas ou más?
Não, a não ser que influenciem indiretamente outros ou a sociedade humana como um todo.
c) As ações direcionadas aos outros ou à sociedade devem ser classificadas como boas ou más?
Sim, este é o cenário adequado para as avaliações morais de bem e mal.

Resumindo, quando uma sociedade se opõe a um de seus membros, ou quando um setor da mesma fica contra o resto, são feitos julgamentos de valor de bem e mal. Contudo, no caso de qualquer outra oposição, como, por exemplo, um indivíduo contra outro, ou uma sociedade contra outra, esses julgamentos não prevalecem. (É interessante notar que, no confronto entre sociedades, recai-se nos padrões relativos de benefício e prejuízo econômico.)
Na abordagem do tema do valor moral positivo, do bem, é interessante considerar alguns precedentes na história da filosofia, principalmente o ideal de Platão. Primeiramente, devemos observar que Sócrates separa o bem do prazer ou a satisfação do desejo. Da mesma forma, os objetivos imediatos aos quais as pessoas aspiram na vida — realizações, saúde, riqueza e honra — são relegados a meios, substituídos por uma meta final, o bem último. Em um diálogo com Polas, Sócrates sugere que as ações seguem idéias e que, quando a idéia é justa, a ação resultante será boa. No entanto, quando parece que Sócrates limitou seu ponto de vista à justiça como o princípio determinante no julgamento moral, a pergunta retorna: como podemos fazer esses julgamentos, sem antes saber o que é certo ou errado? Assim, a questão de Sócrates

é o valor bem propriamente dito. Ele chegou à conclusão que existe um elemento de bem moral inerente a todas as pessoas e coisas, de modo que, na medida em que esse bem inefável é universal, não pode haver coincidência; uma ordem moral natural é imanente ao mundo. Para Sócrates, podemos supor que essa ordem é uma unidade que abrange tudo, um todo orgânico no qual o bem inerente de cada coisa ou ação se manifesta em relação ao bem pleno e inviolado da vida, que existe desde tempos imemoriais, intocado por mudanças externas.[5]

Escolhendo posicionar o bem na base da justiça ou vice-versa, o ponto fundamental em questão continua sendo: como reconhecer esses valores no mundo real. Isto é muito diferente das afirmações pró e contra na suposta continuidade eterna de bem inato nos seres humanos e em toda a criação. Na prática, há uma diferença reconhecível muito pequena entre o ideal platônico e a regra de ouro reversa de Confúcio. Isto é, o princípio confuciano baseia-se no fornecimento de uma afirmação o mais clara possível do erro moral, uma definição tão aplicável e prática que ninguém precisa aprender como julgar corretamente. Os instintos inatos sabem o princípio de cor, e nunca nos induzirão ao erro.

As muitas definições e nuanças do *bem*, aceitas através dos anos, não estão necessariamente de acordo com nossa compreensão do bem como foi definido até este ponto, nem mesmo concordam entre si. O individualista convicto dirá que o bem é o amor-próprio, a autoestima, enquanto que o cristão percebe o bem no amor aos outros. Na Grécia antiga, a palavra *bem* referia-se a força, bravura e generosidade; a correspondente latina também significava força e bravura; já a noção francesa de bem subentendia o valor. Estas interpretações antigas podem parecer distantes do uso atual, mas, sem dúvida, faziam sentido no tempo em que as pessoas tinham que ser fortes para fazer com que a paz e a segurança prevalecessem na sociedade pré-moderna. Deve ser evidente também que o sentido de *bem* não é imutável, adaptando-se às condições sociais que sofrem contínua mutação.

Resumindo, independente de tempo e lugar, é o contexto social que determina o significado de *bem*. O bem só pode ser definido pela sociedade. Além disso, o bem do grupo sempre tem prioridade sobre os valores de beleza e benefício, cujo ponto de referência é o indivíduo, e que só influem indiretamente na sociedade, através de seus membros.

VALOR ESTÉTICO

O que constitui o valor estético? Que qualidade é essa denominada beleza que o distingue do benefício e do bem? Como forma de valor, o valor estético precisa obter, em primeiro lugar, reconhecimento. Ao mesmo tempo, não pode exigir preocupação excessiva, pois o sentido estético de maravilha se limita à periferia da existência humana, tangenciando as faculdades perceptivas como sensação agradável ou observação encantadora, nunca fazendo valer seus direitos na consciência humana de modo a nos colocar na defensiva.

Alguns acadêmicos consideram que o valor estético se aplica apenas a objetos sensoriais, isto é, a coisas, excluindo os fenômenos não materiais como uma bela ação ou uma bela alma. Não obstante, o ser humano é sujeito à mesma ordem de sentimentos apreciativos com relação a ações, ocorrências e idéias, que o é em relação a coisas, portanto, não vejo razão para não considerarmos tudo isso objeto estético. Apesar dos chamados belos feitos, como ações merecedoras de admiração, parecerem se encaixar melhor na categoria de valor moral, muitas vezes nos percebemos cativados por histórias e acontecimentos desprovidos de qualquer relação com a moralidade. Assim, a literatura, a ficção e a não-ficção passam à posteridade pelo mero prazer de se ler ou ouvir.

Então, o que torna as coisas interessantes, se não a beleza? O que estou tentando dizer ficará mais claro se compararmos com algo desinteressante. Sendo apenas levemente aviltante, na pior das hipóteses, o que não é interessante não comporta conotação repulsiva de feiúra. O homem fica neutro e impassível diante de qualquer coisa que não exiba uma aura positiva nem um estigma que a detraia. Assim, consideramos que os julgamentos de beleza e feiúra adotam um nível limiar de interesse.

Qualquer fenômeno, sensível ou insensível, animado ou inanimado, pode ser tomado como objeto de avaliação estética. Quanto a isto, é importante observar que o valor estético aumenta em proporção ao grau de contraste, isto é, o contraste entre sucesso e fracasso, prazer e dor etc., desde que o contraste ou diferença não destrua a unidade ou integridade do que está sendo esteticamente avaliado. Em outras palavras, as coisas tidas como de valor negativo do ponto de vista moral ou ético são, às vezes, os mesmos elementos que produzem o valor estético, devido a seu forte contraste, pois eles estão "do outro lado". A extensão do drama é a fonte da beleza.

As atividades humanas, ainda que percebidas a cada instante pelos mesmos órgãos dos sentidos, encontram níveis de avaliação diferentes quando a atenção se concentra em determinantes de interesses distintos. A beleza e a feiúra centralizam-se nos aspectos formais, quantificando o impacto da sensação da simples configuração e combinação de coisas e eventos que crescem e decrescem no tempo e espaço, enquanto que o bem e o mal moral recebem significado na vida da sociedade, na medida em que pressionam o indivíduo. O interesse dá o tom básico ao valor estético, o qual, se não derivar da consciência do benefício sensorial em si, pode ser visto como estando à procura de um nível relativamente estável de tranqüilidade passiva, sem nenhum dano. Tanto é assim que as pessoas encontram conforto e aliviam o cansaço quebrando a monotonia do dia-a-dia, distraindo as mentes e enaltecendo a alegria em lugar da melancolia.

A Relação entre Ciência, Religião, Criação de Valores e Educação

VALOR RELIGIOSO — UM CONCEITO NECESSÁRIO?

Winderband postulou um valor "santidade" diverso de verdade, bem ou beleza e o definiu como função da religião.[6] Muitos filósofos desde então seguiram o exemplo dele, defendendo esta categoria de valor como fundamental à criação de qualquer sistema de valores. Na opinião deles, todos os tipos de valor familiares ao homem na vida diária — a beleza da vida artística, o bem da vida moral, a verdade da vida acadêmica (embora tenhamos distinguido verdade de valor) — devem se basear em algum valor absoluto. Mas quais são as bases para a definição desse valor religioso?

Se o valor religioso é concebido como refúgio sagrado último, onde as pessoas são salvas ou libertadas dos sofrimentos da condição humana, não ocupa então, em essência, um lugar na sociedade que corresponde ao valor moral segundo nossa concepção? Ou, do ponto de vista do indivíduo, um valor de benefício? Além de salvar pessoas ou o mundo, a religião tem algum significado no contexto da sociedade? Não é a salvação ou libertação dos indivíduos um benefício individual, e a do mundo um bem moral? Chamado de favor divino, ou de estado de graça, as palavras expressam a mesma idéia.

Alguns talvez não concordem, dizendo que a experiência do divino transcende os sentimentos de benefício individual e bem social, mas só posso imaginar o sagrado em harmonia e ao lado disso, sendo sua forma mais pura. Tenho plena convicção de que o sistema beleza-benefício-bem que definimos até este ponto pode abranger toda a gama de valores possível, sem a necessidade de criar um valor sagrado distinto.

GOVERNO PELO HOMEM OU PELA LEI

Séculos atrás, as nações estavam sujeitas ao comando autocrático de uma pessoa, e não ao controle da lei. Os caprichos desenfreados e as arbitrariedades do monarca, da aristocracia e dos ministros eram aceitos com submissão, quer fizessem ou não sentido. A culpa pelas decisões insensatas e políticas desastrosas adotadas eram inteiramente eliminadas nos rasgos de violência. Neste tipo de sistema, a liderança era fundamentada no princípio de que "a autoridade age corretamente". Embora, às vezes, algumas pessoas discordassem, a maioria aceitava passivamente a situação, por desconhecer outras possibilidades ou temer as conseqüências. Só com a conscientização coletiva da superioridade do controle da lei sobre o do homem se pode chegar à instalação do governo constitucional. As nações que são monarquias constitucionais, por terem preferido manter uma figura representativa da realeza, têm seu "monarca" sujeito à lei. Essa noção de lei e de uma ordem inerente à vida humana é também a base principal da ciência.

Segundo as escrituras, Sakyamuni disse: "Obedeçam à lei, não aos homens." Este é o maior ensinamento que o Budismo tem a oferecer para o progresso da humanidade, pois indica a saída da dependência para a verdadeira liberdade, da obediência a figuras de poder carismático para a integração com a ordem universal. Mais adiante, veremos que a submissão irracional à vontade de outros, ou mesmo à própria, é uma forma de culto à personalidade, na qual o indivíduo se entrega à sujeição. Essas crenças e ligações tacanhas não se fundam na razão, por isso podem ser transitórias e reativas. O menor desvio dogmático ou iconográfico pode gerar disputas sectárias e intolerâncias religiosas.

Todas as religiões pregam a compaixão, a piedade e a reciprocidade com tal fervor que quase causam hostilidades interconfessionais, porque se firmam no culto à personalidade. O devoto de cultos como estes, do mesmo modo que um amante que não tem olhos para ninguém além do objeto de sua paixão, não tem condição de assumir uma posição científica objetiva que permita a comparação equilibrada das várias religiões, aceitando as semelhanças mais importantes e rejeitando as diferenças insignificantes.

Pouco a pouco, no entanto, à medida que o homem avança no processo de aquisição de conhecimento, os elementos emocionais subjetivos dão lugar a considerações mais racionais. Quanto maior a noção de uma ordem subjacente, mais distante fica a figura carismática. A conscientização esclarece que aquela pessoa, a quem reverenciamos, é um ser humano comum. Naquele instante, como um raio de sol brilhando mais do que as estrelas que antes pareciam ter uma luz forte, o foco da consciência que impulsiona o ser se desloca, das pessoas ligadas à perda e ao ganho individuais, para a ordem natural e as leis sociais, que não favorecem ou discriminam ninguém.

Este despertar da consciência para a noção de uma ordem subjacente e o compromisso com um governo pela lei, em vez de pelo homem, é o que nos dá esperanças no futuro. Uma abordagem madura desses problemas e da vida contemporânea seria não lamentar os infortúnios e as desigualdades do presente, mas considerá-los um passo em direção a uma ordem social mais justa e humana, que pode surgir dessa crescente conscientização. À medida que o povo passa a ter noção de sua alienação do poder que é dele por direito, e da impotência de uma existência dividida, não coletiva, pode se unir em busca da libertação. Até o presente, o principal fator responsável pela orientação do ser humano para essa conscientização tem sido a educação. Assim, olhando para o futuro, a educação deve fornecer a orientação necessária. Agora, mais do que nunca, todos os níveis da sociedade, altos e baixos, governantes e governados, capitalistas e classes trabalhadoras, devem reconhecer o valor da aprendizagem na superação das ilusões do individualismo presunçoso.

Isto não será fácil, pois, para haver esperança para a educação, será preciso enfrentar muitos problemas importantes, os quais ainda não percebemos com clareza no âmago de nosso ser. Além do mais, não pode haver rivalidade ou exclusivismo entre as áreas especializadas de estudo, como temos testemunhado. Independentemente das reverências que as "autoridades" recebem nas próprias áreas de especialização, a recusa ao reconhecimento das lições de outras áreas gera mais problemas que soluções. O verdadeiro teste da educação, de agora em diante, deverá se pautar nas respostas que ela traz para a vida humana. Não podemos relegar a tarefa de traduzir verdades abstratas em valores da vida real a grupos religiosos que passam o tempo lutando e discutindo sobre qual deles é o possuidor da maior verdade. Esses "grandes debates dogmáticos" não servem de nada, se não nos livram da cobiça, do ódio e da ignorância, se não combatem as ilusões, e nem afastam a ignorância que torna nossas vidas sem objetivo. Se é necessário haver debates, em lugar de discussões emocionais, eles devem ser um meio para fortalecer a fidelidade ao princípio: "Obedeçam à lei, não aos homens." Somente com a adoção dessas práticas racionais será possível à ciência e à religião e, por extensão, à religião e à educação avançarem juntas.

Integração da Personalidade e Criação de Valores

A AVALIAÇÃO DE VALORES PESSOAIS

A fim de ser possível avaliar o valor pessoal corretamente, é preciso que a autoconsciência e a consciência do outro trabalhem em conjunto. Esta autopercepção não significa apenas o reconhecimento por parte do indivíduo de que ele existe, tampouco se trata da noção de individualidade, enfatizada pela comparação das suas qualidades com as dos outros. Ao contrário, estamos falando do valor pessoal do indivíduo como um todo, comprometido com a sociedade. Sócrates procurou o despertar do homem para o eu, para que se tornasse possível ver o divino dentro de cada um. Sob o lema "Conheça-te a ti mesmo", rejeitou as revelações do oráculo de Delfos e escolheu a auto-reflexão ou aprendizagem. Para ele, a auto-reflexão significava a saída do estado infantil ou primitivo da não discriminação do eu e dos outros ou da consciência superficial dos outros, para voltar ao exame de si mesmo, à luz das suas contribuições positivas ou negativas, até então, para a vida dos que partilham sua existência comunitária. Assim, podemos dizer que Cengzi que "olhava para dentro de si mesmo três vezes ao dia", levou a vida de auto-reflexão defendida por Sócrates.[7]

Não é demais enfatizar que, para se proceder a uma avaliação correta do próprio caráter, é necessário beneficiar-se das avaliações dos outros para comparação. Alcança-se a avaliação correta do valor pessoal quando se é capaz de escolher entre os valores percebi-

dos pelos outros e por si mesmo, para compará-los e assimilá-los em uma síntese.
  Em seu aspecto mais elevado e representativo, a vida humana é o comportamento consciente. Em outras palavras, a personalidade humana é uma entidade completa que se unifica para cumprir seu objetivo. A pessoa é essa união, aquele algo capaz de combinar vários elementos em uma continuidade de tempo e espaço que conhecemos como vida, que só se dispersa com a morte.
  Naturalmente, essa união que conhecemos como sendo a pessoa é mais profunda do que o que aparece externamente. A consistência interior é mais fiel ao caráter do que as aparências. As inconsistências no estado mental do indivíduo, refletidas no comportamento instável de um dia para outro, geram uma falta de confiança nele por parte dos outros, devido à sua falta de caráter. Torna-se impossível para os outros tratarem-no como um semelhante competente, provedor das próprias necessidades. Os outros se vêem forçados a considerarem-no um ser humano inferior, no sentido de que uma pessoa mentalmente perturbada, de certo modo, é incompleta — uma mente sem unidade.
  Se o fenômeno da autoconsciência reúne tudo que é absolutamente humano (distinto dos animais), então devemos excluir da categoria de caráter pessoal íntegro as crianças, os indivíduos mentalmente fracos e os insanos. Mesmo entre pessoas consideradas normais ou acima do nível da maioria, encontramos aquelas cujas vidas são repletas de contradições, embora tentem escondê-las, e cujas ações anulam as boas intenções que possam ter em mente. A vida dessas pessoas conflita com seus propósitos, e esta falta de unidade se revela no comportamento. Não devem ser consideradas como possuidoras de caráter. Todavia, todo ser humano procura um sentido na vida. Esta procura deveria seguir o melhor caminho, mas muitas vezes o indivíduo escolhe meios insuficientes para o alcance desse fim. Essas pessoas não devem ser classificadas como malfeitores, e sim como ignorantes dignas de pena, incapazes de enxergar além do objetivo imediato que está à sua frente.

EDUCAÇÃO PARA A CRIAÇÃO DE VALORES

  Podemos analisar nossas idéias sobre o que forma o caráter pessoal, com suas características positivas e negativas, porém, na análise final, o ponto essencial de nossas avaliações são os ideais dos diferentes indivíduos na sua orientação de vida. Essas opiniões quanto ao propósito da vida formam núcleos cristalizados, dos quais emanam sistemas de pensamento, como se originassem da superfície de pedras preciosas. Essas crenças centrais no propósito da vida refletem uma das duas atitudes básicas seguintes:

1) Crenças centrais plenamente amadurecidas sobre o propósito da vida, que pouco a pouco levam ao crescimento ou expansão do ser
2) Concepções do mundo orientadas para si mesmo que, eventualmente, enfraquecem o eu

As crenças centrais maduras e um propósito de vida definido, com o tempo, levam a um sentido de unidade mente-corpo — uma harmonia de parte com parte e de parte com o todo — e a uma consistência psicológica. A profundidade e o nível dessa unificação na vida do indivíduo são os elementos mais importantes do caráter pessoal. Esse indivíduo recebe o poder de criar valores. A educação tem a tarefa de orientar o educando para esse fim.

Na tentativa de desenvolver essa qualidade da educação, a ciência aplicada pode ser de grande auxílio, fornecendo as diretrizes preliminares para orientar o planejamento da maneira de criar valores. Da mesma forma que na arquitetura, na educação, antes de iniciar a construção, é preciso fazer planos, o orçamento do projeto para evitar o inexeqüível ou economicamente inviável, testar todos os itens necessários e pensar em todo o processo, para evitar erros ou ações prejudiciais ao projeto. *Previsão* e *precaução* são as palavras-chave. É bem verdade que prever o que ainda não foi experimentado é quase impossível para quem está acostumado a agir sob as ordens de terceiros pela incapacidade de sistematizar as próprias prioridades, assim como para quem se habituou a lidar com as coisas em termos momentâneos e circunstanciais. As preparações cumulativas dependem da própria experiência de cada um e da contínua entrada de dados oriundos da experiência dos outros. A pessoa deve ser capaz de enfrentar circunstâncias repetidas, valer-se de perspectivas anteriormente compreendidas e recorrer a linhas de pensamento que tenham uma história de sucesso. A primeira fonte de orientação é a habilidade de abstrair elementos e condições indispensáveis ao sucesso dos inúmeros avanços e reveses do passado, sejam eles provenientes da própria experiência da pessoa ou aprendidos de terceiros. Esta é a essência da ciência aplicada, e o educador, como um indivíduo incumbido da responsabilidade social tão importante que é trabalhar para esta meta complexa e fundamental, a criação de valores, deve ter isto sempre em mente.

Através da descoberta das leis de causalidade para os processos de criação de valores, a ciência aplicada pode orientar melhor nosso trabalho na educação. Reexaminando sucessos e fracassos até o presente, ela pode auxiliar na compreensão das relações causais no trabalho e, partindo dessas descobertas, formular leis que ajudem as pessoas a criar valores para si mesmas no futuro. A ciência aplicada permite que possamos nos certificar de que as lições de história estão sendo aprendidas e não se limitando a uma mera repetição de acontecimentos anteriores, sem um exame crítico. Vejamos como isto se aplica especificamente à educação. Nós, professores, envolvidos na tarefa de ensinar, incapazes de aperfeiçoar nossos métodos, somos freqüentemente pressionados a descobrir quais os temas que deveriam ter uma abordagem diferente. Nestas situações, deveríamos refletir sobre as práticas de nossos antecessores, levar em consideração suas lições e estudar seus registros, para aprender sobre o que funcionou e o que falhou. Este procedimento é o mesmo que os pesquisadores adotam na medicina, na agricultura e em outras áreas da ciência aplicada.

A educação é uma ciência dedicada a extrair valores pessoais dos professores, os quais, por sua vez, orientam seus alunos na criação de valores. Mas a palavra *ciência* não deve evocar uma imagem insensível e clínica. As pesquisas da psicologia e da sociologia não podem ser aplicadas diretamente à educação; elas precisam ser adaptadas, para se tornarem relevantes para as práticas educacionais e as situações professor-aluno de criação de valores. A educação deve ser uma ciência humanística que reconhece as necessidades do professor e do aluno.

Os indivíduos capazes de se disciplinar e aprender sozinhos são raros e excepcionais. À exceção de casos especiais em que o aluno consegue organizar programas e rotinas no sentido de criar valores para a realidade que experimenta, ou melhor, partindo dessa realidade, o estudante deve ser orientado em seu trabalho. Esta orientação é o sentido da educação. Em sua maior parte, ela requer o trabalho conscientemente planejado de pessoas de caráter (professores), que atuam utilizando a receptividade inata de outros (os alunos), para levá-los ao desenvolvimento do caráter pessoal. A educação tem por função orientar a vida inconsciente em direção à consciência, a vida sem valores em direção ao valor, e a vida irracional em direção à razão.

A educação verdadeira não é acidental. O ensinamento consciente origina o comportamento intencionalmente racional. Ele encoraja o tipo de vida que não apenas produz valor para alguns poucos indivíduos em tempo e local específicos, mas também procura reconhecer as leis universais do valor para a vida. A educação, portanto, como forma de orientação da vida real, deve procurar levar o educando a experimentar o valor no dia-a-dia de sua vida. Em qualquer disciplina, o objetivo de criar valores nunca deve ser esquecido. Com isso, torna-se fundamental descobrir as leis causais dos processos de criação de valores. Uma maneira eficaz de se proceder a esta descoberta seria estudar as histórias de sucesso de pessoas que incorporam o estilo de vida de criação de valores, e analisá-los à luz da psicologia. Outro caminho seria analisar as vitórias alcançadas pelo ensino eficaz, em vez de examinar as realizações mais medíocres, ainda que tais comparações também sejam instrutivas.

A criação de valores é um objetivo educacional que merece atenção integral e esforços sinceros. Ela é a própria vida da educação, em cuja direção nós, educadores, podemos e devemos trabalhar, utilizando as lições das outras ciências aplicadas. A amplitude das ciências aplicadas, além de fornecer um inesgotável material para ensino, confirma o valor da metodologia, desafiando aqueles que se importam com o futuro de nossa sociedade e de nossas crianças a apoiarem os esforços racionais no sentido de se promover uma reforma educacional unificada.

A Revitalização da Educação

Um Novo Direcionamento para a Política Educacional

O ARGUMENTO PARA A REVITALIZAÇÃO DA EDUCAÇÃO

A proposta de revitalização da educação nada mais é do que construir hoje a sociedade ideal de amanhã, através do planejamento do desenvolvimento dos recursos humanos. O artista trabalha a tela ou o mármore e cria uma beleza nova; o fabricante transforma matérias-primas em produtos úteis; da mesma forma, o educador deve fazer um levantamento das falhas da sociedade contemporânea e organizar programas com o objetivo de possibilitar um mundo melhor para as gerações futuras. Esta é a regra de trabalho mais importante e mais urgente com relação à criação de valores, e necessita do envolvimento, da cooperação e do apoio de todos os segmentos da sociedade. Esse planejamento deve se basear na experiência de ensino, em vez de se fundamentar em teorias criadas em torres de marfim. Antes de passar ao estágio de implementação envolvendo os professores, os políticos devem assumir a causa da reforma política, procurando a crítica construtiva entre os grupos interessados, inclusive obtendo a aceitação dos pais de alunos.

No caso da geração de benefício econômico e beleza estética partindo de recursos inanimados, passa-se diretamente da escolha de materiais para os respectivos processos formativos; mas, quando o valor que planejamos criar é o bem moral, partindo de recursos humanos, é preciso, em primeiro lugar, aprimorar esses recursos. Esta função consiste em despertar a noção de vida coletiva em cada membro da sociedade, pois, o que realmente importa, em última instância, é o grau de responsabilidade que cada indivíduo assume no trabalho para o bem comum e a melhoria da sociedade. A educação destina-se aos males sociais. A metáfora é pertinente. O médico trata pessoas doentes, o político fornece os remédios para os males do governo e o educador deve ser considerado médico da sociedade. Porém, enquanto médico e político praticam uma medicina curativa, a atuação do educador é preventiva. Os dois primeiros preocupam-se com o presente e tratam os problemas à medida que aparecem; já o educador se volta para o futuro, na tentativa de evitar falhas e imperfeições.

Podemos encontrar um paralelo para a situação do educador no papel duplo da família moderna, isto é, satisfazer as necessidades materiais do presente e preparar as crianças para o futuro. Na sociedade contemporânea, o professor tornou-se uma presença quase paterna, assumindo a segunda função da família. Portanto, é essencial que as preocupações e os desejos dos pais quanto à educação de seus filhos sejam comunicados aos educadores.

Estamos presenciando lutas de classe, revoltas ideológicas, decadência moral, crises sociais aparentemente insuperáveis, e precisamos descobrir como enfrentá-las. O maior obstáculo é a apatia. As questões que afligem o mundo em que vivemos nos são familiares, mas enquanto os problemas não se tornam nossos, não nos preocupamos com eles, "não nos dizem respeito". Assistimos passivamente aos infortúnios que ocorrem a distância; mas chegará o dia em que recairão sobre nossos líderes, legisladores, estudiosos e clérigos. E então, o que deverá ser feito? O maior perigo que enfrentamos como nação é o fato de que os recursos que suprem a educação irão se extinguir, levando-nos a fracassar por não termos uma liderança apropriada.

Evidentemente, alguém deve encontrar uma saída para as crises sociais, mas, ainda que o controle esteja nas mãos de supostos líderes entre acadêmicos, políticos e religiosos, em geral a autoridade desses elementos é anulada por sua própria inépcia, talvez causada pela má informação, ou mesmo pela falta de tato. Assim, o efeito de seus bons conselhos são destruídos por suas ações incorretas, e seus apelos, do tipo "faça o que digo, não o que faço", não são ouvidos. A corrupção é terrível atualmente e, como o poder persegue a riqueza, os políticos ficam à disposição dos grandes negócios, e os acadêmicos e clérigos, por sua vez, se curvam à vontade daqueles.

O que a princípio parece ser idealismo da educação sugere uma pergunta mais séria: Quem devemos considerar apto a julgar se os pensamentos são certos ou errados? O governo, por debaixo do pano, cala as opiniões que julga "perigosas", mas quem deve decidir sobre o que é realmente perigoso? Em verdade não há nada tão insuportavelmente amedrontador quanto o poder irrestrito e cruel de repressão.[1] Nas discussões acaloradas, quem deve definir o que é certo ou errado? Podemos verificar que, em geral, as discussões são longas e tediosas, cheias de evasivas, por falta de compreensão do significado de bem e mal, tornando-se impossível esclarecer as questões, já que ninguem quer discutir racionalmente.

Para se chegar aos padrões de bem e mal, é preciso descobrir nas pessoas o que é responsável pela sobrevivência de seus valores. Esta tarefa não pode ser totalmente objetiva, pois envolve emoção e avaliação. Algum conhecimento de ética e sociologia pode ser útil, embora não necessariamente pelos caminhos acadêmicos normais. A observação direta de situações da vida real também pode ser de grande auxílio. Seria interessante rever o Capítulo 2, "Os Fundamentos do Valor", para um melhor entendimento da idéia.

A pergunta "que tipo de educação é a melhor?" é muito importante e será analisada posteriormente. Antes, porém, quero enfatizar que o único caminho construtivo para se combater o pensamento subversivo ou repressivo é a educação Alguns especialistas de outras áreas poderiam levar o sistema educacional ao colapso, se apontassem as falhas da escola normal até o presente; por outro lado, é inconcebível a idéia de existir um povo não educado, considerando especialmente o nível de participação dos cidadãos no governo constitucional. A saída para os problemas atuais está no futuro, não no passado! Um exame superficial dos exemplos dos sistemas de ensino na União Soviética e na República da China revelam que a educação, pelo menos, possibilita a existência de uma ordem constitucional razoável. Ainda que surjam crises pelo governo constitucional não ser plenamente implementado, a presença de elementos instruídos sem dúvida comprova a salvação, enquanto que as dificuldades ocorrem somente onde há falta desse tipo de pessoas.

Repito, a saída para o dilema atual é a melhoria qualitativa e quantitativa da educação. Pode haver argumentos a favor ou contra essa afirmativa, mas não se pode negar os apelos da sociedade por uma educação melhor e mais avançada, incluindo o aprimoramento da educação moral.

Para muitos pensadores de renome, a educação deve desenvolver a consciência social ou o senso de comunidade.[2] As reformas políticas, econômicas e outras no campo social são apenas corretivas. O único meio de tratar a origem dos problemas é a revitalização da educação a longo prazo. O futuro pertence às crianças e aos jovens, e suas sensibilidades são praticamente a única coisa receptiva a sugestões através da educação. Os adultos, tão envolvidos em ódio, avareza e ignorância, e tão voltados para si mesmos, têm tão pouca capacidade de auto-reflexão que, em geral, qualquer tentativa de reeducação moral deles é causa perdida.

Não se sabe o que deve ser feito. Para os políticos e líderes nacionais parece suficiente determinar como meta da educação o estímulo à consciência social; os responsáveis pela formulação da política educacional indicam como objetivo da educação o estímulo à unidade nacional e a promoção da educação moral. Todavia, jamais analisaram concretamente os meios a serem usados para esse fim, deixando essa responsabilidade nas mãos do professor. Como resultado, os anos passam, sem que apareça nenhuma proposta concreta para o futuro, mesmo porque não haveria professores capazes de executá-los. O resultado é o marasmo da educação atual. Numa situação como esta, dirigir palavras de encorajamento aos professores não é suficiente.

Os educadores precisam reconhecer que soluções importantes não funcionam; que eles próprios devem perceber as dificuldades específicas de seu tempo e lugar e enfrentá-las, sem receio de errar, pois a partir do erro é possível chegar ao cerne dos problemas, analisando e superando as falhas. Levamos 60 anos buscando idéias na Europa e na América, o que nos enfraqueceu, mas também nos ensinou que copiar não é a solução.

Para que minhas idéias não sejam consideradas suspeitas e eu não seja acusado de prejudicar o trabalho desenvolvido pelo governo de "orientar a juventude para o pensamento correto", desejo explicar-me, dizendo que há um tempo para a destruição e um para a reconstrução; sem crítica há estagnação, mas atacar simplesmente o *status quo* é um convite à anarquia, no intervalo em que a nação aguarda o aparecimento de um plano de construção. A situação sócio-econômica do país se desequilibrou ao extremo, e o momento da mudança está diante de nós. Se tivermos compromisso com métodos pacíficos e construtivos, não ameaçando a unidade do país, será possível conseguir a compreensão do poder. Deste modo, os educadores terão melhores condições de trabalhar para a adoção das reformas necessárias.

Evidentemente, é arriscado assumir uma atitude franca, em meio a uma comunidade educacional conservadora, mas a oportunidade está do nosso lado, e sempre que colocamos em prática nossas idéias recebemos críticas. Atualmente, com toda corrupção e paranóia existentes, o risco assumido corresponde ao grau da ação adotada: quanto mais expressivo o apelo, mais provável é que o "desordeiro" seja retirado da vista do público. Temo que minha luta seja tão inútil quanto uma gota d'água no deserto.

Não há como escapar ao fator humano e tratar os problemas de modo abstrato. Se todos os rios convergem para o mar, toda a inércia de nossa sociedade pode ser determinada por alguma falha nos recursos humanos, o que, por sua vez, indica erro na política educacional. Assim, a reforma das políticas educacionais é o caminho para a revitalização da sociedade.

Aqui temos uma razão que os verdadeiros patriotas devem considerar seriamente. Aprendemos, com a Guerra Mundial, que, para os legisladores chegarem ao cerne de seus objetivos políticos, deveriam estudar a amplitude das repercussões sociais. Trata-se de uma posição fundamentalmente materialista, de apoio à indústria. Com base no evidente sucesso da reeducação de adultos na última guerra, testemunhamos, nos últimos anos, no Japão e no Ocidente, o fenômeno da reeducação de trabalhadores adultos, para satisfazer às necessidades da indústria. No entanto, é uma atividade não-econômica, e será um desperdício de esforço humano se, antes, a orientação básica da educação infantil não for reavaliada. Todo o processo se repetirá, os esforços serão em vão, se a política educacional não sofrer uma análise e um redirecionamento radical para satisfazer às necessidades atuais.

A IMPORTÂNCIA E A POSIÇÃO PECULIAR DA EDUCAÇÃO

Uma medida tangível de progresso são os constantes aumentos nos gastos familiares, locais e estaduais relativos à educação infantil. Isto reflete uma conscientização plena dos pais quanto à responsabilidade de educar seus dependentes. Nas sociedades mais industrializadas, esta noção muitas vezes alcança proporções tão críticas que os pais se sacrificam pela educação dos filhos durante toda a vida, porque o desejo de aprender é muito forte na sociedade e no lar. Isto parece indicar que, não importando se o reconhecimento da educação é pequeno, sempre que as pessoas avaliam seu mundo e comparam a importância relativa de todas as coisas no meio ambiente em que vivem, nada é mais valorizado do que o aprimoramento dos recursos humanos, uma consideração que transcende o material. Historicamente, ninguém pode negar a importância da invenção dos meios de transporte e comunicação, das descobertas médicas e da utilização da energia elétrica, mas, qualitativa ou quantitativamente, sua influência não se compara à da educação. É muito difícil verificar esta afirmativa em termos materiais, exceto quanto ao investimento de tempo e dinheiro na educação de estudantes. De fato, o gasto é surpreendente. Mas, apesar dos gastos vultosos, devemos encarar a realidade de que a educação neste país está defasada, prejudicando crianças e jovens. Isto seria facilmente percebido, não estivessem todos tão ocupados com os afazeres diários. Algumas pessoas estão se conscientizando da seriedade do problema, o que é motivo de esperança. Por exemplo, alguns indivíduos de idade avançada, fazendo um retrospecto de sua juventude, quando os clássicos de Confúcio e outros representavam grande parte do currículo, verificam que esse conhecimento se mostrou sem aplicabilidade ao longo da vida, representando perda de tempo e esforço. Esse apego a políticas e práticas educacionais defasadas e inúteis pode ser observado no Ocidente e no Oriente, e somente graças à assistência de educadores revolucionários como Rousseau, Comenius e Pestalozzi[3], a juventude atual cumpre uma pena mais suave na "prisão" dos estudos sem sentido.

    Levando em conta o grande número de jovens que a reforma educacional atingirá, as melhorias nesta área deveriam ser consideradas tão valiosas quanto os avanços da ciência médica, por exemplo. Além disso, pelo grande número de crianças a serem educadas, deve-se reconhecer que, com essas mudanças, aumenta a responsabilidade dos professores que irão implementá-las. Sendo tão importante uma reforma educacional, é de se estranhar que as práticas antigas tenham persistido por tanto tempo.

    Uma vez cientes desta necessidade, é imperativo que a política educacional seja tratada com sensibilidade. Como a mudança pode trazer conseqüências boas ou nefastas, uma equipe de profissionais atuando de forma mecânica ou dogmática nas escolas, sem a compreensão das necessidades da comunidade local, poderia ser pior do que a ausência de mudança. Ao proporcionar o ensino público, a ação do Estado é construtiva e positiva, mas a educação não pode ser administrada como as outras áreas da política governamental. Em todos os níveis de ensino, em cada detalhe do planejamento, desde a criação de escolas e a determinação dos padrões das práticas educacionais até o fornecimento de textos e a escolha das matérias, o Estado deve esclarecer os professores quanto a seus objetivos, mantendo contato direto com eles.

É também inevitável que o Estado, através do Ministro da Educação, especifique as qualificações e credenciais requeridas para a função docente, e delegue responsabilidades a um grande número de funcionários regionais, que irão supervisionar, reforçar e promover a qualidade da educação oferecida, principalmente com respeito a padrões de procedimento e textos didáticos que são decididos ao nível nacional, não sendo de escolha exclusiva dos professores. A educação tornou-se preocupação nacional e deve adotar perspectivas abrangentes. Trataremos disto com mais detalhes posteriormente.

Pode ser feita outra analogia, entre a educação e outra agência governamental que lida exclusivamente com preparação para eventualidades, a militar. Os militares são treinados em exercícios de prontidão, para a eventualidade de algo acontecer que ameace a segurança nacional. É uma medida eficaz, com a finalidade de garantir a autopreservação futura, em oposição a todas as medidas passivas que se destinam a controlar o problema após a ocorrência do fato. É preciso agir na hora certa, em circunstâncias adequadas, e não antes, pois os erros podem ser irreversíveis. É de máxima importância que se tenha cuidado no julgamento do caráter das pessoas que deverão preencher cargos de decisão, enquanto que o senso comum é suficiente para cargos que requeiram simples interpretações de normas. Em outras palavras, a maioria das funções burocráticas são passivas, podendo ser exercidas por elementos capazes de entender e executar ordens, mas o educador, como o general, tem o comando efetivo. O burocrata médio pode lidar com papéis por muito tempo e, desde que não incorra em algum erro de conseqüências desastrosas, manterá seu emprego durante anos, mesmo sem resultados visíveis.

No caso do educador, porém, com a responsabilidade de formar o cidadão de amanhã e de repassar a cultura aos futuros líderes, precisa evitar o que pode ser prejudicial para os filhos dos outros e trabalhar ativamente para mostrar a cada criança seu potencial de levar uma vida ideal. A tarefa de um professor não é apenas preservar e proteger, mas também estimular e melhorar, pensar no futuro e despertar nos alunos os valores de caráter que estão latentes. Este panorama é atemorizante se pensarmos que alguém que não tenha sido cuidadosamente escolhido para a função possa ter sido escolhido para exercê-la. Não é qualquer um que pode ser educador; ele deve ser um exemplo do que a sociedade tem de melhor para oferecer, um modelo do ideal de cada um; deve ser também sensível e amigável na comunicação desse ideal, e, ao mesmo tempo, fornecer aos alunos orientação e liderança em uma ampla gama de atividades acadêmicas e práticas. Resumindo, as características especiais do trabalho do educador podem ser assim descritas:

1) Enquanto outros administradores do governo só precisam se envolver com objetivos parciais que se aplicam a seus respectivos departamentos, o educador deve compreender todo o processo educacional e comprometer-se integralmente com o alcance do objetivo mais amplo de cada caso em particular.
2) A educação requer um trabalho ativo, estimulante e construtivo, diferente da maior parte do trabalho administrativo, de natureza basicamente passiva e proibitiva.
3) Enquanto o típico administrador do serviço público não precisa dar muita atenção ao bem-estar do povo, o educador deve ter como seu ideal mais importante a melhoria do bem-estar da nação, devendo trabalhar efetivamente para esse objetivo.
4) Os administradores do serviço público conseguem fazer tudo o que deles se espera, desde que tenham um razoável bom senso. O educador, por outro lado, precisa satisfazer exigências maiores; portanto, além do bom senso, é fundamental que tenha uma personalidade muito desenvolvida e grande capacidade de aquisição de habilidades específicas. Neste sentido, a sociedade encara o educador da mesma forma que os moralistas e sacerdotes, como guardiães da alma. Aquela função foi transferida para o governo, mas as expectativas ainda são muito elevadas.
5) A educação é muito mais complexa que outras linhas de trabalho administrativo. Em contraste com a simples aprovação de leis e normas, o educador precisa compreender profundamente os princípios básicos da educação envolvidos, e as características específicas de cada criança a quem devem ser adaptados. Como as conseqüências são muitas e o poder de influência é enorme, não é fácil descobrir logo os sucessos e fracassos.
6) Enquanto outras funções envolvem só uma parte da pessoa, o professor deve encontrar valor em todos os aspectos da personalidade global, a fim de estimular a pessoa, que terá potencial para se dedicar a todos os campos de trabalho. Para alcançar esta finalidade, ele deve dominar dois tipos de conhecimento especializado: o do material escrito a ser utilizado (livros-texto etc.), e

o das matérias a serem ensinadas e os métodos e as técnicas através dos quais irá transmitir, orientar e aplicar os estudos relativos a essas matérias, sendo que o conteúdo específico e os meios utilizados não podem ter primazia sobre o outro. Os legisladores e supervisores educacionais precisam saber disso antes de determinar as políticas de educação.

Se a educação precisa atuar no combate aos males sociais, o país não pode se contentar com o funcionamento intenso mas sem grandes conseqüências de outros órgãos administrativos e legislativos, devendo procurar as políticas mais eficazes e que oferecem mais recursos.

Uma área que merece atenção especial é a distribuição relativa dos gastos na educação. Por que empregar tanto dinheiro no ensino superior e em bolsas de estudo para pesquisa independente, quando a educação primária recebe tão pouco? No ensino básico, em que os professores são tão importantes que a educação quase se resume neles mesmos, é de surpreender que pouco se faça no sentido do desenvolvimento e da atualização de suas habilidades.

Esta preocupação não deve se limitar às pessoas que tenham algum vínculo com o sistema educacional; todo cidadão precisa compreender essas premissas, para que uma política educacional, nacional, inteligente seja criada. O governo se voltará para a política educacional quando a sociedade tiver noção do valor e da missão da educação. Deve haver agências supervisoras e programas reguladores externos, através dos quais a sociedade e a nação possam controlar o orçamento e os gastos; internamente, a organização educacional deve ser revista para alcançar maior eficácia.

Não me refiro a pequenas mudanças, pois toda a estrutura está errada para os fins a que se propõe, e não será possível conseguir as melhorias necessárias com as normas existentes. O microcosmo da educação, como o da sociedade, é na sua base as pessoas que o compõem; portanto, as reformas educacionais devem considerar as pessoas envolvidas e procurar meios de aprimorar os recursos humanos. Quando a sociedade começa a perceber que o desenvolvimento humano é mais precioso do que dinheiro e bens, compreende que a revitalização da educação deve se voltar primeiro para o elemento humano do sistema — e as várias funções que o educador deve assumir. Sem essa preocupação, qualquer reforma será como a construção de um segundo andar no meio do ar.

Examinando nosso atual sistema educacional do ponto de vista sociológico, em termos de sua eficiência no servir e promover o bem-estar da sociedade, podemos focalizar a questão da reforma educacional com relação às funções a serem exercidas. Evidentemente, as reformas devem incluir medidas passivas e conservadoras, como a manutenção dos custos operacionais dentro de uma receita, e medidas ativas e inovadoras, com o objetivo de aumentar a eficácia geral dentro desses limites, pela priorização de funções. As áreas deficientes devem ser elevadas a níveis aceitáveis, os excessos devem ser diminuídos, as redundâncias e as disparidades precisam ser eliminadas. De acordo com os objetivos, é preciso verificar o grau de importância de cada função com relação ao sistema e às outras funções, e o quanto sua manutenção ou eliminação afetaria a capacidade cumulativa de alcance desses objetivos. Para que essas questões possam ser resolvidas, as decisões quanto à política educacional precisam ser revistas, pelo menos nas seguintes áreas:

1) Destaque do papel do professor na prática de sala de aula
2) Melhoria das instalações, reavaliação das matérias de ensino e prática na formação dos professores
3) Redirecionamento das funções administrativas para as necessidades educacionais
4) Definição da autoridade a coordenar as práticas educacionais
5) Estabelecimento de instalações e comodidades para a pesquisa em estudos educacionais
6) Criação de uma agência mediadora para a resolução das controvérsias na área de educação

Cada um destes itens merecerá uma análise em separado, mas antes examinaremos a importância do professor em relação ao sistema educacional.

A Organização dos Sistemas Educacionais

A fim de facilitar nossa análise, devemos distinguir dois tipos de funções desenvolvidas pelo educador: a prática educacional direta e o apoio educacional indireto. Os professores que atuam na linha de frente das atividades educacionais, em contato direto com os estudantes, estão ligados à primeira função. Eles são, sem dúvida, o elemento mais importante no sistema educacional, sendo que os outros cargos apenas contribuem para aumentar a eficácia de sua ação. São insubstituíveis e, mesmo que os outros funcionários cooperem ao máximo e unam as suas aptidões, nada pode ser produtivo se a função principal do professor na sala de aula não for cumprida.

Nas artes, as funções são bem definidas; o artista cria, o crítico avalia. Na educação, o professor é o executor da arte de educar, e o pensador, ou pesquisador educacional, tem uma função secundária mas essencial. O professor ideal é um mestre do ponto de vista técnico, tão experiente que o ensino é sua segunda natureza, tão bem-sucedido em termos de resultados que é reconhecido e respeitado como uma pessoa exemplar. A habilidade de um verdadeiro mestre talvez seja percebida com maior facilidade nas artes ou em outras áreas, pois nelas algum sinal ou registro tangível de suas realizações sobrevive para ser transmitido. Se a fama e a técnica dos mestres das outras artes são guardadas para a posteridade, por que haveria de ser diferente com a educação? Esta também é uma arte, extremamente complexa, que deveria, como as outras, ser transmitida às gerações futuras. Nossa pesquisa deve se voltar para a criação desses mestres na educação.

As semelhanças, entretanto, terminam neste ponto. Nos sistemas educacionais modernos, o impulso da educação não são os professores, mas o órgão central do sistema educacional, que os inclui e os autoriza a exercer a função. Os professores não passam de células especializadas no organismo global, comparáveis às células nervosas na periferia externa do sistema nervoso.

Levando a analogia mais adiante, percebemos que a organização do sistema educacional moderno não funciona independentemente do resto da sociedade, da mesma forma que um sistema do corpo humano também não funciona fora dele. E, assim como um sistema ou órgão se espelha nos outros, reconhecemos uma homologia do centro para as extensões de distribuição. Em um sistema tão grande e complexo como a educação, o objetivo de nacionalização do ensino público só pode ser alcançado pela organização complementar e cooperativa de um sistema com duas partes: uma consiste nos elementos de projeção diversificada, dedicados à prática direta, à realização dos ideais educacionais e à criação de valores; a outra é o elemento organizador centralizado, que lida com as responsabilidades administrativas e a pesquisa.

O último elo na perspectiva orgânica da organização relativa das funções educacionais surge com a compreensão de que a evolução da educação e da sociedade não foram processos distintos, pois um se originou das necessidades do outro. No campo econômico, por exemplo, no início as questões eram tratadas diretamente com a sociedade sem intervenção governamental ou orientação de qualquer autoridade central, mas houve necessidade de uma liderança central, para controlar e coordenar os negócios da sociedade quando se tornou mais complexa. O mesmo ocorreu com a educação: o que no começo foi uma preocupação inteiramente particular, voluntária, assumida pelas escolas dominicais locais ou por tutores, pouco a pouco passou ao nível nacional, após a unificação do Estado. Com a educação tornando-se preocupação pública, o Estado começou a intervir na sociedade para supervisionar e preservar seu nível e, finalmente, assumiu o seu controle, em lugar de apenas subsidiar o setor privado. A evolução dos sistemas educacionais e suas funções é tratada na seção a seguir.

O Professor Como Técnico Educacional

A EVOLUÇÃO DO PAPEL DO PROFESSOR NA EDUCAÇÃO

Analisar a natureza da missão especial do professor, em seu serviço remunerado à sociedade, como o centro das atividades educacionais, significa perguntar o que a sociedade espera dele. Que área na divisão de tarefas constitui exclusividade sua? Que responsabilidades deve ter? Essas perguntas devem anteceder qualquer tentativa de revitalização da educação.

A análise da reforma educacional pressupõe uma compreensão de que premissas sem fundamento não funcionam. Embora vivenciando há muito tempo idéias antiquadas não intervencionistas, é evidente que o sistema educacional perfeito nunca será alcançado pela simples promoção do contato dos estudantes com um ser humano exemplar, culto e de boa moral, na pessoa do professor, na esperança de que mais cedo ou mais tarde alguma coisa possa ser transmitida inconscientemente. Qualquer esforço baseado em concepções indefinidas sobre a educação não produz nada. É preciso rever a evolução da educação em termos da mudança do papel do professor e o correspondente desenvolvimento das instituições educacionais auxiliares.

Primeiro período: a fase de transmissão direta de conhecimento. Nas culturas transmitidas oralmente, o professor ideal possui três qualidades: grande conhecimento do conteúdo a ser ensinado, habilidade de transmitir esse conhecimento e caráter exemplar, servindo de modelo para as crianças. A capacidade de compreensão e a memória são as qualidades mais respeitadas em uma cultura de escribas.

Segundo período: a fase das melhorias obtidas por ensaio e erro com a finalidade de possibilitar que o acontecimento seja absorvido de forma mais rápida, com o advento das tecnologias de impressão. De início, a escolha e a organização das aulas ficam a cargo do professor. Posteriormente, o aumento da população estudantil e o desenvolvimento das indústrias de impressão leva ao uso de textos auxiliares, ainda que muitas habilidades sejam adquiridas por ensaio e erro. Muita experiência prática se perdeu porque a informação foi transmitida em forma de simples apontamentos.

Terceiro período: a fase da produção de textos especializados. O aumento no número de estudantes do magistério dificulta a descoberta de indivíduos possuidores de cultura e moral necessárias a um professor ideal. O governo dedica-se à procura de meios eficientes de ensino. Isolando-se uma das qualificações do professor — o conhecimento das lições a serem ensinadas —, enfatiza-se mais a experiência e o domínio das técnicas de ensino. Com esta divisão de trabalho, os acadêmicos destinaram seu tempo à compilação de textos, distante da tarefa de ensinar propriamente dita. Os professores não precisam mais ser especialistas nos temas a serem ensinados, desde que o texto seja de boa qualidade e eles tenham prática na comunicação do conteúdo. A palavra impressa ainda é muito importante no processo de ensino neste estágio.

Quarto período: a fase dos estudos dirigidos. Os fenômenos naturais e sociais do meio ambiente próximo são estudados por observação direta, com textos servindo apenas de material de referência, como os livros de literatura e gramática são utilizados para suplementar o conhecimento dos pontos mais específicos de uma língua já conhecida.

Mas qual o significado de tudo isto para o professor? Não estamos tão avançados na valorização do professor a ponto de adotarmos as funções consideradas no quarto período. Em termos gerais, o trabalho do professor naquela fase de desenvolvimento educacional é de organização do interesse do aluno, de modo que este assimile a matéria a ser estudada. Mas o que isto quer dizer? O professor não existe mais como fonte de informação, passando a ser catalisador do processo informativo; não está mais entre a matéria a ser ensinada e o estudante, mas ao lado, como orientador, cuidando para que a atenção seja desperta, mantida e formada, através de ritmo adequado e explicações adicionais.

O objetivo principal é fazer com que os alunos experimentem a validade das aulas nas próprias vidas. Quando ainda são muito jovens, o professor muitas vezes precisa se dedicar um pouco mais a eles, acrescentando outras matérias de ensino e procurando obter reações. Porém, não se deve esquecer que o professor é um simples auxiliar no processo de aprendizagem. Ele não pode aprender pelo aluno; é o estudante quem deve ter a possibilidade de aprender por si mesmo. Com isso, surge um sentido de urgência no panorama educacional, com a noção de que nada que o professor faça será válido, a não ser que leve o educando a experimentar as coisas por si mesmo.

O professor precisa ter muita sensibilidade: conhecimento do meio ambiente natural e social específico em que ensina e dedicação à tarefa de apresentar ao aluno aquilo que lhe pode trazer felicidade, pela maior compreensão dos valores nessas circunstâncias da vida real, obtida pela integração com a natureza e a sociedade. O professor necessita de um tipo de sensibilidade que lhe possibilite auxiliar o processo de auto-realização sem tentar controlá-lo, estar próximo mas não atrapalhar.

A mudança no papel do professor também pode ser analisada em termos da evolução do material didático. Com respeito a isto, pode-se encontrar três estágios. Primeiro, o estágio do livro-texto; nele, o professor fica em frente à turma e, utilizando livros como o único material didático, dirige as aulas e fornece explicações verbais. O segundo estágio é de materiais de referência. A concentração em livros-texto permanece, mas é complementada com vários materiais de enriquecimento, como gravuras, objetos, quadros, modelos etc., levados à sala de aula para despertar o interesse da turma e auxiliar a aprendizagem. O terceiro estágio é a aprendizagem pela experiência; nele, o meio ambiente natural e social, *como realmente é*, fornece a matéria de ensino, e o professor age como orientador, ficando próximo para mediar o contato direto do aluno com o mundo à sua volta.

Existe uma tendência a considerar a importância do professor como fornecedor de apontamentos. Ele perde um tempo valioso lendo em voz alta textos que os alunos poderiam ler sozinhos. À exceção dos escritos de outras culturas que não foram traduzidos e, portanto, não estão disponíveis na língua do aluno, ou a informação tão recente que ainda não está sendo amplamente veiculada, por que insistir nesses métodos antiquados e ineficientes? Isto se assemelha ao período anterior à comunicação de massa, quando a palavra do professor possuía uma mística poderosa. De uma perspectiva evolucionária, a tendência da educação é reduzir o esforço improdutivo do professor e, ao mesmo tempo, conservar as energias e capacidades de aprendizagem dos estudantes para usos melhores e mais moderados, em termos quantitativos. Portanto, deverá haver um grande redirecionamento na educação, do nível básico ao universitário.

A mudança não deverá se resumir ao alívio da carga do professor, mas deverá incluir a redução do número de professores. A eliminação de aulas ministradas mecanicamente, sobre conteúdos que podem ser aprendidos através de leituras, permitiria ao professor se dedicar aos programas de estudo direcionados ao desenvolvimento no aluno da autoconfiança, da compreensão e da aplicação das informações dos livros-texto. Não haverá necessidade de um professor por matéria. Um pequeno número de professores selecionados e bem treinados por escola, e um professor, para várias turmas, por grupos curriculares abrangentes, deverão ser suficientes para fornecer ao aluno uma melhor orientação geral, sendo que, na verdade, deverá obter resultados superiores. A mudança será bem diferente da noção atual de que é preciso sempre haver um professor presente, de pé na frente da turma, e se voltará para a inclusão da conscientização de valores na educação. As responsabilidades do estudo individualizado e os códigos de honra para os alunos serão considerados fundamentais para a causa da educação, devido à criação de valores. Esta mudança, sem dúvida, levará a uma reforma global da educação. Particularmente, sinto que o momento chegou.

O TEMPERAMENTO E AS QUALIFICAÇÕES DO PROFESSOR

Fundamentado em mais de 30 anos de experiência na área da educação, afirmo que não conheço outro grupo de pessoas mais preocupado com sua autopreservação e menos preocupado em ser útil aos outros do que os professores. Raramente um professor desvia a atenção de sua tarefa imediata para pensar na vida da nação ou da sociedade. Sinto-me infeliz e envergonhado quando observo que poucos na comunidade educacional se preocupariam em procurar meios de melhor servir o interesse público, enquanto que ninguém perde a oportunidade de melhorar o que é de seu interesse. A experiência demonstrou-me a triste verdade repetida por Sakyamuni por mais de 40 anos: "As pessoas de qualquer crença que procuram sua própria salvação sem tentar salvar os outros nunca atingirão o Estado de Buda."[4]

Somente quando o educador se conscientiza de sua responsabilidade para com seus compatriotas — ou melhor, nossas crianças — é que se torna um professor competente. Nisto, o educador é um moralista aplicado, deve estar sempre pronto a agir como juiz do bem e do mal, com a coragem de suas convicções, pois esta responsabilidade é muito importante para confiarmos a qualquer pessoa.

Estou dizendo que a profissão de professor pressupõe um ser humano exemplar, um marco na estrada da vida. Qualquer análise das qualificações ideais do professor subentende, portanto, que a sociedade o respeite devido a elas. Não pode haver distinção entre a educação básica e superior, independente da idade ou do nível de conhecimento do aluno. Um indivíduo abaixo desse padrão que assume o papel de professor é uma fraude.

Devemos nos perguntar então quais seriam as qualificações adequadas para a função. Certamente uma pessoa respeitável para o cargo deve ser íntegra, com uma personalidade coerente, cujas palavras e ações se combinem. A idéia sobre as qualificações do professor volta à questão do caráter, do intelecto integrado à conduta pessoal. Isto, pelo menos, não mudou dos tempos passados, como não poderá mudar no futuro, mesmo diante de declínio cultural, pressão política, ou conspirações e intrigas de homens medíocres. Não há razão para se supor que as pessoas deixarão de reconhecer e respeitar o verdadeiro caráter, pois isto é intrínseco ao homem, e o ser humano não é por natureza mau.

A tarefa de avaliação dos professores não pode ser executada por supervisores apressados, cujos horários permitem apenas um trabalho de conjetura superficial ou decisões rápidas baseadas em poucas visitas anuais. Também não pode depender daqueles cujos interesses pessoais influenciariam seus julgamentos. O meio mais seguro e correto de se verificar o valor real de um professor é realizar uma avaliação da aprendizagem alcançada por seus alunos nos últimos anos, pois a influência do professor será evidente.

Examinemos isto por outro ângulo. Por que atualmente há tão pouca disciplina na escola, quando no passado "os alunos andavam um metro atrás da sombra do professor", devido à profunda noção que se tinha do que era apropriado na relação professor-aluno? Não será devido ao credenciamento fraudulento dos professores? Não terá o processo de seleção de professores se deteriorado? Contudo, não se pode colocar a culpa nisto, pois é conseqüência da apatia da sociedade, que não compreende a realidade da educação, refletida em políticas desinformadas e descoordenadas.

Talvez não tenhamos o direito de esperar que haja pessoas de caráter em número suficiente para preencher os cargos necessários, pois, atualmente, até os funcionários admitidos para o trabalho na polícia estão muito aquém da média dos indivíduos. Tudo aconteceu muito repentina e acidentalmente. Que resultado esperávamos obter com a criação de um treinamento rápido de professores, se não uma abundância de semiprofissionais sem nenhum preparo? Por isto, estamos testemunhando o presente declínio da educação. Portanto, repito que é indispensável que a seleção de professores se baseie na respeitabilidade de caráter.

A fim de melhorar esta situação, precisamos, primeiramente, formular padrões de seleção, seguidos de pesquisa, para a escolha da melhor forma de implementá-los. Sugiro os seguintes pontos como o mínimo para as qualificações do professor:

1) Um certo nível de conhecimento profissional básico, isto é, base acadêmica suficiente, que o capacite a aplicar a teoria educacional em seu trabalho. Além disso, interesse na leitura e domínio dos assuntos atuais, para manter-se atualizado. E, visto que o professor é responsável pelas crianças da escola primária, que têm toda a vida à sua frente, o bom senso nos diz que sua posição como profissional da educação o obriga a um conhecimento razoável da teoria educacional.
2) Antes, porém, o professor deve ter uma base sólida de conheci mentos gerais, para que possa avaliar o conhecimento especializado da profissão que escolheu, e desenvolver uma apreciação adequada do assunto em questão; isto é, deve ter formação superior pelo menos correspondente a cerca de dois anos.
3) Uma conscientização sociológica, em dois aspectos. Primeiro, o professor deve ter competência para atuar naquela sociedade cooperativa em miniatura, que é a escola. Segundo, deve ter caráter socializado, capaz de atuar como modelo eficaz para os alunos; deve compreender bem os objetivos do grupo, de modo a ser capaz de enxergar além das perspectivas limitadas de sua especialização e, ainda assim, de resistir às inconsistências e contradições da política. É a consciência social que lhe permite desenvolver o senso de justiça e decência, fundamentais no caráter de um professor.

A sociedade define o professor como a pessoa que, na divisão de trabalho, é destinada à prática da educação, com toda a especialização que esta atividade subentende. Como um médico que aplica técnicas curativas, o professor deve ser um técnico da educação. De fato, o profissional ensina melhor que um amador, e é isto que faz um professor. O mínimo que se espera, como vimos, é que ele seja capaz de orientar os alunos em seus estudos a partir de textos; o mais, deve se originar do aperfeiçoamento de métodos e técnicas, com a prática. Portanto, há necessidade urgente de um programa científico de treinamento de candidatos ao ensino, quanto à teoria educacional, da qual surgem os princípios da metodologia, com o fornecimento de aulas práticas de métodos e técnicas de ensino. Não podemos aceitar a situação incerta em que o professor, às cegas, adquire habilidades por meio de ensaio e erro, através de anos de ensino, da mesma forma que não queremos ser tratados por paramédicos que aprenderam — não se sabe o quanto — apenas através da experiência. Considerando todos os aspectos, a qualificação principal do professor em seus estudos é sua compreensão dos métodos e técnicas do ensino, juntamente com os princípios educacionais básicos nos quais essas metodologias se fundamentam.

Quanto ao elemento moral, que encaramos como o componente fundamental para um professor, é uma qualidade mais difícil de se conseguir para a educação pública atualmente. Deve-se exigir que sejam indivíduos decentes, talvez não propriamente exemplos de moralidade, mas também não podem ser imorais. Quanto às áreas específicas de ensino, não podemos esperar que cada professor tenha um conhecimento que abranja todas as matérias, mas quanto à moral não podemos ser tão permissivos, pois ela é o princípio que está na origem da teoria educacional e que fornece as diretrizes que orientam a prática. Nenhum professor pode escapar a isso.

Analisamos anteriormente os três estágios do desenvolvimento do conhecimento humano segundo Augusto Comte, sendo que o último deles inclui as pessoas que não se contentam mais em buscar a própria felicidade com a exclusão dos outros e, na verdade, se dedicam, de alguma forma, à vida da comunidade e do país, não só em épocas de emergência. Esta atitude é mais importante para o professor do que qualquer outra, devendo permear seu pensamento e clarificar sua tarefa de formulação dos objetivos educacionais. O candidato à profissão de professor, para não incorrer em aulas vazias e ineficientes, deve procurar compreender essa perspectiva moral subjacente à consciência social, à teoria educacional e, finalmente, à prática de ensino.

A educação moral é a missão mais importante de todas as funções do professor e dos educadores em geral. Talvez a linha divisória entre o professor e os outros criadores de valor, como o artista e o tecnólogo, seja esta; a diferença qualitativa entre o educador e outro profissional se resume no envolvimento direto do professor com valores exclusivamente morais na sua criação de valores. Professor e educador devem ser modelos, principalmente na criação de valores morais. O professor deve estar constantemente alerta às suas ações e atitudes, mesmo que triviais, cuja imoralidade ou amoralidade ameace destruir a unidade da sociedade.

Encaro os problemas sociais como oriundos da má educação, e as ações erradas como aprendidas de maus modelos. Quando nossos líderes demonstram sua falta de moral, está claro que há algo de errado com a sociedade. É o mesmo que dar a chave do cofre aos ladrões. Na área da educação é raro encontrarmos professores magnânimos, com consciência cívica, que contribuam efetivamente para a vida da sociedade. Pelo contrário, a maior parte da comunidade docente se envolve em ciúmes e espalha inescrupulosamente rumores infundados. Falta-lhes coragem para um confronto em uma discussão franca dos fatos, para criticar e apontar os erros.

O objetivo original da educação moral era promover a moral pública desde a infância. Mas os supervisores ou as autoridades do Ministério da Educação não se preocupam com esta faceta de seus deveres cívicos, pois, na verdade, não compreendem o significado real da educação. As escolas podem ser excelentes nos esportes, no desenho, nas artes manuais etc. mas, enquanto não procurarem tratar os males morais da sociedade, temo que sirvam apenas para aumentar os problemas existentes.

Pela mesma razão, por mais que, nas escolas, diretor e corpo docente se preocupem em manter as aparências, equilibrar os gastos ou bajular os superiores, sua agitação interior demonstrará a falta de harmonia e, eventualmente, influenciará a sociedade. Não posso calar e deixar que o mal sobrevenha. A supervisão do ensino deve se tornar muito mais rigorosa, o que significa conscientizar e elevar as expectativas da sociedade quanto ao treinamento dos professores e à administração da educação. Quando a indiferença e inconsciência do professor, para quem a distinção de bem e mal deve ter primazia, o levam a ignorar o certo e o errado, pode-se chamar a isto de blasfêmia da profissão de professor. Se a central de operações da educação não for purificada, iremos presenciar o mesmo ciclo repetir-se muitas vezes.

Um Sistema de Avaliação para Diretores de Escola Primária

Para os diretores responderem às necessidades da sociedade e fornecerem o potencial integral da educação básica, é preciso criar um grupo relativamente grande de padrões de competência, que inclua domínio dos recursos didáticos, conhecimento prático de métodos e técnicas e conhecimento e habilidade em administração escolar, além da implantação de um sistema de avaliação rigoroso para a manutenção desses padrões. Este é um dos pontos principais da reforma educacional, pois, sem um corte radical, os perigos oriundos de escolas mal administradas irão piorar a cada ano.

Até o presente, o processo de seleção tem sido falho, sem envolver nenhum padrão objetivo. Conseqüentemente, a escolha desenvolve-se com base no reconhecimento de características tais como o bom senso, a experiência e a habilidade de responder a necessidades repentinas; ou, muitas vezes, na existência de um talento social especial, inclusive para contatos com os cargos mais elevados. Eventualmente, algumas pessoas capazes conseguem essas colocações, mas quase sempre por acaso. Em sua grande maioria, a seleção se baseia em condições que não são relevantes com respeito ao objetivo principal da educação. Assim, encontramos muitos diretores que não seriam adequados ao cargo. O perigo desta ausência de um sistema de seleção não deixa de ser reconhecido, mas até o presente nenhuma alternativa foi apresentada.

As considerações sobre a maioria de se resolver o problema devem se concentrar primeiro na capacidade do sistema de supervisão educacional. Atualmente, a supervisão funciona com um pequeno grupo de indivíduos que tem a responsabilidade de percorrer vários distritos, abrangendo inúmeras prefeituras, passando um tempo muito reduzido em cada escola. Não se pode esperar que esses supervisores se tornem mais meticulosos, considerando a situação geral das escolas e a qualidade de seu corpo técnico-administrativo e docente. Eles são preparados para exercer sua função, chegando a ter uma noção da situação de cada escola, boa ou má, melhor do que seria possível a qualquer leigo; ainda assim, isto é fato apenas de um ponto de vista mais geral; suas recomendações sobre a renovação de contratos e a colocação de pessoal para as funções não têm fundamento, pois baseiam-se em boatos.

É preciso haver uma lista das qualidades de diretor a serem verificadas: um conjunto de padrões de seleção, a ser utilizado na avaliação dos diretores de escolas primárias que estejam no exercício da função. Depois, o processo de seleção propriamente dito deve ser analisado. É conveniente examinar as tarefas destinadas aos diretores e verificar se constituem requisitos apropriados para o cargo. À primeira vista, isto pode parecer uma preocupação óbvia, mas o fato é que a sociedade não percebe a urgência desta sistematização. Os próprios diretores não têm uma noção clara das tarefas que devem executar; assim, geralmente cedem às pressões das autoridades supervisoras. E, quando alguém pensa em criticar essa charada do cego dirigindo o cego, não tem coragem de falar com franqueza.

Enfim, quais as funções que um diretor deve executar? Observamos duas esferas fundamentais de envolvimento:

1) As responsabilidades administrativas, isto é, supervisionar o andamento da escola segundo as normas, de modo a evitar irregularidades legais.
2) A tarefa de criação de valores, isto é, trabalhar para aumentar a eficiência dos professores sob sua direção, permitindo assim uma educação mais consistente, que alcance as crianças. Esta tarefa não consiste propriamente em administrar a escola, mas em remover obstáculos que poderiam impedir professores dedicados e motivados de mostrar suas habilidades.

A segunda esfera, de envolvimento ativo, é a essência do trabalho do diretor de escola primária. As outras tarefas — contabilidade, arquivamento de registros e informações, coordenação e integração com a supervisão superior etc. — são secundárias, pois se tratam de ramificações do objetivo principal, que é a educação em si. Ainda que tempo e esforço relativamente pequenos sejam destinados à criação de valores, é precisamente esta parte que não pode ser eliminada, por representar a essência do trabalho da direção. Outras obrigações administrativas mais repetitivas e mecânicas podem ser delegadas aos membros subordinados do corpo técnico-administrativo. Qualquer pessoa poderia cuidar de registros e informações e elaborar relatórios observando determinadas regras, mas o fortalecimento de condições ótimas para a criação de valores na educação de crianças é uma atividade produtiva, diferente das outras, não podendo ser confiada a qualquer pessoa.

Quais são as condições fundamentais que o bom diretor deve providenciar? Acima de tudo, a estabilidade. Assim como o responsável pelo lar precisa garantir a segurança da casa e o governo, a segurança da nação, a obrigação principal do diretor é promover uma ordem pacífica na escola. A aparência externa pode encobrir a realidade, as relações públicas podem ser bem-sucedidas, mas a popularidade de um diretor bem conceituado ficará comprometida se não for criada uma organização básica e duradoura na escola. Da mesma maneira, presenciamos algumas instituições de ensino sendo premiadas pelo desenvolvimento de programas especiais ou por resultados temporários ou parciais, logo perdendo sua posição. Deve-se dar muita atenção à consecução de melhorias duradouras através da criação de padrões básicos.

A natureza da administração educacional é um pouco diferente das outras áreas da administração pública. Por isto, suas reformas não podem se desenvolver nos mesmos moldes que as outras, em que se aplicam medidas de economia e modernização pela reestruturação ou eliminação de órgãos administrativos cuja utilidade tenha ficado comprometida com o passar do tempo.

Em contraste, de certo modo, o aspecto financeiro deixou de ser um fator limitador para a educação, pois é nela que o cidadão moderno vê o futuro de suas crianças, estando disposto a fazer um esforço maior para lhes assegurar uma educação adequada. Como não se satisfazem mais com as instalações e os recursos materiais fornecidos pelo governo e, indo mais diretamente ao cerne do problema, têm sérias restrições ao caráter dos professores e ao funcionamento do sistema educacional, o que procuram não é um custo mais baixo ou mudanças superficiais, mas uma reforma global, progressiva e construtiva, fundamentada em considerações orientadas por valores.

Sendo fiel ao aforismo "não há como emboçar uma parede de terra"[5], não há apoio externo que possa remediar uma base estrutural ruim. Não precisamos de remendos ou reformas superficiais; a reforma educacional deve ser completa.

Temos presenciado um apelo pelo enxugamento do setor administrativo educacional, incluindo a remoção dos elementos ineficientes. É positivo o afastamento do pessoal supérfluo ou inútil, mas devemos substituí-los por indivíduos inabilitados e inexperientes? Não me agradaria perder qualquer bom elemento dos mais antigos, professores com experiência valiosa adquirida ao longo de anos de estudo e prática, para adotar a moda da modernização administrativa. Que tipo de reforma é essa que se desfaz de elementos preciosos, sem distinção entre o capaz e o incapaz? Não podemos trabalhar em duas direções: criticar salários supostamente altos para educadores competentes, pedindo sua substituição por professores mais jovens e menos dispendiosos, e, ao mesmo tempo, reclamar da falta de bons profissionais.

Uma reforma consistente deve agir ao contrário, pois não adiantaria se voltar para a extremidade final, uma vez que o quadro atual de professores inclui elementos de eficiência bastante questionável, contratados graças à falta de critérios de seleção rigorosos. O esforço deve visar à melhoria da qualidade do quadro de pessoal da educação, o que com certeza terá um efeito compensador. Se conseguirmos recrutar professores mais aptos, por meio de um processo de seleção minucioso e adequado, e se forem empreendidas seleções igualmente cuidadosas, no sentido de encontrar as pessoas certas para a direção e coordenação desses docentes, não será problema reduzir a equipe de supervisores-inspetores.

Voltamos às perguntas anteriores: Como selecionar professores competentes, e quais as qualificações necessárias ao diretor para supervisão e orientação do trabalho do corpo docente? Acredito que o melhor caminho, considerando a situação em que nos encontramos, é começar pela criação de um sistema de seleção para o cargo de diretor de escola, para a escolha de elementos que demonstrem confiança, dedicação e respeito pelo cargo. Uma vez selecionados, devem ter liberdade na gerência ou dispensa de funcionários incompetentes e sem as qualificações necessárias, de modo que, pelo menos daqui para a frente, a eficácia do trabalho docente não continue em declínio e, principalmente, os elementos experientes aumentem sua eficiência. Deixaremos a questão do desenvolvimento das habilidades dos novos candidatos à função de professor para uma proposta específica, a ser apresentada posteriormente, e voltaremos nossa atenção para a descrição dos requisitos mínimos para um sistema de avaliação direcionado para a identificação de líderes entre os professores no exercício da função:

1) A responsabilidade da avaliação. Com base no exemplo dos sistemas de avaliação utilizados para outras profissões, como direito, medicina e as áreas técnicas, deve haver, na educação, uma equipe de examinadores formada por especialistas em educação, portadores de certificado de professor de ensino médio, pelo menos, expedido pelo Ministério da Educação, juntamente com especialistas em sociologia e outras disciplinas afins, os quais serão responsáveis por examinar os candidatos novos e os atuais ocupantes do cargo de direção.
2) O conteúdo do exame. Serão utilizados textos para demonstrar o conhecimento de estudos na área educacional diretamente relacionados à função de diretor de escola primária, com ênfase especial no treinamento científico e na experiência acumulada em metodologias educacionais. (Infelizmente, a pesquisa educacional até o momento ainda é pobre quanto a métodos práticos; esperamos a criação de recursos destinados ao estudo prático da educação, isto é, de estratégias educacionais aplicáveis às situações de ensino da vida real, derivadas da prática.)
3) A finalidade da avaliação. A avaliação assegurará que as pessoas investidas no cargo, com a responsabilidade de dirigir as escolas

e a incumbência de formar futuros cidadãos, não atuem em bases intuitivas ou dogmáticas, mas na compreensão racional e científica de seu campo específico.

Todas as ocupações de alto nível — médico, advogado, farmacêutico etc. — exigem educação especializada. O professor da escola primária também precisa ter um alto nível de conhecimento profissional, acima da formação geral da escola média. Só assim será capaz de enfrentar suas responsabilidades e incorporar descobertas científicas à sua prática.

O problema com os professores é que tem sido muito fácil trabalhar sem grande esforço. Lidando com crianças incapazes de julgar por si próprias e, portanto, de lançar argumentos em sua defesa, os educadores têm escamoteado um trabalho de ensino, sendo que os efeitos maléficos só aparecem muito mais tarde. Na verdade, mesmo pessoas sem nenhum preparo específico conseguiriam desenvolver essa tarefa, dedicando algumas horas a esse trabalho, sem necessidade de estudo extra. Assim, muitos docentes repetem as mesmas aulas cansativas ano após ano, por dez ou 20 anos, sem descobrir nada de novo e sem promover a criação de valores. Tais professores, que não têm nada de novo a oferecer de todo o tempo que devotaram a isso, terminam sendo incansáveis dogmáticos, que contam apenas com sua limitada experiência. É devido à existência de tantos "não professores" que o diretor encarregado de coordená-los e orientá-los deve ter um domínio muito bom de currículo e metodologias.

A educação chegou ao dilema em que se encontra porque as coisas correram sem controle por mais de meio século. Os problemas que se acumularam não serão resolvidos em um dia. Os efeitos nocivos são muito abrangentes e irão requerer estudo, pesquisa e propostas concretas. Estamos no momento certo para isso. Podemos começar pela implementação de um sistema de teste como o descrito, que auxiliará na determinação dos requisitos essenciais para um treinamento específico de candidatos ao cargo de direção quando novas vagas necessitarem ser preenchidas.

Propostas de Reforma nas Condições do Emprego de Professor

Uma decisão importante na tentativa de reforma das condições do funcionalismo da educação pública é: deve-se agradar aos educadores ou à sociedade? Pois, aparentemente, existe uma disparidade quase irreconciliável entre as duas posições. Embora nenhum educador possa dizer que seu salário é alto demais, o resto da sociedade considera impossível responder a seus apelos intermináveis, levando em conta os padrões de vida do povo. É preciso que se criem limites como média. Nós, educadores, somos agradecidos aos contínuos esforços dos políticos no sentido de melhorar nossa situação financeira, mas não devemos esquecer que estes aumentos provêm de taxas impostas ao cidadão comum. Vejamos se os salários atuais são realmente altos ou não. Evidentemente, isto é controlado pelas condições econômicas vigentes e a prosperidade ou crise econômica da sociedade. Houve um período, durante a Guerra Mundial, por exemplo, quando a indústria estava no auge do desenvolvimento, e os salários do professor estavam tão baixos em comparação aos da empresa privada, que muitos professores bons foram contratados por empresas comerciais. Quando a guerra acabou e a economia entrou em crise, muitos deles tentaram voltar aos antigos empregos. A situação econômica sempre flutua, sendo difícil ditar regras. A margem do custo de vida deve permitir uma variação no tempo, mas, quanto aos atuais benefícios materiais da nossa profissão — nosso ponto de referência —, ouso dizer que nenhum de nós, do setor da educação, pode achar que estamos pior do que o resto da sociedade. Basta observar a disputa pela matrícula nas escolas de formação de professores, para perceber que a situação não é tão ruim assim. Honestamente falando, nossos salários provocam inveja na maioria dos profissionais autônomos.

Por que, então, somos incapazes de recrutar um número suficiente de indivíduos competentes para o professorado do ensino básico? Deve haver outra razão. O problema não está nas condições presentes, mas nas futuras. Os salários iniciais podem ser bons, talvez até ótimos, mas, depois, não se modificam. A proporção do aumento do salário do professor em 20 ou 30 anos de trabalho não é comparável aos aumentos concedidos às outras funções no governo, aos militares ou aos das empresas privadas. E, no sistema atual, não há como seduzir a economia local dos municípios para melhorar essa situação. Este é um grande obstáculo para o recrutamento de pessoal de ensino de bom nível. A reforma, portanto, deve visar os limites máximos dos salários, e não os mínimos, pois não se trata de um problema do salário básico, e sim de seu aumento ao longo da carreira.

Vejamos como determinar o limite máximo de benefícios para o emprego de professor. Nos países europeus mais adiantados, as condições são suficientemente atraentes para assegurar que os profissionais promissores permaneçam no emprego até o fim da carreira. Algo parecido deve ser adotado no Japão, o que acredito ser a solução mais apropriada. Como foi mencionado, ainda não há padrões objetivos para o reconhecimento ou a avaliação da capacidade real dos profissionais da educação. Sem esses padrões, é impossível tratar com justiça a verdadeira excelência. Se os limites máximos na escala dos salários dos educadores devem ser elevados, é preciso corrigir essa falta de padrões de avaliação.

Passando aos aspectos mais intangíveis do tratamento de educadores, devemos ser capazes de reconhecer e respeitar as habilidades reais em qualquer nível, e dar crédito a quem o merece. Muitos educadores merecem elogios, no entanto, não recebem reconhecimento oficial, nem cargos de supervisão. Para o professor se sentir confiante em seu trabalho e ser capaz de demonstrar suas habilidades plenamente, deve ser tratado com a mesma consideração que a sociedade concede ao médico, ao advogado, ao engenheiro industrial, ao artífice e ao artista, e não deve sofrer excessiva interferência ou pressão administrativa. Para o educador, ser reconhecido como profissional competente é motivo de orgulho de si mesmo e de seu trabalho, mas ainda não há uma conscientização quanto a isto.

Além disso, conseguir que o professor reconheça sua importância é uma tarefa com implicações muito além das circunstâncias imediatas. O professor deve ser levado a perceber que o conhecimento e a especialização que adquiriu merecem ser passados adiante. Seria uma perda lamentável para a sociedade se essa reserva de informações valiosas — verdadeira propriedade cultural — nunca alcançasse a geração seguinte de educadores. Deve haver um sistema de reconhecimento de excelência diverso da escala hierárquica de graduação no emprego. Sem isto, o tratamento dispensado aos educadores deve ser, pelo menos, tão favorável quanto o que é dispensado aos outros membros do funcionalismo.

Propostas de Reforma na Formação de Professores

CONSIDERAÇÕES GERAIS PARA A REVISÃO DOS PROGRAMAS DE FORMAÇÃO

A proposta que foi elaborada pelo Ministério da Educação para melhorar a formação dos professores é notável, pois nenhum de seus autores, a começar pelo próprio ministro, jamais freqüentou uma escola de formação de professores. Um jornal comentou esta peculiaridade da proposta da seguinte forma: "De acordo com o plano, espera-se que o novo comando do ministério, sem qualquer vínculo, presente ou passado, com a comunidade educacional, finalmente não fique do lado dos educadores, mas represente as demandas da sociedade.[6] Este é um avanço em alguns aspectos, pois chama a atenção do leigo para as questões educacionais. O professor deve se preocupar com a descrença dos educadores profissionais, refletida na ação do ministério, e a resposta do público a essa ação. Temo que a culpa pelo atual estado de coisas seja exclusivamente nossa.

Em todo caso, creio que as medidas a serem adotadas poderão, no máximo, resolver problemas atuais a curto prazo. Não acredito que a proposta seja eficaz por mais de alguns anos. Lamento pensar que, em sua descrença com relação aos educadores atuais, nenhum daqueles que decidiram sobre este plano de ação, nem os membros da sociedade que o estão apoiando, se preocuparam em olhar para o futuro.

Teria sido muito melhor aproveitar esta oportunidade para instituir políticas que refletissem uma tendência básica para a educação, em vez de rápidas medidas compensatórias para combater problemas circunstanciais e periféricos. Em outras palavras, a realidade social não é o único fator decisório. O caráter essencial da educação também deve entrar nos cálculos. Para administradores públicos e engenheiros, que precisam apresentar resultados imediatos, este pode parecer o caminho mais longo; porém, no caso de um bom médico, por exemplo, não se espera que proceda apenas a um exame detalhado dos sintomas específicos de qualquer doença aparente, mas também que utilize sua perseverança e percepção, para diagnosticar com base em uma avaliação geral da fisiologia do paciente. Na educação, as perguntas que precisam ser feitas são de suma importância. Precisamos reconhecer o quanto esta parte da vida da sociedade está relacionada com as outras partes e com o todo.

As propostas adequadas para a reforma da formação do professor só aparecerão quando conseguirmos avaliar coletiva e objetivamente o que a situação social global realmente exige. Para isto, é necessário uma reviravolta completa no que é fundamental, isto é, uma reavaliação do papel do professor na sociedade. Um quadro preciso de suas atribuições e como desempenhá-las, por sua vez, informará sobre os esforços a serem empreendidos para redirecionar a educação e, em particular, a formação do professor.

A formação de professores até o presente tem se desenvolvido a partir da premissa ingênua de que o conhecimento do conteúdo é o que importa. Chegou a hora de suplementar esta linha de pensamento simplória com uma abordagem tripla:

1) Ensino acadêmico geral — estudo do conteúdo curricular, com o objetivo de alcançar o domínio dos vários temas ou matérias a serem ministrados
2) Técnicas preparatórias — metodologia, com o objetivo de adquirir experiência e conhecimento de métodos e técnicas de ensino para direcionar os estudos nos vários temas ou matérias
3) Aperfeiçoamento moral — desenvolvimento do caráter, com o objetivo de levar a uma conscientização do papel do professor como modelo de caráter pessoal, sendo a base dos dois outros objetivos

Estes três objetivos podem ser ampliados pela compreensão de que, antes de se tornarem professores, essas pessoas foram estudantes, que receberam instrução nos diferentes níveis por que passaram:

	Conteúdo acadêmico	*Métodos*	*Moral*
Nível do estudante	Organização de informações e aplicação do conhecimento na vida real	Aquisição das habilidades de escrita e fala, necessárias ao registro e à memorização da instrução direta	Reconhecimento e realização dos princípios morais, seguindo o exemplo do professor
Nível do professor	Orientação no recolhimento de informações e na sua aplicação para a criação de valores	Estudo e utilização de técnicas para aquisição de habilidades básicas de retenção e memória	Modelo de caráter auto-realizado, para servir de base à orientação da criação de valores morais
Nível do treinamento do professor	Fornecimento de informações e sua aplicação na criação de valores	Direcionamento dos estudos para o conhecimento de uma base preparatória	Auxílio sistemático na formação do caráter

Os atuais programas de formação de professores têm considerado apenas a primeira área, o conteúdo acadêmico. As dimensões técnica e moral do treinamento de professores ainda são uma área indefinida. Faltam-nos definições do conhecimento básico necessário para a profissão de professor: a especificação das habilidades e do conhecimento técnico é muito rudimentar, e os padrões de avaliação e seleção moral dos profissionais da educação estão aquém daqueles instituídos em outras áreas, como, por exemplo, a militar.

Esta desatenção aos aspectos técnicos da formação do professor pode ter sido inevitável na época em que os estudos sobre a educação ainda não tinham reconhecido o valor da orientação das habilidades profissionais para os candidatos à profissão. Mas agora, que sabemos que a pesquisa educacional científica deve se fundamentar na experiência real e a ela se relacionar, é preciso dar mais ênfase às técnicas na prática. Para que a teoria educacional se aperfeiçoe, devemos estabelecer cientificamente princípios que regulem métodos e técnicas de orientação dos estudos. Se o ensino atual, na base de ensaio e erro, fosse transformado em objetivos definidos de orientação do estudante, presenciaríamos o surgimento repentino de planos concretos, bem-sucedidos, eliminando as incertezas que nos importunam há tanto tempo. A educação se tornaria mais eficaz a cada período escolar, e os próprios professores, à medida que se interessassem por seu ensino, se tornariam bons profissionais, em uma arte não menos nobre do que qualquer outra realização profissional.

A técnica, no entanto, não é a única qualificação para a profissionalização. A responsabilidade moral e a consciência social também são fundamentais. Considerando que os professores da escola primária são encarregados de até 70 alunos por série, e que cada aluno é um ser único e insubstituível, como qualquer adulto, não desejamos uniformizar mecanicamente os resultados pela aplicação inflexível de técnicas. Contudo, uma vez rejeitada a abordagem rígida utilizada na produção, a disciplina se torna um problema. A coordenação de atividades extracurriculares, jornadas de pesquisa científica etc., que podem envolver perigos reais para os estudantes, demonstra a seriedade do problema. Um aluno pode se machucar ou até morrer, o que torna a questão muito importante, muito além do contexto limitado do ensino. A adesão à permissividade total demonstra quão pouco se conhece da realidade da educação. O ensino pode ser uma arte, porém, ao contrário do artista, o professor não está lidando com material inanimado. O ensino é, em última instância, uma proposição moral.

Cada professor é diferente no empenho que dedica à sua função. A diferença aparente no que fazem é mais uma questão de grau, escala e amplitude dos seus objetivos reconhecidos. Um professor não é igual a nenhum outro em termos de eficácia de ensino, e é muito contraproducente a troca de funções e tarefas que ocorre quando há mudança nas condições da escola. Seria melhor treinar os professores para os objetivos mais fundamentais. Ampliar a consciência do professor é aumentar sua flexibilidade para qualquer circunstância que venha a enfrentar, eliminando a necessidade pouco econômica de redistribuição de tarefas e readaptação. No sentido real, a flexibilidade maximizada é inerente à profissão do ensino.

A estratégia na tentativa de refazer o sistema de formação de professores deverá ser determinada ao nível dos princípios teóricos defendidos por nós. As falhas e nosso eterno retorno ao quadro-negro comprovam esta necessidade.

Quando o sistema escolar teve início, a preocupação se restringia à rapidez com que se podia formar um grande número de professores, para ampliar a educação ao nível nacional. Era inevitável, portanto, que as energias se concentrassem na quantidade e não na qualidade. Porém, a educação japonesa já alcançou os limites dessa preocupação, e é tempo de mudar a abordagem quantitativa para o preenchimento do potencial qualitativo das escolas com que já contamos. Possuímos os números; sejamos mais exigentes quanto ao professor em nosso planejamento daqui por diante. As perguntas a seguir pedem respostas específicas:

1) A formação do professor deve variar apenas na quantidade, mas nunca no tipo de conteúdo? Continuará como uma extensão dos programas gerais existentes, com alguma melhoria ao nível da informação, mas nenhum estudo metodológico especializado adicional ou treinamento prático aplicado?
2) A formação deve ser do tipo que força a aprender um conteúdo imposto ou deve orientar o professor através de seu próprio processo de descoberta e aplicação? As instituições de formação de professores devem apenas transmitir tantas partes distintas de informação quantas devem ser ensinadas, ou funcionar como centros para facilitar aos professores a aquisição do conhecimento necessário para o efetivo acompanhamento dos alunos nos processos de aprendizagem e descoberta, e permitir-lhes que pratiquem os métodos e técnicas a eles associados?

É evidente que qualquer pessoa com um simples conhecimento leigo não pode se sentir à vontade para decidir quais itens de informação profissional especializada merecem ser incluídos nos programas de formação do professorado. Quem deve decidir então?

Como é de se suspeitar, não é provável que os acadêmicos tenham uma perspectiva dessas preocupações específicas diferente da média das pessoas comuns. Até o presente, a decisão tem ficado a cargo de um comitê formado por diretores de instituições de formação de professores, como resultado da convicção da administração educacional de que estes seriam os mais qualificados para o julgamento. Esta prática, no entanto, tem se mostrado ineficaz. É como se pedíssemos aos fabricantes de um produto idéias para melhorá-lo, em vez de nos dirigirmos aos consumidores. Para conseguir um pensamento inovador, devemos nos voltar para as exigências do usuário, e não para o fornecedor. Portanto, que tal perguntar àqueles que têm permanecido no lado receptivo da formação do professor, os diretores das escolas primárias, que são, na verdade, a fonte de consulta real para as opiniões dos diretores das instituições de formação de professores? Ainda assim, devemos escolher a quem perguntar. Desejamos as opiniões dos diretores de escolas primárias cuja capacidade seja comprovada pela experiência e pela noção científica das possibilidades de melhoria da educação. Porém, antes desta decisão, é preciso reexaminar o papel do professor, especificamente do professor do ensino básico. Mesmo que exagerando neste assunto, consideremos as filosofias da educação incorparadas na pessoa do professor:

1) Os professores do ensino básico devem ser fornecedores de informação ou orientadores que auxiliam os processos de investigação e aprendizagem? Até o presente, a verdadeira fonte de problemas tem sido a adoção incorreta do antigo papel. Há muito tempo, Sócrates disse que "o conhecimento não pode ser transmitido", mas, de alguma forma, o sentido de suas palavras ainda não foi assimilado.

   Assim, os professores passam seu tempo tentando incutir informações na mente dos alunos quando, na verdade, deveriam estar canalizando os esforços destes para os melhores meios de formularem idéias por si mesmos. Uma vez aceito isto, a tarefa de preparar os professores para as técnicas de orientação dos estudos deve ser a prioridade principal na formação dos mesmos.

   Outro ponto a ser considerado é que a orientação da aquisição de conhecimento não deve se limitar à sua vida interior da mente na aprendizagem acadêmica, aplicando-se também à vida exterior de trabalho no mundo. A formação do professor deve reconhecer que o processo mental de cognição ou aquisição de conhecimento, manifesto na criação de valores ativos, e aqueles envolvidos na aprendizagem acadêmica são os mesmos. Todas as áreas da atividade humana funcionam dentro da tríade benefício, bem e beleza. Isto é válido para o trabalho do professor e a sua formação.

2) Visto que o aspecto do bem moral é o que mais preocupa o professor na criação de valores, a segunda prioridade em sua formação deve ser a aquisição de mais elementos morais no caráter pessoal em comparação às outras pessoas.
3) Há pouca diferença de matéria para matéria do currículo quanto aos dois itens anteriores: os professores precisam de conhecimento e treinamento em métodos e técnicas de orientação para a aprendizagem e a criação de valores, necessitando ainda desenvolver seu caráter moral, não importa o que ensinem. Mas precisam também de algum grau de conhecimento acadêmico como pré-requisito básico. Em outras palavras, ainda que este último princípio tenha sido muito enfatizado no passado, é ainda uma preocupação vital, pelo menos uma terceira prioridade.

A questão fundamental, o fator determinante nas decisões relacionadas à mudança na preparação do professor é saber qual a melhor forma de se ampliar a consciência quanto à profissão. Educar é uma tarefa complexa, talvez mais do que qualquer outra profissão a serviço da sociedade, especialmente porque objetiva a criação de valores de caráter. Ela requer uma síntese global dos meios e fins, operações de pequena e larga escala, planejamentos de curto e longo prazos, esboço aproximado e detalhamento preciso, em procedimentos sistemáticos e organizados. Portanto, os professores necessitam tanto de conhecimento educacional especializado e universal, quanto de habilidades para lidar com o que quer que surja na prática. Tal domínio de teoria e prática e de fins e meios só é alcançado com muitos anos de treinamento e estudo.

Ainda assim, muitas pessoas não reconhecem o professor como um técnico que precisa de muito treinamento e prática. Também são poucos os professores que chegam a pensar nisto! Assim, treinamento e experiência acabam sendo relegados a um segundo plano, na determinação dos requisitos profissionais para o emprego, no afastamento dos profissionais incompetentes, no repasse e na influência de idéias de diferentes áreas de estudo nas técnicas de ensino. Como resultado dessa omissão, a eficácia global da educação fica muito comprometida, o que já deve estar evidente.

O lado técnico da educação é tão exigente quanto o de qualquer outra arte ou forma de criação de valores. Talvez seja mais complexo, pois leva muitos anos para ser aperfeiçoado. Porém, como não existe na educação nada comparável à aprendizagem de um ofício através da relação mestre-discípulo, as pessoas tendem a pensar que a educação não é algo tão especial ("Com um pouco de instrução e prática, qualquer um pode ensinar!'"). Esse pensamento vem da época em que o ensino ainda era uma mera combinação de habilidades inatas, talvez de forma mais ordenada, presente em certos indivíduos do povo; mas isto deixou de ser suficiente; como todas as áreas de conhecimento agora se desenvolvem com tecnologias ou técnicas especializadas, é tempo de ampliar nossas expectativas em relação aos professores, e vê-los como técnicos ou artistas de primeira classe a serviço da sociedade.

A administração da educação, indiferente e alheia ao real potencial técnico do ensino, tem provocado incalculáveis estragos de longo prazo para a sociedade, por tratar dos professores apenas em bases financeiras, como meros trabalhadores contratados ou funcionários de escritório a serem arbitrariamente nomeados e transferidos para as funções. Por que temos permitido que uma vocação tão sagrada, que é a preparação de nossas crianças e jovens para a vida na sociedade, seja contratada da mesma forma que os criados?

Se o ensino é uma tecnologia ou uma arte, então o que significa tudo isto? Não se trata de algo que surge de um ou dois sucessos ao caso, mas do produto da combinação de prática e experiência, que responde a condições especiais, de modo a assegurar resultados específicos. Quando possuídas por uma pessoa, as habilidades que garantem esses resultados são consideradas específicas dela. Sua obtenção é o que distingue os profissionais dos outros indivíduos. É provável que não saibam explicar como as conseguiram, pois é algo arraigado neles. Os artistas, por vezes, até se divertem com as próprias habilidades, e os verdadeiros mestres chegam ao ponto de apresentar um grau de perfeição aparentemente inumano em sua arte. Isto não se limita às belas-artes, aplicando-se a todas as atividades humanas quando um certo grau de proficiência é ultrapassado. Por que não se aplicaria, então, à educação?

Na maioria das áreas, o caminho comprovado para atingir a proficiência técnica é ser contratado como estagiário sob a supervisão de um especialista, e aprender o básico, até que se torne suficientemente capaz para enfrentar o mercado competitivo. Normalmente, isto leva mais de uma década de prática contínua. Se estamos plenamente satisfeitos com o nível dos docentes que o sistema de preparação de professores tem produzido até aqui, então nada mais resta a ser feito. Mas, se desejamos ter elementos de bom nível, é melhor que aproveitemos a lição do sistema de aprendizagem de artes e ofícios e que cuidemos para que nossos professores tenham alguns anos de estudo e treinamento prático adequado, sob a orientação de pessoas que saibam o que estão fazendo. As crianças são tão valiosas, e é tão importante que se desenvolvam como pessoas de bom caráter para atuar na sociedade, que é uma tragédia a instrução de professores ter se padronizado pelo sistema utilizado na confecção de materiais, em vez do sistema de aprendizagem de artes e ofícios. A prova está no produto. Como se pode esperar que alguém produza alguma coisa que valha a pena sem um bom número de anos de prática árdua?

DESENVOLVIMENTOS RECENTES NO EXTERIOR NA ÁREA DE FORMAÇÃO DE PROFESSORES

Uma perspectiva totalmente independente de reforma do sistema de formação de professores, que são os desenvolvimentos recentes na educação de professores na Alemanha e na América, fornece maior base para minhas argumentações em favor da mudança do sistema atual do Japão. Considero importante o exame do que está acontecendo no estrangeiro, porque as questões que estão sendo debatidas pelo Ministério da Educação — centradas na dúvida entre criar universidades separadas de formação de professores ou ter essa especialização como um departamento dentro de uma universidade mais abrangente de artes liberais — não se limitam ao nosso país, sendo comum ao progresso na formação de professores em todo mundo. Na América, talvez a principal inovadora, e mesmo na Alemanha desde a Grande Guerra, verifica-se que as duas propostas estão sendo implementadas simultaneamente, com a criação de universidades especialmente destinadas à formação de professores e com programas de nível universitário em instituições maiores.

Talvez por seu tamanho, nenhum dos dois países escolheu seguir uma política ao nível nacional. A preferência entre as duas abordagens depende da região. Na Alemanha, por exemplo, Saxônia, Turíngia e Hamburgo não possuem universidades específicas para a preparação de professores, enquanto que a Prússia tem. Na América, as áreas do oeste, do leste e do sul são diferentes, e os programas variam até de estado para estado.

Ainda se discute se um tipo específico de professor, digamos, o professor de ensino primário, tem melhor preparo em um sistema que no outro; porém, seja qual for o sistema utilizado, verifica-se que a formação ao nível universitário tornou-se a prática padrão, e todos os graduados passam por uma avaliação abrangente antes de receber suas credenciais para lecionar. Na Prússia, a credencial plena só é concedida após cinco anos de prática como professor assistente. Temos muito que aprender com outros países para o aperfeiçoamento do nosso sistema.

Proposta para um Centro de Pesquisa Educacional ao Nível Nacional

Nesta seção, explorei minha tese a respeito de destinar parte do orçamento nacional, logo que possível, para a fundação de um centro de pesquisa educacional nos mesmos moldes dos centros de pesquisa nacionais ou seminacionais existentes para o estudo de higiene, química, nutrição, armamento etc., ou das instalações de pesquisa e desenvolvimento da indústria, agricultura, silvicultura e pesquisa aquática do setor privado. Não há desculpa para a não modernização. Vimos implementando "novas" práticas educacionais do Ocidente por mais de meio século. Houve desenvolvimento em outras áreas, mas ainda forçamos nossos milhões de estudantes a passar pela mesma provação irracional e dispendiosa, em nome da escolarização. Não há sinal de melhoria da situação, e o bom senso mostra que o prejuízo não tem limites.

Embora um centro de pesquisa educacional ao nível nacional ou seminacional seja a melhor estratégia, se ela for de difícil execução, as necessidades mais prementes poderão ser resolvidas com a criação de centros regionais nos moldes dos postos locais de teste agrícola. Neste caso, a solução ideal seria a criação de centros de pesquisa privados, com capital oriundo de doações de filantropos cônscios dos deveres cívicos.

Fazendo uma analogia do valor dessa proposta de um centro de pesquisa educacional com um órgão autorizado, pode-se compará-lo a um sismômetro que, por incorporar um ponto "verdadeiro" absoluto de referência, independente de sua base de apoio, pode medir tremores. Da mesma forma, um órgão de pesquisa educacional pode ser planejado, construído e mantido para testes, sem que seja afetado por mudanças políticas, econômicas e ideológicas de sua base social.

A educação é uma proposição muito complexa, e sua sistematização racional e científica, um empreendimento gigantesco. É uma ilusão acreditar que a experiência e as idéias criativas de indivíduos isolados podem tirá-la da situação em que se encontra. Isto só será possível com a cooperação de elementos capazes, das diversas disciplinas, num reconhecimento consciente dos objetivos principais da educação, e pela combinação das várias contribuições para esses fins. Alcançar a qualidade na educação exige, em primeiro lugar, a divisão de tarefas entre órgãos distintos para planejamento e implementação, e, em segundo, sua coordenação de forma mútua e harmônica. A comissão de planejamento central deve ficar acima do pensamento fragmentado dos interesses distintos existentes nos setores de trabalho da sociedade, eliminar preconceitos e trazer os inestimáveis legados dos pioneiros do passado, para dar forma ao ideal educacional. Este órgão planejador deve ser capaz de fornecer as condições necessárias para tornar o ideal uma realidade. Os professores, como técnicos educacionais em serviço, externos ao órgão central, não podem se satisfazer com um trabalho fragmentado, devendo executar suas obrigações com uma compreensão ampla e consensual do plano educacional elaborado. Isto significa que precisam ter uma noção profunda das idéias dos pioneiros da educação, sistematizada em seus escritos; só então poderão sair da letargia inconsciente e dar atenção aos objetivos da educação, sacrificando-se para melhorar seus métodos de ensino e verificando se os projetos desses planejadores são, de fato, adequados. A verdadeira prova para os órgãos de planejamento e implementação é este processo de autoteste, crítica mútua e evolução corretiva.

A correção, partindo dos resultados observados, também indica o melhor caminho para evitar a perpetuação das práticas muito dispendiosas. Ficar afastado, observando as coisas se desenvolverem, sem fornecer controle ou direção, não é uma forma de boa administração. Em todas as áreas, a administração racional é necessária ao desenvolvimento de uma estrutura orgânica unificada; daí existir o movimento para a criação de centros de pesquisa para planejamento em várias indústrias, que são tidos como investimentos a longo prazo; gasta-se muito no início, mas o capital original se paga muitas vezes mais. Da mesma forma, este pensamento está por trás da idéia da criação de um centro de pesquisa educacional.

Este centro não se resumiria ao simples teste da praticidade da aplicação de regras ao pé da letra, como acontece nas escolas de aplicação vinculadas às instituições de formação de professores, pois iria um pouco mais além, avaliando as próprias regras. Para esse fim, deve-se garantir a liberdade de pesquisa e a não interferência externa nos limites da lei. Como o processo da educação consiste em orientar ou direcionar os alunos em seu processo de aprendizagem, o teste deve ser radicalmente diferente da experiência desenvolvida com animais pelos pesquisadores na medicina, e não pode se limitar a meras tentativas repetitivas de idéias desenvolvidas em outros lugares. A pesquisa sempre deve se conduzir em bases estritamente científicas, limitada pela necessidade moral de não prejudicar as crianças. Não podemos assumir a posição uniformizada da filosofia educacional, que procura encontrar uma metodologia específica para a norma humana, nem a permissividade da educação liberal, que procura incluir cada experiência subjetiva e individual, considerando todas como algo especial.

Quanto à planta física, o centro de pesquisa educacional consistiria em três instalações interagindo entre si: uma escola normal de nível superior, com o objetivo de formar técnicos especialistas em educação, capazes de desenvolver estudos sobre a educação criadora de valores; uma escola primária a ela ligada, para teste prático e avaliação de novas idéias relativas à educação para a criação de valores — escola de aplicação; e instalações para atividades de censo e registro de descobertas informadas ou observadas nas práticas de ensino. Meu ideal quanto a isso tudo pode ser assim resumido:

A) Três objetivos básicos devem convergir para a realização do potencial do centro de pesquisa educacional:
1) O estudo dos meios pelos quais professores experientes, tais como os especialistas na criação de valores na educação, vão orientar a equipe a eles subordinada.
2) Maior dedicação à educação para a criação de valores do que ao treinamento costumeiro de professores, com o objetivo de desenvolver absoluta competência nas técnicas educacionais.
3) Manutenção de condições de atuação ideais na escola de aplicação, para que forneça condições de controle para teste e avaliação de teorias sobre a educação para a criação de valores.

B) Os membros do centro de pesquisa devem ser selecionados entre os professores do ensino básico com muitos anos de experiência prática que, além disso, demonstrem um interesse especial pela educação. Os itens-padrão a serem considerados para a seleção devem incluir o seguinte:
1) Verificação objetiva de uma boa formação e um registro de competência acima da média nas técnicas educacionais, como indicador de um nível excepcional de interesse e dedicação à educação.
2) Fundamentação acadêmica para o ensino, assim como habilidade altamente desenvolvida na utilização da mesma em proveito do aluno.
3) Registro de trabalho impecável e bom relacionamento com os colegas.
4) Alguma pesquisa por iniciativa própria, como indicador de espírito inovador no desenvolvimento do trabalho.

C) Os membros do centro de pesquisa devem chegar a um nível de experiência prática de dois anos de aulas e estudos com alunos, e alcançar suficiente habilidade acadêmica que permita sua aprovação no exame para obtenção de certificado de professor de ensino médio.

D) O currículo do centro de pesquisa deve incluir o seguinte:
1) Treinamento no local específico (sala de aula) quanto a métodos de ensino baseados em instrução científica.
2) Estudos dirigidos sobre os princípios e teorias básicas da educação:
   a) Estudos sobre pesquisa educacional científica;
   b) Estudos dirigidos sobre as bases sociológicas do pensamento educacional;
   c) Estudos dirigidos sobre as bases psicológicas do pensamento educacional;
   d) Aplicação dirigida de valores da ciência aplicada;
   e) Estudos dirigidos sobre a história do pensamento científico.
3) Estudos sobre religião, como princípio fundamental da vida humana, e orientação religiosa direcionada para a vida ideal:
   a) Estudos dirigidos empíricos sobre religião, como base no caráter pessoal;
   b) Orientação de vida visando a "fundamentar-se em princípios, não em figuras de autoridade", de acordo com os ensinamentos religiosos.

E) Os estudos dirigidos para os membros do centro de pesquisa devem ser conduzidos da seguinte maneira:
1) Depois de cumprida sua responsabilidade na escola de aplicação de ensino primário, contígua, de acordo com o programa de um turno de meio período (veja, neste capítulo, a seção intitulada "O Sistema Escolar de Meio Período"), os membros do centro devem passar a outra parte do dia desenvolvendo atividades de avaliação crítica e diferentes estudos curriculares, de forma que, após dois a três anos de treinamento em serviço, estejam aptos a passar no exame para a obtenção do certificado de professor de ensino médio do Ministério da Educação, e tenham conhecimento e habilidades necessários para servir de modelo na orientação do pessoal de ensino das escolas primárias.
2) Ao contrário das práticas de ensino unilaterais, que reduzem

o estudante a recipientes de informações, os membros do centro de pesquisa devem desenvolver habilidades no sentido de orientar a aprendizagem dos alunos em várias matérias, por meio de pesquisa por iniciativa própria.

3) A fim de fomentar nos estudantes valores pessoais que os capacitem a criar valores econômicos, morais e estéticos de benefício, bem e beleza, para orientá-los através da vida, os membros do centro de pesquisa devem direcionar seus estudos para a maneira de auxiliar os alunos na aplicação dos princípios de conhecimento em suas vidas.

4) A perspectiva evolucionária ou desenvolvimentista da História suscita nos estudantes e no pessoal de ensino o interesse pelo estudo da educação, podendo originar novas descobertas na área. Por essa razão, deve ser acrescentada ao currículo regular do ensino secundário uma consideração histórica do desenvolvimento das idéias e práticas na educação, de modo que os membros do centro de pesquisa se familiarizem com os princípios evolucionários.

5) Como o objetivo principal da educação é ajudar a fornecer orientação na vida da sociedade e implementar isto de forma cada vez melhor, é de suma importância que se desenvolvam pesquisas das circunstâncias da vida real das pessoas, isto é, um estudo científico das realidades sociais. Em meu ponto de vista, a ausência deste conhecimento tem sido uma das falhas mais sérias da educação. Portanto, um estudo detalhado dos vários aspectos da sociedade deve ser a preocupação principal desse centro de pesquisa.

6) O treinamento será necessário para unificar conhecimento e ação, palavras e atos, fins e meios. Como a educação procura orientar a transformação da vida indisciplinada, inconsciente, não planejada e não econômica em vida consciente, racional e econômica, o educador, como modelo, deve possuir algum conhecimento dos grandes princípios morais expressos na tradição religiosa.

7) Um cidadão saudável e equilibrado depende muito da influência moral de seus modelos de professor. Os membros do centro de pesquisa devem ter a coragem de discutir questões de certo e errado abertamente, sem deixar que sua objetividade seja restringida pelas emoções pessoais.

F) A escola primária contígua deve abrir as portas especialmente para as crianças carentes. Em outras palavras, para incutir nos futuros professores do ensino primário o interesse autêntico e altruísta pela educação, a escola de aplicação deve matricular os pobres e necessitados, para suscitar o interesse pela missão da educação e evitar que se criem objetivos de vantagens posteriores.

A premissa subjacente a essas recomendações está vinculada à concepção de Herbart, que modifica inteiramente as noções aceitas de meios e fins na educação. Enquanto, no passado, o objetivo da educação era o processo de transmissão, tornando-o mais interessante possível, afirmo que o verdadeiro objetivo da educação é provocar o interesse, e que a apresentação da informação só serve para promover esse envolvimento. Pela mesma razão, se o objetivo do treinamento do professor não é fornecer um conhecimento maciço, e sim levar o professorando a pensar por si mesmo, então, evidentemente, a melhor maneira de alcançar este objetivo é suscitar seu interesse, como a principal força motriz para seu aperfeiçoamento pessoal. Só assim ele será capaz de, por sua vez, orientar seus alunos de forma competente. Aprendizagem é aprendizagem, sejam os estudantes as crianças ou os próprios professores. Em ambos os casos, é basicamente uma questão de motivação. O interesse pessoal e o envolvimento, mais do que a fama, o salário e tudo o mais, têm a posição central no desenvolvimento de recursos humanos.

Propostas de Reforma na Administração Educacional

A LIMITAÇÃO DO PODER DA SUPERVISÃO COM VISTAS À AUTONOMIA DA ESCOLA

O estabelecimento de uma estrutura legalista de direitos na educação é uma proposição relativa. Para tornar a educação mais eficaz, não devemos apenas eliminar as inconsistências que estão dificultando o processo educacional, mas também delinear nitidamente os limites de autoridade. Somente com a definição clara dos limites sobre os direitos e privilégios se pode eliminar o exercício de poder injusto, excessivo e opressivo e defender os direitos de todos os envolvidos.

Isto passou a preocupar a partir da nacionalização da educação, que tornou sua administração mais complexa. Muitos pais dos alunos atuais foram estudantes nos períodos Meiji e Taisho, quando havia um conhecimento muito maior do que estava acontecendo nas escolas, portanto, não ficariam alheios, sem se envolver, deixando que algum supervisor ou administrador temporário, sem nenhum vínculo com a escola, se intrometesse nos assuntos educacionais da comunidade local. A comunidade atualmente tem sua própria escola, entendida como uma extensão do lar. Os pais assumiram o papel de guardiães da escola, não só fornecendo material escolar a seus filhos, mas chegando a participar das decisões quanto ao conteúdo da educação, procurando as causas das notas altas e baixas, orientando os filhos e os encorajando em seus estudos. Pela primeira vez, começamos a ver a educação dar resultados. Por outro lado, deve haver mais alguma coisa que possa ser feita pelo educador. Considerando a grande percentagem dos gastos familiares destinados à educação, evidentemente os pais têm direitos e, os educadores, obrigação. O tremendo custo da educação é uma soma de inúmeros sacrifícios e esforços que não são visíveis.

Em contraste com tudo isso, a contratação e a demissão de diretores e professores tem sido prerrogativa exclusiva dos supervisores, absolutamente distantes dos pais e dos grupos locais. Estas políticas e procedimentos deveriam ter sido eliminados com a transformação da burocracia autocrática em participação democrática, que ocorreu com o direito constitucional de voto. Como pagadores de impostos, pais e associações locais têm o direito e a obrigação de visitar as escolas e verificar se o seu dinheiro está sendo bem empregado. Esta função não deve ser delegada a outras pessoas. Se isto for admitido, de agora em diante os pais terão que estudar para ter um conhecimento sobre educação, da mesma forma que desenvolvem as tarefas de criação dos filhos, limpeza, cozinha, costura etc. no lar. Eles devem ser os avaliadores finais dos educadores, do mesmo modo que os consumidores possuem a única perspectiva correta da validade dos produtos, pois, aos olhos dos pais, as crianças refletem o caráter e o trabalho dos professores com uma vivacidade incrível. Ainda assim, esta avaliação só poderá ser feita quando os pais tiverem adquirido um conhecimento geral do pensamento educacional, para servir de base no julgamento. Uma vez que a maioria deles possua esse conhecimento, nenhum caminho poderia ser melhor para os administradores educacionais do que conhecer sua reação quanto as decisões políticas adotadas; eles deverão solicitar aos grupos locais suas opiniões, em vez de realizar levantamentos furtivos.

Não há forma melhor, mais honesta ou mais direta para os cidadãos locais manifestarem sua autonomia do que a conquista da autonomia da escola como parte de seus direitos constitucionais. Como durante minha administração na Escola Primária Shiragane, em

Tóquio, agi de acordo com esta convicção, sinto cada vez mais que nós, japoneses, estamos prontos e desejosos para dar esse passo.

Nos primeiros anos de formação do sistema educacional moderno do Japão, as pessoas tinham muito pouco conhecimento para estarem aptas a determinar até que ponto a autoridade da administração central deveria se estender à vida cívica. Em conseqüência, ela foi além do que deveria, colocando funcionários desnecessários em excesso em nome da segurança, cuja interferência, em vez de ajudar, foi um fardo e um estorvo para o cidadão comum. Assim, quando nos demos conta, estávamos rodeados de funcionários subalternos incompetentes, especializados em abusar do poder a eles concedido.

Uma reforma na administração educacional deve começar por uma análise aprofundada desta questão fundamental. O problema dos limites de poder não preocupa somente o administrador da educação, mas é muito importante não permitir que as autoridades esqueçam sua verdadeira função na educação.

É preciso fazer distinção entre a política antiga e a nova. A fase autocrática, na qual o povo sofria agressões e era mantido na ignorância, deu lugar à atual fase de autonomia, em que o povo controla como é gasto o dinheiro de seus impostos. Os procedimentos que citei podem ter sido permitidos e até esperados no passado, quando funcionários do governo interferiam direta e efetivamente no bem-estar público, mas, mesmo assim, deveria haver limites quanto ao número de pessoas, se não por outra razão, pela total impossibilidade de esticar infinitamente o orçamento. Em alguns pontos, afastamo-nos muito da realidade daquele tempo, mas a falta de lógica continua. Supervisores de alto escalão, colocados em funções ostensivamente para controlar a administração das escolas, terminam se excedendo em suas obrigações e assumindo o poder dos outros, além de criar uma série de tarefas burocráticas desnecessárias a serem executadas pelos funcionários subalternos. Eles garantem a ineficiência. O que começou como uma função administrativa essencialmente passiva, destinada a evitar que a nação mergulhasse em um caos de autonomias menores, se firmou como parte da burocracia.

É preciso distinguir deveres e poderes. Se as funções administrativas de direção ou apoio são necessárias, deve ser criado um órgão especialmente para isso, de modo que os outros órgãos existentes possam servir as suas funções específicas. Do contrário, essa prática de um só grupo fazer tudo, continuará a prejudicar a eficácia da educação.

Em resumo, é preciso reconhecer os limites do poder administrativo na educação, assim como nas outras áreas do governo, e manter esses funcionários em suas funções preventivas, basicamente passivas, eliminando as pretensões a funções de efetiva intromissão e mando. É uma questão de dimensões morais, e não legais. Não seria possível ou desejável que os policiais encorajassem cada cidadão da comunidade a agir corretamente; da mesma forma não é razoável que os agentes preventivos da administração da educação tentem controlar as responsabilidades de todos os outros funcionários ao mesmo tempo. Este nunca foi o objetivo da supervisão e inspeção escolar. Professores estagiários inexperientes e professores substitutos oriundos de outras áreas podem necessitar de supervisão, mas esta orientação é papel dos diretores de escola.

Em todas as áreas, o administrador deve voltar sua atenção para os requisitos mínimos do funcionamento: verificar se leis e normas estão sendo observadas. Se não houver infrações, não deve interferir e, certamente, não está em posição de avaliar a competência dos professores. Fora a informação e, alternadamente, a verificação da observância às normas, o único nível em que pode emitir julgamento é o das noções indistintas de bom senso.

Evidentemente, os administradores da educação e os próprios educadores estão trabalhando para a realização de uma mesma concepção mais ampla daquilo que a educação deve ser — o ideal subjacente a todo o seu trabalho —, mas, dentro do sistema que visa ao alcance dessa meta, suas funções específicas são muito diversas. É como o médico que trabalha para curar doenças e o sanitarista que procura evitar as causas das mesmas; o objetivo imediato de suas habilidades técnicas é diferente, mas seus resultados convergem para a perspectiva maior das partes combinadas em um todo. A complexidade da educação atual exige essa divisão de tarefas, assim como ocorreu com o desenvolvimento da ciência médica, em que o clínico geral teve suas funções divididas em várias especialidades, que não são antagônicas, independentes e opostas, pois deve haver entre elas uma coexistência cooperativa. Por ser o aspecto técnico do ensino um assunto tão delicado, suscetível a interferências das outras áreas do sistema educacional, deve-se estabelecer limites quanto ao desenvolvimento relativo de cada área, para a criação de uma estrutura horizontal de relações de apoio igualitário e mútuo entre o ensino e a administração, em lugar da atual hierarquia vertical.

Pode surgir então a dúvida sobre quem deve ter autoridade para contratar e demitir o pessoal de ensino. Essa questão foi discutida na reunião do Comitê de Reestruturação das Finanças Administrativas Regionais, de 1931, durante a qual se propôs que esse poder fosse passado do Ministério da Educação para o do Interior. Qual dos dois será o melhor? Se fossem impostos limites à administração da educação na forma sugerida anteriormente, para o professor a diferença entre os dois ministérios seria insignificante. O Ministério da Educação afirma que o Ministério do Interior não tem noção da complexidade e das especificidades da educação. Todavia, esta incompreensão poderia atuar a favor dos educadores, pois evitaria a intervenção administrativa excessiva, mantendo os administradores a distância, o grau de compreensão não faria muita diferença. Mesmo porque o Ministério da Educação tem um conhecimento precário da realidade! Para a autonomia, não seria melhor termos administradores que, por não conhecerem a realidade da educação, não interferissem ou não fingissem saber, em vez de administradores que têm conhecimento limitado, mas adotam ares de onisciência e resolvem influir em tudo?

Os administradores tratam os professores de forma antiquada e feudalista. Os professores são técnicos educacionais ou artistas. Mesmo em épocas passadas, os senhores sabiam que não deviam agir com os artistas com o mesmo poder e força que usavam com o povo, e os tratavam como companhia de honra, de modo que eles se sentiam encorajados a utilizar seu pleno potencial artístico. Em raras ocasiões, presenciamos algum iluminado administrador regional tratar um professor experiente com o devido respeito, mas este padrão de comportamento deveria ser comum a todos os administradores em suas relações com os professores em geral.

Qual seria a distância respeitável ideal? A administração da educação não é comparável às outras áreas do serviço público, se reconhecermos que, ao contrário da situação de policiais e juízes, que devem ser transferidos com freqüência para evitar que se criem laços emocionais que possam influenciar seu julgamento, os professores e diretores não podem ser transferidos insensivelmente. Os burocratas em geral, ainda que sendo pessoas confiáveis, poucas vezes têm algum contato com questões de caráter pessoal em seus afazeres mais ligados aos papéis, portanto, podem causar apenas erros mínimos de omissão; na educação, os inspetores supervisores e os professores lidam com pessoas reais, ao nível da criação de valores. Enquanto os outros agem pelas leis que estão nos livros, evitando envolvimento emocional e moral (ou pelo menos guardando-os para si mesmos), no interesse da justiça pública e da igualdade social, as relações professor-aluno devem ser mais do que justas; elas devem ir além da prevenção passiva dos erros e promover positivamente o bem através do relacionamento interpessoal e afetuoso.

Garantindo aos professores uma razoável segurança no emprego, a Ordem da Escola Elementar Imperial já deu uma grande contribuição para o reconhecimento do professor como ocupante de uma posição especial, que não deve ser nivelada aos funcionários comuns. De fato, se as responsabilidades do professor não fossem protegidas da poderosa política dos inspetores de escola, o mal se estenderia para os cidadãos da nação. Já se tornou universal, mesmo entre pessoas que não conhecem a história da educação, que o ensino é mais sagrado do que tudo o mais na sociedade e deve ser mantido inviolado. Qualquer professor que mereça este título e o respeito à função deve demonstrar sua habilidade de julgar o que é certo e errado e mostrar a diferença pela escolha do certo, não só através de explicação oral. O verdadeiro professor é, na verdade, a incorporação do valor moral. Se ele fosse imprudentemente transferido, o choque para as mentes inocentes e impressionáveis das crianças seria mais forte do que os adultos podem imaginar. Por este motivo, mais do que por qualquer outro, estou convencido de que o poder do inspetor de escola que age de acordo com opiniões subjetivas deve ser reduzido, ou mesmo eliminado.

O inspetor escolar tem uma posição especial em comparação com as outras funções administrativas da educação, mas não se sabe bem por quê. Do ponto de vista da comunidade educacional, são considerados um estorvo, são vistos como intrometidos e, quanto à economia nacional, representam um gasto desnecessário. Se a educação precisasse permanecer no estado lamentável em que se encontra, haveria talvez justificativa para manter essa função. Contudo eu prefiro planejar um futuro melhor.

O sistema de inspeção escolar deverá provocar muita controvérsia, quando se verificar que sua propalada influência sobre o futuro da sociedade não é bem assim. Os educadores em especial, uma vez que se conscientizem de seu papel vital na orientação da sociedade, não devem cruzar os braços e deixar que esses agentes policialescos ajam. Nós, educadores, não devemos silenciar, temerosos por nossas cabeças, mas refletir sobre o sistema com mente aberta e sem influências externas.

Até o presente, os que defendem o sistema do inspetor escolar têm atribuído a culpa pelos resultados "pouco convincentes" da educação à suposta carência de pessoal que controla a administração. O governo, em seu desconhecimento da realidade educacional, aquiesce, aumentando a quantidade já demasiada de inspetores, multiplicando os gastos. Há inúmeros exemplos disto. As finanças da nação são sugadas como se não tivessem fim, sem resultar em nenhuma melhoria na qualidade da educação, sendo uma imposição sobre o pagador de impostos.

Para o leigo, a idéia da supervisão e da liderança serem desempenhadas por uma única pessoa parece muito conveniente. Porém, se levarmos esse pensamento à sua conclusão lógica, o ideal seria ter um inspetor para cada escola. Isto significaria ter dois diretores em cada escola: um para tratar das tarefas administrativas e outro para supervisionar os professores e comandá-los. Da mesma forma, os professores teriam que receber ordens de duas autoridades e a escola se tornaria uma grande confusão, com gastos desnecessários e, pior ainda, colocando em perigo a missão da educação.

Talvez no caso de treinamento técnico em serviço, de curta duração, faça sentido chamar um especialista para orientação, mas, nessas horas, onde estão as reivindicações dos inspetores escolares quanto ao domínio de qualquer especialização? Se eles mesmos não possuem nenhum conhecimento ou experiência específica, ou até lhes falta o conhecimento mínimo que a norma exige, como é o caso de muitos deles, suas pretensões de autoridade e suas novidades educacionais impossíveis de aceitar, as quais eles mesmos acabaram de adotar e pouco conhecem, passam a ser consideradas ofensivas e prejudiciais. O aparecimento dos inspetores resultou da falta de confiança nas habilidades dos diretores, quando então tiveram que atuar de forma compensatória. Se fosse este o caso, por que não introduzir então especialistas para cada assunto específico, para atuar somente quando os problemas surgissem? Qual a necessidade de manter um órgão de autoridade substitutiva importunando o diretor? O sistema de inspeção escolar atual é uma volta aos treinadores de professores rotativos que faziam as rondas do circuito escolar no início do período Meiji, quando ainda havia um grande número de professores pouco preparados. Apesar de tudo isso, eu não diria que o inspetor escolar é necessariamente contraproducente, pois há escolas funcionando em condições precárias, que precisam de sugestões e indicações adicionais.

Seguindo esta linha de pensamento, o inspetor escolar se mostra de grande utilidade apenas nos casos em que diretor e corpo docente se mostraram incompetentes. Isto, porém, não requer um sistema de inspeção escolar; mais do que tudo, demonstra a necessidade de um sistema de avaliação adequado para a contratação de diretores, como vimos anteriormente. Assim, o problema de como gerenciar melhor os professores nos reporta à instalação de um sistema de avaliação para diretores, devendo enfatizar o domínio da pesquisa científica quanto aos princípios educacionais e aos métodos de ensino. Se isto fosse adotado, os diretores se livrariam da humilhação desnecessária que sofrem com o atual sistema de inspeção escolar.

CONSIDERAÇÕES SOBRE UMA AGÊNCIA DE PLANEJAMENTO CENTRAL PARA A EDUCAÇÃO

Há, pelo menos, dois elementos principais a serem considerados quando se pensa em revitalizar o sistema educacional do Japão. Um deles envolve a reforma dirigida especificamente à melhoria da qualidade do pessoal de ensino, de forma a capacitá-lo a praticar suas habilidades de forma plena. A outra é a criação de uma agência de planejamento, como órgão central do sistema, que teria poder de planejar e organizar planos a longo prazo. Sem a efetivação dessas duas metas, a simples bifurcação de funções no sistema atual tenderá a ocultar os problemas sob uma capa de melhorias superficiais, adiando a verdadeira mudança.

A agência central seria diferente, pois atuaria com efetivo planejamento. Anteriormente, fizemos uma comparação com a prontidão militar. Assim como os quartéis, nas forças armadas, nunca deixam de ficar atentos a decisões estratégicas mesmo em tempos de paz, a educação não pode se atrasar na execução e contínua reorientação de suas diretrizes, para não perder suas possibilidades no raiar dos tempos de mudança. É um erro grave deixar esta importante tarefa de planejamento do futuro a cargo do Ministério da Educação, que serve apenas para executar políticas previamente determinadas, ou do Conselho de Política Educacional e Cultural, que, por sua vez, nada faz além de apoiar o ministério como grupo de análise crítica.[7]

A educação deveria pensar 100 anos à frente, mas as decisões ficam a cargo de políticos tão míopes que só enxergam aquilo que pode contribuir para sua próxima eleição, o que, na verdade, dá uma visão muito estreita aos próprios educadores, que terminam por rivalizarem-se e tornarem-se coniventes, para proteger seus empregos. Durante toda a suposta votação do eleitorado nos assuntos da educação, a realidade do sistema praticamente não saiu do período da escravidão. O planejamento para os próximos 100 anos, uma função que por direito pertence a uma agência de planejamento central, não pode ser entregue aos interesses de burocratas, cujas reivindicações de reforma não modificam nada. No sistema atual, eles não podem fazer mais do que evitar a responsabilidade.

Sendo assim, é natural que a política educacional tenha ficado atrasada, chegando a uma situação sem saída, mas não devemos lamentar as falhas passadas e, sim, iniciar logo a tarefa de planejar uma política educacional a longo prazo.

Já se passou meio século e inúmeras reformas aconteceram desde a implantação do primeiro sistema educacional moderno do país, emprestado quase diretamente de fontes estrangeiras e, curiosamente, nada mudou neste tempo. Isto é verdade, por exemplo, com relação ao ensino superior, que, a princípio, se destinou exclusivamente às necessidades das classes privilegiadas. Ainda que, teoricamente, isto tenha se transformado, todo o pessoal da educação, inclusive os próprios administradores centrais, ainda parecem muito à vontade com a idéia de que a seleção de alunos para a escola pública de ensino médio deve se basear em padrões de superioridade, específicos da classe média e alta, o que origina a tragédia insensata do "terror do exame" de competição para ingresso na universidade.[8] Mesmo atualmente, quando as escolas de ensino médio se espalharam pelo país, os papéis das instituições de ensino públicas e privadas, de certa forma, se inverteram. Ainda que o ensino público, por ser uma instituição popular, devesse se desenvolver com base no denominador comum inferior, para satisfazer às necessidades da maioria, seus padrões são tão altos que apenas os estudantes com as melhores notas, que exigem menos atenção e causam poucos problemas — em outras palavras, a elite —, conseguem ser admitidos, enquanto os outros são transferidos para as escolas particulares, à revelia. De fato, nada mudou.

Por quanto tempo ainda persistirão essas condições revoltantes? A consciência social está se desenvolvendo depressa. O cidadão comum, como contribuinte, membro de associações locais de apoio e pai de aluno, começou a assumir a responsabilidade da luta pela igualdade de oportunidades na educação. Se o currículo deve se fundamentar na criação de valores da vida real e utilizar o meio ambiente como texto, a estrutura do ensino deve ser revista. Estamos em uma fase que demanda reestruturação global do sistema educacional. Para que isto aconteça, torna-se urgente a criação imediata de uma agência de planejamento central que decida sobre uma política educacional unificada a longo prazo.

Quais seriam as funções desta agência planejadora? De modo geral, ela faria um levantamento das condições da sociedade contemporânea e determinaria o que deve ser mudado para a próxima geração. Teria a responsabilidade de procurar os meios para o fornecimento da melhor educação possível para o cidadão de amanhã, dando atenção constante a planejamento da criação de valores pessoais. Sua tarefa seria observar e elaborar propostas, ao contrário do que fazem outras áreas da administração, que implementam as normas existentes; e não faria trabalho de investigação e pesquisa de métodos de ensino melhores e mais eficientes, próprio do especialista do centro de pesquisa. Sua função seria planejar a estrutura maior, dentro da qual o ensino acontece, levando em conta a estrutura interna do sistema educacional e suas relações com outras funções do governo. Determinaria a melhor forma de se atingir os objetivos do bem-estar futuro da nação, desenvolvendo planos a longo prazo. Com base no levantamento das condições gerais do país, a agência coordenaria o trabalho de todos os órgãos do sistema educacional.

Não será fácil encontrar as pessoas certas para este tipo de trabalho. Sugiro, contudo, que um grupo de indivíduos de todos os setores, que tenham um conhecimento das exigências quanto à educação de um ponto de vista científico e estejam abertos a novas maneiras de pensar, volte seus pensamentos para a fase que se aproxima. É fundamental que se forme um conselho com pensadores progressistas.

UMA AGÊNCIA DE MEDIAÇÃO NAS DISCÓRDIAS SOBRE EDUCAÇÃO

As tradições da comunidade educacional japonesa, que se desenvolveram sob o regime autocrático, não podem continuar no comando, com a onda de inovações que estão ocorrendo nas esferas política e econômica. Estão surgindo problemas em todo lugar, mas as estratégias feudalísticas de iludir o povo não funcionam mais. Não podemos simplesmente seguir a liderança, certa ou errada, ou pôr fim às questões ocultando-as. Precisamos encarar os problemas e procurar soluções adequadas ao nosso tempo. Em qualquer plano de solução de problemas, três mecanismos devem trabalhar juntos: a mediação neutra para resolver discórdias de maneira justa, a reprimenda das partes ofensoras e a defesa das partes reclamantes.

Uma agência de mediação de discórdias educacionais pode parecer a alguns semelhante à retórica dos acordos trabalhistas, mas devemos estar preparados para conflitos, num sistema educacional que esteja sofrendo as tensões de uma mudança radical. Disputas ideológicas serão inevitáveis, principalmente entre os professores mais jovens e inovadores, propensos a pensamentos extremistas. A solução para isto não são as ordens autocráticas de pessoas nos cargos mais altos da administração, fazendo-se necessária a existência de um sistema de verificação explícita.

O ser humano é composto de emoção e razão. As contendas emocionais podem ser devastadoras, mas não há nada a temer no caso de discussões sobre discordâncias relativas a maneiras de pensar. As rixas emocionais destroem pessoas, enquanto um debate racional pode resultar em alguma conclusão consistente. Os burocratas evitam lidar com os problemas reais agindo como autômatos, isto é, pressionando as pessoas através de meros papéis. Com isso, esquecem que o ser humano tem esse lado racional e que, somente com o esclarecimento das diferenças e semelhanças entre os diversos pontos de vista, se pode chegar a uma síntese.

As sanções emocionais da era autocrática não permitiam a discussão racional, mas a essência da democracia constitucional atual é o fórum público. Como poderia surgir um regime participativo, se temêssemos os debates? Pode ser demais querer que as crianças participem dessas discussões, mas, certamente, qualquer pessoa que tenha alguma instrução, incluindo as mulheres, é capaz de discernir o certo do errado em um debate. Sabe-se também que as decisões fundamentadas em argumentos subjetivos não levam a alguma solução, mas confundem e prolongam as discussões, pois mantêm as discordâncias, em vez de eliminá-las. Uma terceira parte neutra é absolutamente necessária.

Seja ao nível internacional ou individual, as discórdias não surgem de modo espontâneo, originando-se de causas específicas. As soluções verdadeiras devem ir à origem da questão, refazendo o curso através do qual os problemas apareceram e eliminando suas causas. O julgamento deve chegar à verdade e ao erro, fundamentando-se no princípio, em vez de se curvar à autoridade pessoal de alguém. Não existe outra forma de resolver controvérsias.

Considere, por exemplo, o que acontece quando há uma briga entre crianças. Os adultos, não querendo ouvir suas queixas, resolvem punir a todas. Elas podem chorar até cair no sono, não sem antes despedaçar sua crença na justiça, aprendendo a terrível "verdade" da dominação autocrática: "O poder faz a lei." Tenho observado que, da mesma forma, quando ocorrem discordâncias entre educadores, o que é muito comum, deixá-las de lado ou procurar acalmar os ânimos termina por afetar seriamente a eficácia da educação. Uma agência externa à escola, estruturada para lidar com essas circunstâncias, estaria aberta a outras propostas, mas se dedicaria fundamentalmente à resolução de discórdias na área educacional e ao ataque às origens dos problemas. As decisões formais, com bases em leis predeterminadas, que não se preocupam em pesquisar o cerne das questões, representam tão-somente uma demonstração da política do poder.

Se as escolas devem funcionar no espírito da lei constitucional, a resolução de discórdias não pode ser deixada aos preconceitos dos supervisores inspetores, que punem ambos os lados porque "sempre foi assim", ou que confiam em boatos. Se desejamos aumentar a eficácia da educação e elevar os padrões de excelência dos professores, essas práticas inconstitucionais devem ser eliminadas. Não é possível reconhecer a norma constitucional como o sistema social mais racional e, ao mesmo tempo, aceitar essas formas burocráticas usuais de resolver discussões entre educadores.

É exatamente o que acontece nos tribunais. Se os julgamentos fossem simples, se os casos sempre tivessem provas definidas, um único juiz seria suficiente; mas, como são complexos, e as evidências, quando muito, circunstanciais, conta-se com um júri formado por pessoas sem nenhuma ligação com o caso que servem de mediadoras. Este sistema de júri deveria ser implantado na educação, em base regular ou esporádica, de acordo com as necessidades, pois as discórdias educacionais são complexas. Uma idéia seria formar um conselho de educadores que tenham demonstrado benevolência ao longo de muitos anos de experiência profissional.

Todavia, há uma diferença entre julgar causas particulares ou criminais e colocar em julgamento a prática administrativa. Isto se reflete nos tribunais, que fazem essa distinção através de tipos diferentes de leis, que requerem conhecimento especializado e experiência por parte dos juízes, mais ou menos como o governo é dividido nos poderes executivo, legislativo e judiciário. As controvérsias educacionais ainda são um pouco mais difíceis, particularmente quando idéias estão em questão. Não se pode utilizar e manusear as regras de forma medíocre; os jurados devem ser escolhidos por sua perspectiva quanto ao pensamento educacional. Essa agência de mediação, instituída num espírito semelhante ao das juntas de mediação trabalhista, auxiliaria a remover os empecilhos à reforma educacional, pressupondo-se que os limites de seu poder seriam esclarecidos por especialistas da área educacional.

O poder de reprimenda, por exemplo, deve ficar a cargo de um grupo distinto do que dá os veredictos. Não podemos evitar a punição. A educação é assunto sério e tem conseqüências sociais igualmente sérias. O educador cujas ações são pautadas no puro interesse pessoal está abusando da confiança da sociedade, renunciando ao direito de ser membro da comunidade educacional e, principalmente, trabalhando contra o ideal da educação de criar uma entidade social coesa; está envenenando os canteiros de germinação da cultura. Ainda que por padrões sociais normais de avaliação sua atitude não fosse tão errada, a educação tem padrões de julgamento mais rigorosos, devido à extensão de sua influência. Deve ser feito um exame minucioso dos elementos insidiosos, assim como policiamento e correção de pensamento, passando da alienação individualista Hinayana, que empobrece o sistema, à verdadeira participação construtiva Mahayana.[9]

As boas idéias e práticas merecem recompensa, mas este não é o objetivo da agência mediadora. Ela apenas apóia de maneira passiva as partes reclamantes, como conseqüência acidental e temporária do veredicto. A existência de um mecanismo específico para promover o ensino criativo é tão importante para a educação e para a sociedade quanto os recursos humanos de boa qualidade. Evidentemente, não é fácil institucionalizar este tipo de atuação, mas, por enquanto, pode-se pensar em reunir pessoas de liderança na educação que possam ter voz ativa, um grupo tal como o meu, a Sociedade Educacional de Criação de Valores (Soka Kyoiku Gakkai).

Propostas de Reforma no Sistema de Ensino

RESPOSTA ÀS MEDIDAS DE REFORMA EDUCACIONAL DO MINISTÉRIO DA EDUCAÇÃO

Primeiramente, é preciso considerar as linhas gerais e a premissa básica do plano original de reforma do sistema escolar do Ministério da Educação, apresentado e aprovado para adoção no conselho ministerial de setembro de 1931. Aquele plano deu ênfase especial à diminuição do período escolar, ao oferecimento de educação completa a cada nível de ensino, à ampliação da oportunidade escolar para todos os cidadãos e à criação de programas universitários co-educacionais. Em detalhe, o plano inclui o seguinte:

1) O jardim-de-infância deve manter a estrutura atual de três anos.
2) As escolas primárias de ensino básico devem ser denominadas escolas públicas e funcionar com um programa de seis anos.
3) As escolas de segundo ciclo do ensino básico e de ensino médio, as escolas secundárias para meninas e as escolas vocacionais devem passar a se chamar escolas secundárias, funcionando

com programas de dois ou cinco anos. As escolas de ensino médio existentes, no entanto, devem manter a atual estrutura de quatro anos.
4) As escolas secundárias existentes devem se transformar em escolas preparatórias para a universidade, com duração de dois anos.
5) As universidades devem manter sua estrutura de três ou quatro anos.
6) Os cursos de pós-graduação devem ser criados acima do nível universitário, em benefício dos que têm objetivos acadêmicos específicos.
7) Os cursos de especialização devem manter sua estrutura de três ou quatro anos, com possibilidade de se estender a cinco anos, quando necessário.
8) As escolas normais devem adotar uma abordagem dupla: o programa principal, com duração de três anos, destina-se aos estudantes que se graduaram no novo sistema de escola secundária; um programa preparatório adicional, com duração de dois anos, complementa a escola secundária de dois anos (o segundo ciclo do ensino básico anterior à reforma). Fora isto, nenhuma outra escola preparatória especial será necessária.
9) A escola normal de nível superior que existe atualmente assim como os programas universitários de artes e ciências devem ser reduzidos e substituídos por novas universidades com ensino normal de quatro anos. Centros específicos de treinamento de professores, com duração de um ano, serão criados para os graduados de cursos de especialização que desejem se tornar professores secundários.
10) Os centros de habilidades para jovens assim como os centros de treinamento vocacional devem ser agrupados sob o título de escolas para jovens, consistindo em um curso regular de dois anos e um curso de nível médio de três anos. Além disso, um curso de habilidades práticas, dedicado principalmente ao treinamento de nível secundário, deve ser criado com uma estrutura de três anos.[10]

Em oposição a este plano do Ministério da Educação, a Sociedade de Estudos Educacionais publicou proposta de reorganização do sistema escolar, cuja primeira parte se intitula "As Falhas do Sistema Atual", e abrange 30 anos de dificuldades, posteriores à promulgação das Normas Imperiais para Escolarização e Educação, ora em vigor. Segundo a proposta, naquele período ocorreram algumas mudanças, mas nenhuma delas foi capaz de resolver as necessidades atuais da educação. A proposta aponta seis grandes deficiências no atual sistema de ensino:

1) A organização do atual sistema de ensino não responde às necessidades de igualdade de oportunidade.
2) As escolas de todos os níveis, a começar do ensino básico, funcionam como instituições preparatórias para o ensino superior, sacrificando os interesses da grande maioria dos estudantes, em prol dos poucos que se matricularão nas universidades ou em cursos de especialização.
3) O ensino atual tem uma uniformidade que foi imposta.
4) O ensino atual tende excessivamente ao desenvolvimento intelectual.
5) Os graduados das escolas têm privilégios injustificáveis.
6) Professores malpreparados são aceitos no atual sistema de ensino, pela ausência de treinamento e avaliação de professores adequados.

Em segundo lugar, o plano seguinte, com dez itens que objetivam corrigir as deficiências citadas, é recomendado pela proposta:

1) Universalização do ensino médio.
2) Revisão integral da educação corretiva e suplementar.
3) Fundação e expansão de entidades específicas de pesquisa e administração para promover a educação social geral.
4) Realização das finalidades específicas das escolas de cada nível, em lugar da escolarização preparatória para o ensino superior.
5) Desprezo à abordagem automatizada e padronizada, substituindo-a por um espaço maior para a experimentação livre, desde que as necessidades do alunado sejam atendidas.
6) Desvio da fixação no desenvolvimento intelectual, substituindo-a por uma mentalidade de trabalho, com especial atenção ao desenvolvimento da criatividade e treinamento em atividades orientadas para a sociedade.
7) Eliminação dos privilégios especiais aos graduados das escolas.
8) Diminuição do período escolar.
9) Aperfeiçoamento da formação de professores nas escolas normais.
10) Distribuição orçamentária racional dos gastos na educação.

Em terceiro lugar, em uma parte intitulada "Listagem Sintetizada das Reformas Educacionais", a proposta sugere um sistema de ensino formado por escolas de ensino básico, escolas públicas para jovens (atualmente denominadas escolas corretivas), escolas de ensino médio e cursos de especialização, ao mesmo tempo em que elimina as atuais faculdades e universidades. As escolas de pós-graduação devem ser as instituições de nível mais elevado de ensino; todas as outras instituições devem, de modo geral, seguir o plano do Ministério da Educação.

A Sociedade dos Críticos Educacionais (Kyoiku Hyoronka Kyokai) também apresentou proposta para a reforma do sistema educacional; todavia, sua sugestão se aproxima mais do atual sistema do que a descrita anteriormente. Esta proposta consiste nos seguintes pontos:

1) Cada escola deve ter como objetivo formar o caráter pessoal e promover a competência profissional.
2) Podem ser feitos ajustes na organização e no conteúdo curricular, de modo a diminuir o período de tempo dedicado ao ensino na escola.
3) Cada escola deve completar um currículo educacional durante o respectivo curso.
4) O sistema educacional deve ter freqüência mista.
5) Todos os privilégios especiais dos graduados das escolas devem ser abolidos.
6) Os gastos com a educação devem ter um orçamento justo.
7) As emendas ao sistema educacional devem ser aprovadas pelo poder legislativo.
8) As facilidades para a educação social geral devem se desenvolver no sentido de alcançar uma educação cada vez mais completa.

Dentre os muitos pontos de vista pró e contra as reformas propostas, selecionei o trecho a seguir, retirado de um editorial do *Tokyo Asahi Shimbun* (2 de setembro de 1931), o qual reflete minha posição:

> A comunidade educacional foi radicalmente contra a proposta de reformas do sistema de ensino do Ministério da Educação.[...] No entanto, a julgar pelas palavras e ações desses oponentes, há que se duvidar seriamente se elas se fundamentam em algo além de seu próprio campo limitado de informação e experiência. Nenhuma delas parece reconhecer a gravidade

das deficiências do atual sistema educacional. Vários pontos-chave devem ser lembrados: a reorientação da educação para fins mais práticos e a diminuição do tempo de escolarização estão entre os principais. Assim, na verdade, esses educadores parecem se opor a todas essas posições. Estão trabalhando com a concepção errônea de que a educação pode se tornar mais eficaz através de uma reforma complexa do currículo, elevando o nível do ensino, ou aumentando o tempo de escolarização para "até mesmo um ano a mais". Seus julgamentos incorretos são provenientes de um pensamento tacanho e tendencioso.

Um erro ainda mais elementar é a idéia de que a educação precisa se limitar ao estudo na própria escola. Tornamo-nos prisioneiros da concepção convencional de que, se os alunos não dedicarem seu tempo à escola propriamente dita — um período de 16 ou 17 anos —, não chegarão a lugar algum. A premissa de que a educação de cada cidadão, que na verdade é um trabalho que dura toda a vida do indivíduo, pode ser integralmente conseguida através da escola não é razoável. A conscientização desta verdade deve causar comoção nos defensores dos internatos, e esperamos que venha a abrir os olhos dos educadores para o espectro mais amplo da vida da sociedade. Só lhes falta um pequeno empurrão. Além disso, ainda que a idéia de diminuir em um ou dois anos o tempo de escolarização seja uma medida incompleta, a proposta de um ano a mais não é menos ridícula. Se se pretende chegar a esse ponto, sugiro ir até o fim e pedir reformas em uma escala tão grande que prolongue a educação por toda a vida do indivíduo. Provavelmente, o caminho de menor resistência seja a criação de um programa de estudo e trabalho paralelo, que analiso a seguir, na seção "O Sistema Escolar de Meio Período".

UMA REAVALIAÇÃO DAS FALHAS DO SISTEMA ATUAL

As inúmeras reações à possibilidade de uma reforma educacional surpreendem pela divergência de opiniões e pelo desconhecimento do sistema atual e dos padrões que devem ser utilizados para o planejamento do futuro. A educação, em sua complexidade, tem conseqüências e inter-relações extensas, sendo um dos empreendimentos mais difíceis da vida humana. O alcance de soluções verdadeiramente positivas implica na sua análise minuciosa e profunda, indo ao âmago das questões.

A primeira providência para a reavaliação do sistema educacional existente e o planejamento de uma reforma que corrija as falhas do passado é a criação de padrões de julgamento. Observando as diferentes concepções de reforma que estão aparecendo, não se percebe clareza quanto às fundamentações dos diversos proponentes, cujos argumentos não são convincentes. É hora de analisar a educação atual à luz do objetivo de nossa sobrevivência como nação, fazer uma avaliação séria e divulgar as conclusões. A cura deve ser empreendida de modo sistemático, partindo do metabolismo da base.

1) Observemos quanta energia a sociedade despende na educação. Ainda que os gastos com o setor sejam maiores do que a sociedade pode suportar, como vimos, não é administrado com eficiência.
   a) É surpreendente o custo total para o Estado, os governos locais e as famílias, para a sociedade como um todo, dos elevados orçamentos destinados à educação. Contudo, qual é o resultado?
   b) Do total dos graduados das escolas, quantos estão atendendo às necessidades da sociedade? O crescente desemprego para os graduados de nível médio não constitui ameaça à sociedade? E quais são as causas desse fenômeno?
2) A maioria das escolas oferece o ensino propedêutico, que prepara o aluno para o ensino superior, e não uma educação verdadeiramente voltada para as preocupações práticas da vida real. Isto porque a graduação oferece privilégios especiais, considerados o único meio de acesso ao bem viver; com isso, os estudantes se matriculam com o objetivo exclusivo de ingressar em instituições superiores. Assim, a educação atual se distanciou inteiramente dos objetivos mais amplos da vida humana. Se não pusermos fim a esses privilégios especiais, teremos preparado uma armadilha atraente para nossa juventude. A maioria das pessoas não sabe o que deve ser feito a respeito do que está acontecendo, são apenas observadoras passivas das mudanças dos tempos, e se voltam para as escolas, na vaga expectativa de que esses privilégios continuem indefinidamente. Elas estão, inconscientemente, criando um vício de educação.
3) A educação não é prática; não se trata de o sistema de ensino ter ou não a uniformização como meta, pois não há muitos argumentos a favor de que a educação siga nessa direção, mas é certo que algum nível de unificação é essencial. O mais importante, contudo, é que a educação se preocupa muito pouco com as questões práticas e isto deve ser corrigido.

4) A educação é improdutiva.
   a) O ensino deveria ser mais produtivo, no sentido estritamente econômico e projetado para realizar as três dimensões de criação de valores, a fim de gerar benefício, bem e beleza.
   b) O ensino vocacional deve começar por uma orientação em direção à criação de valores. A educação prática tem muito apelo para a sociedade, que está cansada da educação irrelevante. Ainda assim, não devemos escolher o tipo mais desprezível de utilitarismo absoluto, ou passaremos para o pólo oposto do dilema em que nos encontramos.
5) Estaremos enfatizando em demasia o desenvolvimento intelectual? Contrariamente ao ponto de vista popular, a ineficácia do ensino indicaria uma falta de ênfase. Onde exatamente esta suposta ênfase exagerada se manifestaria na educação? Se acentuar a educação intelectual significa menosprezar a educação moral, certamente estaríamos diante de um problema. Porém, não é este o caso. Culpar a ênfase na educação intelectual pela ineficácia da educação moral é como invejar a riqueza do vizinho e atribuir a razão de sua própria baixa condição financeira à negligência do vizinho em não se esforçar para melhorá-la.

   Considero a perseverança no ensino acadêmico a única base para a educação moral. A restrição do ensino acadêmico como medida corretiva nos tornaria apenas mais ignorantes. O problema não está no suposto exagero quanto ao desenvolvimento intelectual e sim nos métodos impositivos utilizados, que levam ao resultado oposto, que é menos educação. Compreende-se que o tempo e a energia gastos ineficazmente com as escolas justifiquem as críticas quanto a excessos. Mas e quanto aos resultados alcançados? É preciso que, antes de censurar a ênfase no ensino acadêmico, seja reconhecida a insuficiência metodológica subjacente comprovada por ele.
6) Os grandes pensadores e legisladores sempre defenderam o desenvolvimento moral, o qual, infelizmente, nunca foi possível por falta de métodos específicos. Como resultado, os cidadãos são moralmente empobrecidos.
7) A educação para o desenvolvimento das sensibilidades estéticas foi apreciada por muito tempo, com o nome de refinamento emocional, mas sem a utilização de qualquer abordagem definida. Ainda se podem ouvir os velhos apelos à ação, mas nos falta saber o que fazer. Em minha opinião, como não temos

objetivos definidos neste sentido, também não somos capazes de produzir os meios de executá-los.
8) O planejamento adequado não é possível porque nem aqueles que estabelecem as diretrizes nem os executores da educação são claros quanto aos objetivos; com isso, nada é levado a termo. Há 60 anos tateamos no escuro, e chegamos a um beco sem saída. Todos os envolvidos — planejadores, políticos e executantes — necessitam encarar de modo realista o sistema educacional como um todo, de cima a baixo.
9) A insuficiência no treinamento e na avaliação de professores, além de não assegurar um corpo docente de boa qualidade, faz com que os bons professores que porventura estejam atuando no sistema, mais cedo ou mais tarde se voltem para outras profissões.
10) A inexistência de padrões de admissão e promoção de docentes deixa essas questões cruciais ao capricho dos administradores.
11) Não há nenhuma diretriz que controle a coordenação ou liderança dos professores. Qualquer iniciativa sua é inibida pelos administradores, que excedem sua autoridade, chegando a interferir e pressionar. Com isso, o ensino desce ao denominador comum de eficiência de nível mais baixo.
12) Ainda não foi criada uma política educacional em nenhuma das áreas mencionadas. Além disso, não há planos para a existência de um conselho de revisão que leve em consideração as questões relativas à política educacional.
13) A educação ainda não conta com nenhum local para estudo ou teste de métodos de ensino para fundamentar a criação da política educacional.

Finalmente, é preciso esclarecer alguns pontos básicos, para que se possa propor reformas decisivas e sistemáticas no sistema de ensino. Até o presente, ele respondeu a diversas necessidades, e se expandiu de modo descuidado, a ponto de se tornar ingovernável, uma enorme estrutura burocrática precisando de reparo. Poderíamos eliminar as goteiras à medida que aparecessem e fazer alguns remendos, mas isto apenas consumiria tempo e dinheiro, pois todo o mecanismo está imprestável, da base ao topo. Seria mais sensato demolir tudo e começar do início. Poderíamos, desta forma, substituir a antiga estrutura dispendiosa por uma ordem absolutamente nova. Para tanto, seria necessário adotar, pelo menos, as seguintes medidas:

1) Uma avaliação completa da eficácia do sistema educacional Meiji.
2) Um estudo comparativo dos sistemas educacionais das nações

mais desenvolvidas da Europa e América, assim como do passado, além dos sistemas dos países mais atrasados, como a China, que tentaram seguir o mesmo caminho que o Japão e estão encontrando a mesma situação sem saída que já vínhamos enfrentando.

3) Todos os envolvidos devem dividir seu conhecimento e sua experiência profissional com os outros, e, acima de tudo, todos necessitam ter uma compreensão sistemática e científica da razão de ser da educação.

Em outras palavras, devemos refletir sobre nossa experiência dos últimos 50 anos, chegar a uma compreensão crítica de nosso ideal e levar em consideração materiais de referência, de nosso país e do exterior. Precisamos atacar os problemas por três lados, unindo o conhecimento dos representantes da sociedade, dos professores atuantes e dos teóricos da educação.

Nossa situação atual se deve, em parte, à estrutura autocrática que cria divisões de trabalho para manter as pessoas em seus lugares: os professores seguindo os ditames do Ministério da Educação ao pé da letra e os administradores levando em consideração sua jurisdição imediata sem questionamentos. É precisamente porque ninguém sai da linha, para não perceber a realidade do todo, que nenhuma opinião sobre reforma é emitida. Mesmo quando alguma pessoa diretamente envolvida com a educação se aventura a opinar, os mandachuvas e os políticos logo esclarecem que a crítica está além dos limites de atuação dos simples professores. Conseqüentemente, o professorado se restringe ao pouco que precisa saber, sem protestar, sem desejar ampliar seu conhecimento.

No entanto, qual o sentido do nosso direito constitucional de voto, atualmente, quando se espera que tenhamos uma atuação crítica construtiva, se não é para conclamar a todos, independente de posição ou classe, a adotar livremente uma causa nacional como essa? O momento que estamos vivendo é a melhor oportunidade para se contribuir para uma reforma de base. Espera-se que a construção do novo implique numa destruição anterior. Mesmo que o próprio trabalho do passado, ou os esforços de grandes personalidades e políticos, sejam criticados ou derrubados durante o processo, tornando assim a tarefa pouco agradável, devemos pensar no futuro de nosso país e no bem-estar de nossas crianças, e pôr de lado nossos vínculos pessoais menos importantes. Precisamos ter a mente aberta, de modo a nos permitir colocar as opções para decisão no domínio público.

Com o reconhecimento dessas premissas gerais, podemos voltar nossa atenção para as origens das grandes questões envolvidas:

1) Não está na hora de trocar a idéia de transmissão de conhecimento para a de orientação da aquisição de conhecimento? Isto não parece combinar com a ênfase na criação de valores, em lugar do simples academicismo?
2) Tanto do ponto de vista da felicidade do estudante quanto das necessidades da sociedade, não parece despropositado direcionar toda a infância e adolescência para o estudo, em detrimento de tudo mais?
3) Embora o orçamento das finanças educacionais seja necessário, não é ele suplantado pela necessidade de uma economia da aprendizagem? Isto combina com uma revisão total das matérias e as correspondentes melhorias nos métodos de ensino (esta é a tendência principal do sistema de educação apresentado neste livro).
4) A educação deve ser responsabilidade do setor público ou privado?
5) Outra pergunta logística fundamental: Quem é mais qualificado para se encarregar da estruturação da proposta final de reforma?
6) Finalmente, a determinação do período de educação compulsória é uma questão importante, porque afeta a administração das escolas e a distribuição de cursos no currículo.

OBJETIVOS E DIRETRIZES PARA A REFORMA DA EDUCAÇÃO

Os objetivos para os quais proponho um programa de reformas no sistema educacional podem ser resumidos da seguinte forma:

1) A educação deve se concentrar no fornecimento de orientação para os processos de aquisição de conhecimento e criação de valores. Em vez de limitar os estudantes com os antolhos acadêmicos da aprendizagem pelos livros, uma economia dos métodos educacionais (no sentido mais amplo) os levará a se envolverem em dois cursos paralelos de atividades, uma acadêmica e outra vocacional. Isto significará uma reestruturação de todos os níveis de ensino: básico, médio e superior.
2) Em cada nível, a escola deve responder às necessidades da vida real. As melhorias devem tornar a educação útil à vida, e as escolas devem passar a ser uma extensão natural da vida, de modo que a freqüência às aulas não precise ser imposta.
3) Os privilégios especiais para os graduados das escolas devem ser

eliminados; deve ser criado um sistema especial de avaliação para os que procuram empregos que requerem qualificações específicas. Com esta providência, o ensino preparatório desaparecerá no devido tempo e, da mesma forma, será removido o obstáculo de entrada para a universidade.

4) O ensino na escola deve estar, na prática, intimamente ligado à vida social real, de modo que possa transformar a vida inconsciente em participação consciente na vida da sociedade. A educação integrada na vida da sociedade gerará benefícios de uma vida bem planejada, sem provocar os efeitos indesejáveis da uniformidade mecânica, um perigo inerente ao ensino padronizado

5) A educação deve satisfazer as necessidades do indivíduo, sem favorecer as classes privilegiadas ou as pessoas com habilidades excepcionais. O ensino público, em especial, deve estender seu auxílio às classes não privilegiadas, dentro do espírito da igualdade de oportunidades, sob pena de que se voltem para comportamentos socialmente contraproducentes.

6) Vários métodos de ensino devem ser estudados, para garantir eficácia cada vez maior.

7) As instituições de treinamento de professores, com suas instalações, e as escolas normais devem ser transformadas, de modo a prepararem profissionais com qualidade necessária para se adequar ao gerenciamento das melhorias educacionais mencionadas.

8) Os sistemas de avaliação e promoção de professores devem ser melhorados.

9) Os poderes administrativos devem ter limites, e a autonomia das escolas deve ser assegurada em nome dos direitos educacionais.

10) As várias instituições administrativas e normativas do setor educacional devem ser modernizadas ou abolidas.

11) Instituições especiais de mediação de discórdias e de assistência devem promover a remoção dos obstáculos na educação.

12) Devem ser criadas instituições de pesquisa educacional.

13) Devem ser adotadas melhorias nos materiais e nas técnicas de ensino, a começar pela revisão dos caracteres do estilo chinês utilizados na escrita japonesa.

Em seguida, precisaremos levar em conta as diretrizes estruturais a serem incluídas na proposta de reforma da educação na escola:

1) Tipos de escolas:
   a) As escolas devem consistir em escolas de ensino básico, escolas públicas e escolas públicas de nível superior.

b) As escolas de ensino médio e os cursos de especialização devem ser criados por serem fundamentais para satisfazer a necessidade de ensino vocacional em área específica.
c) As escolas secundárias e universidades existentes devem ser extintas.
d) As formas suplementares de ensino — centros de treinamento vocacional para jovens e similares — devem ser interligadas.
e) Devem ser providenciados centros de estudo acadêmico em todos os níveis de ensino, sendo que o mais avançado deles deve ser a escola de pós-graduação.[11]

2) A instrução em cada tipo de escola:
   a) Todas as escolas, em todos os níveis de ensino, devem funcionar em meio período.
   b) Os alunos das escolas de ensino básico e públicas devem trabalhar nos negócios da família durante metade do dia.
   c) Deve ser oferecida orientação vocacional em aulas diurnas e noturnas em qualquer escola onde as condições locais o permitam.
   d) O objetivo principal das escolas vocacionais de nível superior precisa oferecer os resultados de pesquisa quanto à melhor forma de ensino vocacional e devem estar abertas à noite.
   e) Todas as instituições educacionais anteriormente mencionadas devem adotar como missão principal o funcionamento da orientação e treinamento de estudantes para a vida socializada cooperativa.
   f) Salvo outras contingências, todos os estudantes em todos os níveis de ensino devem se dedicar a ocupações produtivas além do ensino na escola.

3) Escolas primárias:
   a) As escolas primárias devem se estruturar em um curso de seis anos.
   b) Revisões profundas no currículo, acompanhadas de uma reestruturação igualmente profunda na seleção, organização e coordenação das matérias de ensino, terão o objetivo de não permitir perda de eficiência apesar da diminuição do horário para meio período de instrução. Além disso, deve possibilitar também que matérias atualmente pertencentes ao currículo da escola média sejam abrangidas pela escola primária.

Deverão surgir inúmeros problemas não resolvidos durante o processo de tentativa de reforma da escola média e do ensino superior. As decisões nesses casos serão determinadas pelas mesmas diretrizes e objetivos básicos. A dificuldade presumível para solucionar essas questões faz com que as pessoas adiem a hora de enfrentá-las. Algumas propostas de reforma, tais como a redução da duração do ensino médio e do ensino secundário, que não se relacionam com diretrizes e objetivos básicos, poderão ser bem-vindas, pela sua proximidade com o sistema atual. Contudo, estou certo de que seremos forçados a encarar as questões relativas a diretrizes e objetivos fundamentais, mesmo tentando evitá-las.

Há um elemento adicional necessário para completar essa visão geral da revitalização da educação que expus. É tão importante e também uma parte tão essencial de minha proposta que merece uma seção específica para sua apresentação. Trata-se da idéia do sistema escolar de meio período, para o qual voltaremos nossa atenção.

O Sistema Escolar de Meio Período

O VALOR DO SISTEMA DE MEIO PERÍODO

Nesta seção, proponho uma transformação importante, fundamental no ensino de nosso país, que é a redução do sistema de ensino de sala de aula, do primário à universidade, para meio período. Meu objetivo é tecer algumas considerações que levem a discussões e debates, pois o tema merece atenção. A decisão de adotar esse caminho teria efeitos de amplas conseqüências, obrigando a uma total reorganização da educação.

A idéia em si, em outros tempos, teria parecido uma blasfêmia e seria censurada pela comunidade educacional. Por isso, guardei-a comigo por mais de dez anos. Mas os tempos mudaram; já se encontram pessoas com doutorado em todo lugar, e com esse título não se consegue mais tudo o que se deseja. Realmente, quem teria previsto a inutilidade dos títulos neste difícil mercado de trabalho?

A origem destes problemas pode ser atribuída ao atual sistema de ensino. À medida que as reclamações se acumulam, parece questão de tempo até que os autores da reforma se decidam pelo sistema de meio período, como uma solução lógica. As instituições de ensino superior já não têm muito valor, e as de ensino médio, assim como as escolas para meninas, praticamente não repõem seu custo com uma verdadeira educação. As escolas vocacionais, ridicularizadas pela comunidade educacional até recentemente, agora indicam o caminho para uma "solução" bastante aclamada e oportuna: a transformação das escolas médias em treinamento vocacional. Porém, com o atual sistema de ensino, para onde devem ir os graduados dessas escolas vocacionais de ensino médio? Mesmo que a comunidade educacional, que é bastante conservadora, resista à mudança, a população, que precisa enfrentar a realidade da vida, não poderá permanecer passiva.

Nosso sistema de ensino, que dura meio século, está paralisado, e precisa mudar. Acredito que a adoção do meio período possibilite o caminho mais fácil e eficiente para a reforma. Este é um resumo das modificações que considero necessárias:

1) A troca para o sistema de meio período, do ensino básico ao superior, tem o objetivo de ser uma medida de eficiência, e pressupõe melhorias correspondentes nos métodos de ensino, pois o que antes precisava de um dia inteiro para ser ensinado deverá ser aprendido em metade do tempo. Creio que os estudos metodológicos sobre a educação criadora de valores, a serem detalhados mais adiante, podem fornecer esta solução.
2) A fim de que se realize uma economia maior do investimento nacional nas instalações e na força de trabalho do professorado, o dia da escola deve ser dividido em dois a três turnos, para acomodar cursos matutinos, vespertinos e, possivelmente, noturnos. Esta medida suavizaria o atual "terror do exame" para a matrícula nas escolas, que funcionam com um número exagerado de alunos, bem como reduziria o custo real do ensino por aluno.
3) Os estudantes deverão passar a metade do dia restante fora da sala de aula, envolvidos em atividade vocacional produtiva, o que poderá ser feito no próprio negócio dos pais, em um trabalho adequado às suas habilidades, ou mesmo no estudo de uma especialização que, posteriormente, se torne seu meio de sustento. Poderão ainda, no caso dos indivíduos superiormente dotados, receber aulas particulares em alguma disciplina acadêmica ou em treinamento físico. Em todos os casos, esses programas devem ser desenvolvidos com a compreensão e a verba oriunda do Estado e dos cidadãos.

Dessa forma, com um planejamento que evita a redundância ocupacional, poderemos eliminar o "terror do exame". O sistema de meio período também substituiria o sistema paralelo das escolas vocacionais, que atualmente não faz parte do sistema regular de ensino, e redefiniria a aprendizagem como um processo contínuo e permanente, que não se limita apenas ao jovem. Assim, o ensino comum e o treinamento vocacional ficariam lado a lado, sendo a norma para a educação, a qual tem a finalidade de desenvolver mentes e corpos sadios. Nosso único impedimento é o vínculo repressor às formas antiquadas dos últimos 50 anos.

Resumindo a idéia básica do sistema escolar de meio período, o estudo não é considerado uma preparação para a vida; ele acontece enquanto se vive, e a vida acontece em meio ao estudo. Estudo e vida real são vistos não apenas como paralelos; eles trocam informações intercontextualmente, o estudo dentro da vida e vice-versa, por toda a existência do indivíduo. Assim, o foco central das mudanças propostas não é a melhoria do orçamento econômico dos programas escolares, mas o desenvolvimento da alegria e da apreciação pelo trabalho.

Atualmente, a maioria dos estudantes busca a aprendizagem através dos livros, excluindo qualquer oportunidade de se acostumar a tarefas físicas e, em conseqüência, desenvolve uma atitude negativa em relação ao trabalho. A escola precisa combater essa letargia, reunindo o que é relevante em um meio período organizado, e encorajando os alunos para a aquisição orientada de habilidades práticas, seja no negócio da família ou em fazendas, seminários e centros de treinamento extracurricular organizados para esse fim. Com isto, a educação abrangeria mente e corpo, coordenaria o desenvolvimento das funções motoras e sensoriais, ocupando a pessoa integral, auxiliando na prevenção de distúrbios nervosos, depressão e apatia, levando o jovem a uma participação ativa na vida social produtiva.

Em outras palavras, há alguns distúrbios inatos, que são as disfunções fisiológicas ou psicológicas, com as quais é preciso conviver, ou que devem ser tratadas como problemas médicos. Alguns distúrbios, no entanto, são oriundos da educação inadequada, isto é, que obriga o sistema nervoso a um padrão de desenvolvimento desequilibrado, no qual os nervos sensoriais estão muito estimulados, enquanto os nervos motores se atrofiam. O resultado disto é um estado de hipersensibilidade, reconhecido como energia nervosa improdutiva sem nenhum escape físico. Este problema educacional é sintomático da tendência a uma ênfase exagerada no ensino acadêmico, característica dos períodos Meiji e Taisho (1868-1926). Será de se estranhar que tenhamos formado gerações de pessoas apáticas?

As reformas educacionais da era Meiji (1868-1912) se resumem à eliminação do treinamento em artes marciais para a juventude da casta dos samurais, e da aprendizagem de ofícios para os das classes populares, fornecendo a eles em troca somente o ensino acadêmico, de desenvolvimento intelectual. Isto provocou o surgimento de ociosos educados, que perderam o interesse em continuar os negócios da família, passando a fazer parte da folha de pagamento do governo como as "mentes" do funcionalismo público, um irônico comentário sobre sua posição desincorporada. Nunca tivemos parasitas piores na classe política!

Na prática, a escola de meio período não é um problema tão difícil quanto os defensores da educação Meiji acreditam. Se essas "mentes" verificassem como as coisas funcionavam antes da modernização, veriam que, por não haver escolas como as de hoje, as crianças não podiam freqüentá-las em turno integral. Nossos antepassados não defenderiam esse absurdo.

Atualmente, quando a maioria dos jovens urbanos desperdiça seu tempo e encara o trabalho como algo humilhante, a minoria que precisa trabalhar se envergonha disso. Se fosse o contrário, isto é, se a maioria tivesse empregos, e os poucos ociosos fossem os marginalizados, tudo seria diferente. Mais do que se pode imaginar, a conscientização da juventude sobre a vida da sociedade depende do quanto nós, adultos, os mantemos na linha. Nossas preocupações quanto à dificuldade de gerenciar a metade do dia passada fora da escola comprova como nos voltamos pouco para os problemas principais. Se os estudantes não são suficientemente responsáveis para viver e trabalhar no mundo real agora, quando o serão?

A juventude e o melhor período para a aprendizagem. Perdendo-se esta oportunidade, nada poderá recuperar a diferença mais tarde na vida. Sem adquirir o hábito de trabalho nesta fase, o indivíduo acaba tendo sérios problemas de mudança de empregos na meia-idade. Principalmente as ocupações que demandam trabalho físico se tornam impossíveis de serem aprendidas.

Este fato é melhor avaliado pelos comerciantes, cuja longa experiência de dificuldades os levou a concluir que, em geral, é muito difícil transformar graduados de ensino superior em trabalhadores eficientes. O velho sistema de aprendizagem de ofícios era melhor, segundo o consenso dessas pessoas experientes. Eles argumentam ainda que a utilização dos anos mais importantes e impressionáveis da vida das pessoas na escolarização acadêmica através dos livros destrói o treinamento vocacional. Estou certo de que esses veteranos profissionais se unirão a mim quando pensarem seriamente no futuro sombrio que nos espera se não resolvermos este problema.

As empresas, os pais e os próprios estudantes estão clamando por uma escola de meio período, como a maneira de assegurar uma chance de luta na corrida pela sobrevivência financeira. O simples acréscimo de cursos de treinamento ocupacional ou vocacional ao currículo atual não será suficiente, pois o problema fugiu ao controle. Mesmo os graduados das instituições de ensino agrícola acabam por se ajustar melhor às condições de trabalho de escritório do que a qualquer outra coisa. Qual será a explicação para esse fenômeno?

Antigamente, no Japão, o indivíduo tornava-se adulto aos 15 anos. Os jovens samurais eram aceitos no meio dos adultos, e os das classes populares eram considerados capacitados para o trabalho. Foi assim por muito tempo, até a minha geração. Não há razão para se presumir que a juventude atual tem menos energia ou resistência que a do passado. Portanto, não tem sentido os pais se sentirem envergonhados por não serem capazes de sustentar seus filhos por toda sua vida escolar, até o fim do curso universitário. A cada verão as praias ficam repletas de jovens que, aparentemente, não têm nada melhor para fazer do que procurar prazeres. É doloroso testemunhar esses sinais de declínio, que estão presentes em toda parte. O que terá acontecido à ética de trabalho tradicional?

A idéia da escola para meninas em horário integral não é menos ridícula. Não seria mais razoável concentrar a educação de nível secundário das meninas na aprendizagem prática própria às tarefas do lar? À exceção das mulheres que seguem carreiras, é uma contradição tirar as meninas de casa para ensiná-las economia do lar, e, principalmente, forçá-las a memorizar informações fragmentárias e abstratas. Que utilidade pode ter o conhecimento de inglês ou coisa parecida no trabalho caseiro? Isto tudo faz da educação uma farsa.

Temos cursos de inglês pelo rádio; poderiam ser oferecidos cursos similares, pelo rádio, de economia doméstica, tendo como professor-apresentador alguém formado pela escola normal de nível superior. A cada manhã, logo após o programa de exercícios físicos, as filhas poderiam se juntar às avós, em todo o país, para se acostumarem a trabalhar com panos e baldes, as facas e as tábuas de corte, o que seria mais eficaz e mais próximo da vida diária do que as aulas de natação sobre o tapete. E este é apenas um exemplo.

É nisto que a sociedade, como força organizada, pode pressionar a juventude que, sem algo assim, não cederia, e orientá-los para atividades produtivas, que possam levar a melhorias sociais e à felicidade individual. Ainda assim, muitos hesitariam antes de assumir essa mudança radical em relação ao atual sistema. Mas não devemos esquecer que, há 50 anos, a educação moderna foi vista como uma transformação ainda mais drástica. Não sei qual teria sido o resultado se, naquele momento, em vez de concentrar a atenção na casta dos samurais e na classe dos ricos, nossos predecessores tivessem se preocupado com as classes populares, empregadas na agricultura, no artesanato e no comércio, e transformado a escola em uma condensação dessa experiência.

Não faltam exemplos para corroborar a idéia da escola de meio período como uma possibilidade real. Podemos mencionar as escolas do exército, que fornecem, com sucesso, ensino superior regular, além de treinamento militar especializado, no mesmo número de anos que as outras; outro exemplo é a Escola Primária Normal Especial de Tóquio, que adotou um programa escolar de meio período durante o dia e três horas noturnas para cumprir o currículo completo da escola primária — embora não seja admitida como um sucesso completo — e, ao mesmo tempo, fornecia os conhecimentos básicos de comércio e treinamento vocacional. Com isso, até as crianças pobres tinham oportunidade de experimentar alguma independência econômica antes de terminar sua escolarização; na minha opinião, uma verdadeira história de sucesso. O Ministério da Educação, contudo, aparentemente almejando a padronização absoluta de todas as escolas da nação, deve considerar esses casos exceções à regra.

A idéia não é melhor apenas em termos de aperfeiçoar a eficiência administrativa ou econômica, como até o momento sugerimos repetidas vezes, mas também porque leva em consideração o que melhor combina com a composição humana. Pode-se citar o exemplo negativo, de que nada pode ser tão ineficiente ou tão pouco econômico quanto impor trabalho a uma pessoa entediada e cansada. Só se pode saborear os prazeres do ócio em meio a um horário produtivamente cheio e, de modo oposto, um horário inflexivelmente ocupado só pode ser produtivo se intercalado com momentos de descanso. Qualquer pessoa que tenha passado por cinco, oito ou dez anos de escolarização maciça admitirá de imediato o quanto isto pode ser enfadonho. Uma das principais razões para o sucesso dos programas vocacionais de meio período é a existência sensata de escapes para a energia nervosa, aliviando assim o estresse e aumentando a produtividade. Eu ousaria afirmar que mesmo o mundo adulto, em grande parte, poderia se beneficiar de um sistema alternado de meio período de trabalho e estudo. A produtividade aumentaria, e um dia de trabalho de seis horas seria suficiente, como qualquer dia de oito horas.

Uma preocupação com relação ao sistema de treinamento vocacional que estou propondo, vinculado à escolarização de meio período, é que ele conflitaria com as leis trabalhistas referentes à criança, que afirmam em termos incontestáveis que as crianças com menos de 13 anos não devem trabalhar. Admito que há aqui um conflito evidente, porém, se buscarmos a premissa subjacente à determinação legal veremos que não estaríamos ferindo o sentido real da lei. As limitações legais impostas ao trabalho físico têm por objetivo evitar danos ao corpo ainda muito frágil para suportar o esforço excessivo. O programa de meio período não apenas impede esse excesso, por restringir o trabalho a algumas horas, mas, na verdade, faz um bem, por fornecer habilidades profissionais em conjunto com a escolaridade, na fase mais importante da vida. A proposta atende integralmente ao sentido original da lei, que é proteger os interesses da juventude, e representa um avanço neste aspecto.

AS IMPERFEIÇÕES DOS PROGRAMAS DE ENSINO VOCACIONAL

Após tanto defender a escola de meio período, pode parecer surpreendente que me manifeste contra ao que comumente é denominado educação vocacional. Explico-me. À primeira vista, a recente introdução da educação vocacional na escola, como medida compensatória para o que foi reconhecido como aprendizagem da vida real, parece ter resolvido o problema. Todavia, a insistência dos educadores em ministrar os programas vocacionais nos mesmos moldes, monstrando e explicando, como sempre fizeram em tudo o mais, reduz esses programas a simples pantomima. Um professor de terno e gravata, por mais sério e honesto que seja, ao explicar aos alunos uma profissão real que exige aventual, é um logro consumado.

Além do mais, se a procura de emprego continuar sendo adiada para depois da graduação, nunca se porá um fim às dificuldades atuais de falta de emprego. O declínio dos negócios ao nível nacional demonstra como foi insignificante o impacto do ensino vocacional durante os períodos Meiji e Taisho.

A idéia de se promover educação vocacional vem com atraso. Conduzida no espírito das práticas educativas correntes, provocará a atrofia dos negócios. Isto fica claro quando examinamos o fracasso do ensino agrícola, que talvez seja o que mais se aproxima do verdadeiro treinamento vocacional. A maioria dos indivíduos formados nessas escolas termina como meros assistentes em postos de teste agrícola ou associações de fazendeiros, recebendo salários irrisórios, isto porque seus estudos os levam ao desgosto pelo trabalho verdadeiro!

Ainda assim, ninguém parece prestar atenção; ninguém examina o que está acontecendo. As pessoas de alguma forma acreditam que, se os estudantes forem matriculados em escolas vocacionais, irão adquirir naturalmente o gosto pelo trabalho; assim, a solução simplista para a necessidade de fomentar os negócios é construir mais escolas vocacionais. A burocracia parece incentivar este tipo de raciocínio estreito e superficial.

Dos muitos comerciantes que deveriam ter se formado nas escolas vocacionais do período Meiji em diante, quantos trabalham na produção direta? O fato é que a maioria opta pelo gerenciamento do trabalho, o que pode ter sido aceitável até o presente, mas não sei o que poderá acontecer se esta tendência continuar.

Como disse, as escolas agrícolas fornecem-nos um exemplo perfeito do que aconteceu de errado. Sou grato a Kozui Otani, um grande teórico do ensino agrícola, por suas opiniões desafiadoras sobre o futuro da educação. Ele conclui que, em última instância, na medida em que terra e trabalho humano são dados e o terceiro fato, o *know-how* agrícola, ainda não chegou a um estágio satisfatório, "não pode haver plano melhor do que incrementar os estudos sobre metodologia na agricultura e, com isso, obter benefícios cada vez maiores".[12] Isto é verdadeiro, no que se refere ao que ele aborda; no entanto, não é suficiente, do ponto de vista do educador. Supostamente, foi devido a essa linha de pensamento que as escolas agrícolas foram construídas e o ensino agrícola foi desenvolvido; mas falta-lhe um elemento essencial, que é o trabalho científico de campo, isto é, a parte prática. Por este motivo, os indivíduos formados por essas escolas não têm compromisso com o trabalho real, a não ser através da tênue ligação do gerenciamento desse trabalho.

Outra falha do sistema de ensino vocacional contemporâneo é que, ao focalizar um aspecto da infância e da juventude, negligencia outros aspectos importantes. Isto é, ao concentrar-se na forma de ganhar dinheiro, não se preocupa em ensinar como lidar com o mesmo. Evidentemente, não se pode negar que responde a uma grande necessidade das classes baixas, na medida em que auxilia em problemas imediatos da vida. Mas gerar lucro, somente, provoca alguns problemas. O desejo da independência econômica, logo que possível, não deixa lugar para a supervisão e orientação paterna, e, assim, quando, esses jovens conseguem viver por conta própria, podem se tornar profissionalmente muito competentes, mas permanecem incompletos, ainda imaturos. Com isto, o sistema atual torna as pessoas desumanamente insensíveis e sem nenhuma preocupação com os outros.

4

Metodologia Educacional

As Principais Questões Subjacentes à Metodologia da Educação

O INDIVIDUALISMO INSUSTENTÁVEL *VERSUS* A UNIVERSALIDADE SISTEMÁTICA

A população está começando a reconhecer as limitações e os erros da uniformidade na educação; não obstante, na troca de um extremo para o outro, a maioria das soluções que estão aparecendo praticamente não implica nenhuma melhoria, pois as premissas incorretas sobre o processo de aprendizagem não estão sendo questionadas. Tem havido muita confusão sobre a questão da individualidade, e as opiniões a respeito são muito vagas. Conseqüentemente, precisamos voltar aos conceitos fundamentais, analisá-los em detalhes e começar tudo de novo.

Se a individualidade é compreendida como o que diferencia as pessoas, sendo todas mutuamente irreconciliáveis e impossíveis de se conhecer, então é o caso de se dispensar todas as ciências que partam da premissa de uma continuidade de afirmativas reconhecíveis em toda a humanidade. Estaria fora de questão tentar que o outro, na pessoa do professor, procurasse penetrar no eu do aluno, que é o que a educação faz. No entanto, esta contradição, que negaria a educação, não parece incomodar as pessoas que falam de maneira tão lisonjeira sobre a individualidade.

Sob a bandeira dessa nova escola de educação, cujo lema parece ser "reverenciar o individualismo" e "aniquilar a uniformização", estamos na verdade ouvindo um hino à aceitação incondicional de professores inexperientes, e não se sabe qual a conseqüência disto. Censurando unilateralmente a uniformização mecânica, porém sem a compreensão das implicações do individualismo que têm como alternativa, o cego orientaria o outro cego de uma reação momentânea para a próxima. Com esta mudança não se está avançando, pois trata-se da perpetuação do mesmo ciclo vicioso anterior. Quando este ciclo de ênfase exagerada no individual à custa das características comuns a todos se mostrar ineficiente, retornaremos à robotização autoritária, com o sacrifício da individualidade. Nada terá sido aprendido.

Evidentemente, devemos nos opor à uniformidade imposta, que obriga o indivíduo a se moldar, contra sua própria natureza, violentando-o. Seria mais razoável se fosse feito um estudo abrangente das pessoas e de sua individualidade, isolando todas as características pertencentes a alguns indivíduos e não a outros como sendo não essenciais e secundárias, e concentrando-se nas características partilhadas por todos, aplicando então essas leis da generalidade à educação.

Generalidade (as características comuns) e individualidade são mutuamente exclusivas? Se houver alguma hesitação na resposta, será melhor mudar a perspectiva: podemos procurar individualidade desvinculada de humanidade? Se a resposta for afirmativa, em que consiste essa individualidade inumana?

A resposta pura e simples é que, não importa o quanto a individualidade seja exaltada, somos incapazes de segui-la, exceto dentro de nossa humanidade, isto é, no contexto da conscientização e aceitação de nós mesmos como membros da comunidade humana. Admitido isto, a procura da individualidade se torna comum a todo ser humano. A diferença entre o eu e o outro, sem uma base comum na humanidade, é um solipsismo autista, absolutamente inacessível aos outros, não devendo ser objeto de nossa preocupação. Este tipo de individualidade não deveria sequer aparecer nas análises sérias sobre educação.

Se persistir o argumento de que os esquemas atuais de uniformidade restringem o desenvolvimento da individualidade, deveremos relembrar o período anterior à educação, a fase dourada da individualidade. Contudo, sabemos que as coisas não são exatamente assim, pois a educação apresentou possibilidades, antes desconhecidas, a diversas gerações. Pelo menos, é óbvio que o fato biológico da individualidade hereditária não pode ser modificado pela influência externa, seja ela dos pais, da sociedade ou da educação, pois a pressão externa só consegue alcançar uma uniformidade superficial. Ao contrário, somos obrigados, pelo reconhecimento de semelhanças morfológicas, fisiológicas e até psicológicas mais significativas entre indivíduos, a examinar as diferenças em termos de grau ou escala, não de tipo — que são distinções que representam diversidade dentro da unidade. Quase que paradoxalmente, esse tipo de individualidade, como as diferenças de graus, só pode ser reconhecido em um grupo ou unidade social. Isto é esclarecido por Durkheim, quando diz que as divisões de trabalho na sociedade não surgem porque os indivíduos querem ser diferentes, mas devido às necessidades do grupo. As demandas da sociedade são mais importantes, e só então as pessoas encontram um lugar na estrutura adequado às suas tendências individuais. Sem dúvida, todos gostariam de fazer o que lhes agrada; antes, contudo, as necessidades da vida precisam ser satisfeitas. Os indivíduos precisam pertencer a uma sociedade capaz de dividir o trabalho, de modo a livrar seus membros da escassez. A divisão de trabalho, portanto, é algo que a sociedade adota para seu próprio bem-estar, e a educação é um meio de orientar os membros da sociedade para os papéis que melhor se adaptem a eles.

Talvez minha insistência em esclarecer nossas opiniões sobre individualidade pareça injustificada, mas, se devemos evitar que a educação mergulhe no caos de simultaneamente perseguir finalidades contraditórias como o individualismo absoluto e o método científico universalizado, precisamos parar de igualar a educação liberal à fixação indiscriminada na individualidade. É necessário repensar as coisas e, por dedução, chegar a metodologias de ensino viáveis, tendo como única restrição passiva o fato de que as motivações individuais para a aprendizagem não são desencorajadas.

Talvez a melhor expressão deste ideal seja o antigo ditado: "Um ser humano normal tem algum ponto de excelência pessoal." De acordo com ele, a individualidade consiste em uma diferença especial, acima e além da norma. Um defeito que embaraçasse os outros membros da comunidade seria o tipo de diferença individual que a sociedade deseja eliminar. Portanto, em termos de teoria educacional, a individualidade pode ser de dois tipos: aquela que a educação deseja incentivar e expandir e a que ela procura corrigir e refrear.

As pessoas entregues a seus objetivos em seu estado natural "indomesticado", não tendem a desenvolver o que a sociedade consideraria pontos fortes, mas defeitos que preferiria eliminar. Todos temos este tipo de falhas, portanto, ao considerarmos a individualidade como a base para o desenvolvimento de metodologias educacionais, devemos nos dedicar à procura de uma maneira de reduzir a individualidade negativa. A educação, neste modelo, começa da normalização da individualidade indomesticada e termina alcançando a distinção da extranormalização. Em vez do questionamento sobre como propor o individualismo, a questão mais premente passa a ser como estender as possibilidades individuais, que estão acima dos enfoques parciais, para uma totalidade humana cada vez maior. Começar pela idéia do ensino individualizado é uma tentativa de trabalhar de cima para baixo, dos galhos mais externos em direção ao tronco, e não será essa a solução para escapar do beco sem saída em que nos encontramos. Isto é apenas uma idéia sonhadora. Somente após a criação de uma base ampla para a expansão da humanidade comum a todos estaremos qualificados para examinar a individualidade crescente.

Portanto, devemos proceder com método. Para tanto, precisamos eliminar as fantasias impraticáveis e nos concentrar unicamente no que é possível. Sem isto, não se pode unir o real ao ideal. Infelizmente, muitas vezes, os próprios professores são os grandes obstáculos à abordagem científica da metodologia educacional. Citando um exemplo extremo, uma ocasião eu estava fazendo uma palestra para um grupo de jovens professores, em Tóquio, sobre a teoria da Educação Criadora de Valores, quando alguém da platéia fez uma pergunta estarrecedora: "Você acredita ser possível a criação de um conjunto de verdades da educação universalmente aplicáveis, como uma estrutura na qual se possa desenvolver métodos de ensino adequados a todas as crianças ao mesmo tempo?" O perguntador parecia sincero em sua busca de compreensão da lógica da teoria educacional e, certamente, mais voltado para esta procura do que os outros participantes do seminário, que provavelmente tinham as mesmas dúvidas, mas não as exprimiam. A princípio, fiquei sem ação, mas sabia que a pergunta exigia uma resposta segura e imediata, pois indicava uma crença firme na supremacia da individualidade, o que era comum aos defensores da chamada educação liberal.

— Você já pegou um resfriado? — perguntei-lhe. — E não procurou um médico?

A resposta a ambas as perguntas foi afirmativa.

— Então, a atitude não significou um reconhecimento de sua parte da existência de verdades universalmente aplicáveis nas ciências médicas?

Muitas outras situações semelhantes vêm à minha mente, o que indica o quanto falta para que todos aceitem a idéia de conduzir a educação em bases estabelecidas indutivamente.

DEFINIÇÃO DA EDUCAÇÃO

Imposição ou autoconhecimento? Organizar informações ou despertar interesses? O que deve ser adotado? O educador pode sobrecarregar o aluno com informações ou levá-lo à conscientização, transmitir partes estanques de conhecimento ou orientar o processo de aprendizagem. Podemos focalizar o ensino acadêmico, campo por campo, ou desenvolver seletivamente o caráter humano. O que escolhermos se mostrará o fator mais importante na reforma do sistema de ensino e, mais ainda, na definição de nossa concepção de método na educação.

Curiosamente, é provável que ninguém defenda abertamente o método impositivo na educação. Contudo, se mudássemos o nome para *transferência de conhecimento*, muitos seguiriam esta corrente. Com isso, antes que percebêssemos, todo o ensino japonês, do primário à universidade, estaria funcionando no padrão solidário ao nível de conhecimento factual, quantificado através de exames e sujeito a julgamentos de reprovação ou aprovação. Isto é deplorável, principalmente se considerarmos que estamos falando de fenômenos mentais que, como a total fluidez uniforme da matéria líquida ou gasosa, não podem ser separados do todo e analisados por partes, como ocorre com a matéria sólida.

Como já observamos, Herbart inovou ao sustentar que a utilização de métodos de ensino interessantes, como meio para se incutir conhecimento aceito até então, era um erro, e que a transmissão de informações é que deve suscitar o interesse. Por que será que, 30 anos após o aparecimento dos estudos de Herbart, ele raramente é mencionado nos círculos educacionais? Qual será o motivo de, após tantas trocas e mudanças políticas, ainda estarmos trabalhando sob o pensamento impositivo? Se o papel da educação é transmitir partes estanques do conhecimento, do professor para o aluno, não precisamos nos preocupar com a metodologia, pois o que o professor precisa fazer, então, é providenciar livros para os estudantes. Por outro lado, se o objetivo da educação é despertar o interesse dos educandos, seu papel principal é orientar o processo de aprendizagem e, com isto, terá que lidar com os problemas técnicos relativos ao que constitui interesse à forma como se deve despertá-lo.

Com o progresso da humanidade e o desenvolvimento da cultura, a quantidade de conhecimento a ser ensinado continua a um passo acelerado, mas o período de escolarização, por todos os motivos, precisa permanecer fixo. Neste período de tempo determinado, não podemos achar que iremos acompanhar esse passo, por mais que tentemos. Nossa única possibilidade é desenvolver habilidades individuais de utilização da própria capacidade de satisfação das necessidades, à medida que surjam. Em outras palavras, devemos adotar a abordagem de Herbart, isto é, não fazer da aquisição de informações o objetivo final da educação, e sim desenvolver o interesse, para que as pessoas fiquem motivadas a aprender.

O objetivo da educação não é a transferência de conhecimento, mas a orientação do processo de aprendizagem, deixando a responsabilidade do estudo nas mãos do educando; não é um comércio fragmentado de informações, mas o fornecimento de chaves que permitirão às pessoas destrancar o cofre de conhecimentos por conta própria; não consiste em furtar a propriedade intelectual acumulada por outros indivíduos através de um esforço adicional próprio, mas em orientar as pessoas para descobertas e invenções. As palavras vêm ressoando nos ouvidos de educadores como nós desde os tempos de Comenius e Pestalozzi, mas ainda não foram colocadas em prática.

A educação consiste em encontrar valor no meio ambiente em que se vive e, através disso, descobrir os princípios físicos e psicológicos que governam nossas vidas e, eventualmente, em aplicar esses princípios na vida real para a criação de valores novos. Em resumo, trata-se da aquisição orientada das habilidades de observação, compreensão e aplicação.

Portanto, se um indivíduo possui as chaves para destrancar o cofre de conhecimentos, torna-se possível obter por si próprio toda a aprendizagem que venha a ser necessária na vida, sem ser preciso memorizar volumes intermináveis de informações. Com o grande desenvolvimento da impressão e publicação, precisa-se apenas de capacidade de compreensão, para procurar as informações por conta própria. Além disso, considerando os avanços na divisão de trabalho, quem pode afirmar quando uma parte específica de informação se tornará necessária? Não há razão para sobrecarregar nossa vida com quantidades absurdas de informações inúteis e triviais, que podem nunca vir a ser usadas.

A idéia de transmissão de conhecimento em grandes quantidades inevitavelmente chegou à prática do professor como modelo. Se a presença de um professor convida o aluno à cópia, é melhor deixar o professor servir de modelo de educação, na prática de métodos educacionais, e não ser um exemplo acabado ou uma incorporação da aprendizagem. O professor deve representar uma demonstração da educação como processo, em vez de representar um produto. Do contrário, torna-se uma situação de orgulho da perícia de ator, com pose de intelectual, que arrasta as crianças atrás de si O professor deve assumir uma atitude de humildade diante de seus alunos, orientando-os e encorajando-os, como um viajante mais velho no mesmo caminho da aprendizagem, apenas um pouco mais à frente que eles. Não se pode ser do tipo "experimente este aqui, para ver se cabe", como se o professor pudesse entregar um caráter acabado. Agir assim é uma hipocrisia flagrante.

A providência mais urgente, portanto, é levar os professores que estão às cegas, pelo desconhecimento de sua missão, à conscientização de si mesmos como aprendizes e da relação com os outros, acima de tudo como orientadores. A educação chegou à inércia em que se encontra devido à falta de compreensão desses conceitos fundamentais. O empenho em um empreendimento tão difícil como o desenvolvimento de recursos humanos, tendo apenas a idéia mais inocente e rudimentar quanto à educação, foi como sair para uma viagem transoceânica sem uma bússola.

Os princípios cardinais relativos ao relacionamento do professor com o processo de aprendizagem podem ser assim resumidos:

1) O professor não é um vendedor de pedaços baratos de informações obtidas em outro lugar, é um especialista no pensar, que orienta os alunos em seus estudos e suas vidas.
2) Ao contrário do técnico e do artista, que procuram criar os valores materiais de benefício e beleza a partir de recursos materiais, o professor lida com o crescimento e desenvolvimento espiritual de recursos humanos orientado-os na criação de valores de caráter, através do que, eles, por sua vez, poderão criar valores materiais. A educação, portanto, é a tecnologia ou arte mais elevada.
3) De acordo com isso, o professor não pode se tornar presa da percepção simplista que o considera determinador de objetivos, ou produto acabado, diante de seus alunos, devendo melhorar a própria disciplina e, com isso, conduzir seus estudantes no progresso permanente em direção à racionalidade. O professor deve superar sua visão de ser mais importante que o outro.
4) O professor deve descer de seu trono e servir; não deve comportar-se como um padrão a ser seguido, mas como um agente auxiliar na implementação do padrão.
5) O professor deve deixar o ensino dos fatos para os livros, ado-

tando uma função de apoio à experiência de aprendizagem individual do educando.

Como pode ser possível aos professores, que nem mesmo compreendem como eles próprios deveriam estudar, orientar os alunos quanto à maneira de estudar? Como podem servir de modelo, se não sabem conduzir a própria aprendizagem? O professor não pode ficar de pé em frente a uma sala de aula, se ele mesmo não tem compreensão do significado da aprendizagem.

Estudos Sobre a Metodologia do Ensino

ESTUDOS SOBRE A FUNDAMENTAÇÃO METODOLÓGICA

Não há muito valor no pensamento, se não pensamos de maneira correta; se não sabemos como pensar, não importa o que pensemos. O escultor, antes de começar a esculpir, verifica se os instrumentos estão afiados, assim como o fazendeiro prepara o solo antes de plantar. A consideração quanto aos métodos na educação de crianças também requer um certo rigor elementar, para que possa pesar as coisas de modo adequado. Sem isto, nossa investigação se transforma em argumentações sem sentido, uma opinião oposta à outra.

As dificuldades mais típicas, como verificamos anteriormente, estão associadas a confusões entre cognição e avaliação, colocando-se a avaliação antes da cognição. Muitas vezes, a emoção não deixa as pessoas perceberem a irracionalidade de suas respostas, ou sua confusão entre cognição e avaliação. Mesmo assim, até a irracionalidade tem uma regularidade que pode ser generalizada.

Um padrão de comportamento muito comum é nossa obediência ou submissão, apesar de haver contra-indicações. Não procuramos verificar os fatos, os ignoramos ou, pior ainda, os distorcemos e suprimimos, para forjar uma prova em contrário. Tal atitude é um empecilho à aprendizagem. Pensar e aprender incluem, necessariamente, ouvir as opiniões e idéias de outras pessoas, para relacioná-las à nossa experiência. Quando fechamos a mente para o que os outros nos podem oferecer, estamos limitando nosso próprio conhecimento.

Outro erro comum segue o padrão exatamente oposto. Em vez de questionar o que ouvimos, aceitamos qualquer tipo de informação tão prontamente como um viciado. Isto se torna particularmente problemático quando aceitamos notícias sobre lugares que não conhecemos, ou uma nota oficial, sem um exame crítico.

Um terceiro tipo de erro é bem exemplificado pela seguinte anedota que li numa ocasião nos escritos de Charles De Garno, um americano seguidor de Herbart: um repórter de um jornal alemão uma vez sentou-se em frente a um americano, em um pequeno recinto a bordo de um trem que ia para a França. O americano examinou minuciosamente o alemão e, em seguida, anotou alguma coisa em seu jornal; o alemão, por sua vez, viu-se compelido a reagir e fez o mesmo, escrevendo um comentário em seu jornal. Naquela noite, quando se recolheram ao mesmo compartimento e iniciaram uma relação amigável, compararam as anotações. O americano escrevera o seguinte: "Os alemães continuam a usar sobretudos, mesmo quando estão suando de calor", enquanto a resposta secreta do alemão tinha sido: "Os americanos colocam seus lápis entre os lábios quando examinam a pessoa sobre quem estão escrevendo." Riram juntos e apagaram as palavras ofensivas. Este é um bom exemplo dos perigos da generalização, quando se parte de especificidades irrelevantes, sem se possuir os dados completos.

Um quarto padrão, conseqüência do anterior, é tirar conclusões de um acontecimento, e então estendê-las a outro, quando não existe paralelo real entre as circunstâncias. Isto está bem caracterizado no provérbio japonês "Uma vez que tenham se queimado com comida quente, algumas pessoas beberão até molho de vinagreta para esfriar." Outro exemplo é quando pessoas do interior chegam à cidade grande, têm uma experiência infeliz com um vigarista e, a partir de então, se recusam a confiar em qualquer morador da cidade.

Um quinto padrão é nossa tendência a não considerar ou eliminar fatos reais, quando estão muito distantes de nossa experiência ou das normas a que estamos acostumados. Tendemos a defender nossos preconceitos, não aceitando provas em contrário, chegando mesmo a duvidar das pessoas que as apresentem. Contradições deste tipo são freqüentes nas disputas sectárias, e devem ser tratadas em bases objetivas, antes que qualquer pensamento real possa ocorrer.

Finalmente, quando as coisas se distanciam muito do que desejamos acreditar, voltamos ao velho esquema de autojustificativa — "O poder faz a norma" —, temendo que a discussão de um assunto em bases iguais às da opinião oposta lhe confira ligitimidade.

Quaisquer que sejam as razões, os padrões subjacentes implicam defesas emocionais de hipóteses incorretas baseadas no conhecimento limitado que o indivíduo tem até aquele momento, e que o impede de enxergar a realidade além desses limites. Nossa percepção fica limitada por vínculos a perdas e ganhos pessoais. Evitamos o reconhecimento dos fatos, ou então aceitamos apenas os dados que consideramos favoráveis, e nos descartamos do resto.

Não importa o quanto possamos extrapolar e sair dos limites estreitos da experiência anterior e do atual esquema mental, não existe meio capaz de se prever a expansão ilimitada do desconhecido, que nos espera à frente. Ainda que seja apenas questão de eliminar preconceitos infundados, também é muito difícil aceitar que as previsões baseadas em um sólido conjunto de evidências científicas podem não significar comprovações concretas. Os grandes acadêmicos sempre nos alertam para o fato de que a totalidade do conhecimento humano nada mais é do que uma gota no vasto oceano do desconhecido. Contudo, sem a expansão crescente do conhecimento adquirido através da cognição, moderada por uma atitude científica firme e verdadeira, estaríamos condenados a incorrer em avaliações emocionais oriundas de tendências rígidas e mesquinhas de nossa imaginação. Nunca nos livraríamos do orgulho sem a humilde conscientização de que, na verdade, conhecemos muito pouco.

O importante é criar medidas e padrões de avaliação e, aliando humildade ao método científico, cuidar para não passar à frente de nós mesmos. Não há como medir quilogramas em uma balança de gramas. Tudo precisa ser feito detalhadamente, de acordo com pormenores minuciosos. Não é fácil se desvencilhar dos padrões preconcebidos de generalização. A tendência do homem à preguiça e à autodefesa logo encobriria as questões, mesmo sendo danoso à reputação do estudioso. Não pode haver desculpas, devemos eliminar totalmente nossos preconceitos.

Até o presente, tem sido convicção dos educadores que, pelo simples fato de se estudar a natureza das crianças, as metodologias educacionais aparecem; por isto, muitos educadores têm recorrido aos psicólogos infantis. Por que, então, nada se originou dessa abordagem? Porque é o caminho errado para se começar, não é o objeto de estudo adequado. Se a metodologia da educação se baseasse exclusivamente na compreensão e no conhecimento da criança, os pais seriam evidentemente os melhores professores, pois são quem melhor conhece as crianças. No entanto, devemos evitar nos igualar aos pais apaixonados.

Consideremos, a título de ilustração, o caso do carpinteiro. Se fosse verdade que basta conhecer profundamente os receptores de nosso trabalho para gerar um sentido de método, o carpinteiro que melhor conhecesse a madeira seria o mais competente. É bem verdade que tal conhecimento é importante, mas não representa tudo. As habilidades específicas do artesanato da madeira são mais importantes, combinadas, claro, à melhor utilização de cada espécie de madeira. Deste exemplo, pode-se tirar uma lição para professores e pais. A simples observação das crianças sob nossos cuidados, de manhã à noite, não leva a nenhum resultado. Mais importante seria observar suas mentes ávidas, para verificar em que sentido precisam ser saciadas Na verdade, isto é muito difícil de ser aplicado, pois é uma necessidade reconhecida há mais de 3.000 anos, mas que ainda precisa de princípios orientadores para ser alcançada. Ainda não existe uma maneira fácil de o jovem professor inexperiente adquirir a perícia do veterano. O melhor que se pode fazer é reunir exemplos de sucessos anteriores de educadores, compará-los com nossos erros e, assim, aprender como melhorar nosso trabalho.

Isto significaria uma mudança de enfoque em nossos estudos, passando da criança como centro da questão para o conhecimento de como os materiais de ensino podem ser utilizados com sucesso e variedade, no desenvolvimento do potencial de cada criança. Talvez um dia tenha sido possível fazer visitas de estudo a salas de aula de professores veteranos, mas, atualmente, esse tipo de informação pode ser conseguida de forma mais simples e econômica, através de um levantamento científico das matérias de ensino, que nos permite extrair e universalizar os métodos. Se alguém souber de uma maneira melhor, gostaria muito de conhecê-la.

A primeira medida seria avaliar nossos objetivos, enfocar nossos padrões de crítica e analisar cada elemento de nossos métodos, para determinar se são adequados às nossas metas, e então estabelecer regras causais. Para chegar aos meios de ensinar aos outros, os professores devem antes descobrir seus próprios meios de aprendizagem. Uma vez descoberto o melhor método, este será considerado o mais indicado na orientação das crianças. Em outras palavras, os professores devem refletir sobre um caminho científico de descoberta da verdade e, depois, prosseguir como cientistas, com base em suas descobertas.

Ainda assim, existe uma variedade enorme no método científico. Considerando os extremos da dedução transcendental, que por tradição é o método exclusivo das ciências normativas, e a indução experimental, que é a contraparte metodológica da dedução transcendental nas ciências naturais, dificilmente qualquer das abordagens isoladas se mostraria adequada para orientar a educação, da mesma forma que esta precisa abranger teoria e prática. Diante deste dilema, a comunidade educacional alemã se dividiu, na tentativa de conseguir a maior abrangência possível, sendo que as três abordagens principais foram o método global, que parte da compreensão da realidade e avança para a construção de uma estrutura conceitual à sua volta; o método dialético, que procura conhecer a realidade a partir das idéias antitéticas; e o método fenomenológico, que considera a prática e a teoria a partir de um nível mais elevado, e desenvolve os dois trabalhos em conjunto.[1] Evidentemente, nenhum desses métodos é perfeito; por conseguinte, ainda não se pode criar nenhum sistema de educação nessas bases, até o momento. Trata-se de tentativas fragmentárias, nada conclusivas.

Na opinião de Eduard Spranger,[2] que empregou o método globalizante para lidar com as questões educacionais em uma perspectiva psicológica, este método se resume na procura de princípios explicativos, ou no distanciamento indutivo da realidade imediata. Contudo, ele é mais do que isso, pois compreende o significado de qualquer elemento dado, em termos de sua relação com um todo maior. Isto é, o método globalizante difere da mera indução experimental, no sentido de que a condição de um dado objeto como elemento de composição em um sistema inclusivo de valores é mais importante do que o objeto em si. Neste caso a estruturação do valor se sobrepõe à visão básica da realidade.

A dialética, como método conceitual de determinar as verdades através da síntese dos opostos, pareceria adequada à estruturação de valores, porém, quando considerada de um ponto de vista de superioridade epistemológica, os padrões de pensamento equivalem ao esquema de compreensão da realidade.

A fenomenologia analisa os objetos reais para descobrir a objetividade transcendente, que é imanente em sua existência intencional de fenômeno voluntário. Assemelha-se ao método dialético, no sentido de que analisa a existência real e a objetividade, mas sua análise só vai até o estabelecimento de uma simetria, sem agrupar a relação em um esquema conceitual sincrético.

Este breve levantamento da filosofia educacional alemã nos leva a perceber que os estudiosos não são muito claros em sua abordagem da determinação dos objetos de estudo. Na verdade, carecem de valores que os orientem quanto ao que deve ter precedência em seus estudos. Ou, colocado de outra forma, não está evidente quem deveria ser auxiliado, como resultado de sua pesquisa. Seu trabalho deve ser visto apenas como um esforço básico preliminar, ainda muito distante da aplicação direta na orientação das metodologias educacionais. De qualquer modo, chegam a suscitar dúvidas quanto ao sistema atual de estudos.

Este estudo, pelo simples prazer do estudo, não teria conseqüências negativas, se os educadores não tivessem aceito hipóteses incompreensíveis, sendo, sem perceber, levados a extremos muito distantes da realidade do ensino, pelo simples desejo de manter o padrão dos interesses pessoais de algum estudioso, mas sem nenhuma intenção de descobrir regras ou princípios aplicáveis ao seu trabalho. Afirmo isto porque não surgiu nenhuma descoberta significativa, no campo da educação, que tenha se originado da apresentação de uma hipótese de algum estudioso e que tenha levado as pessoas que atuam na educação à descoberta de uma regra importante, baseada naquela hipótese. As novas idéias de reforma educacional sempre surgiram da experiência dos educadores. Comenius, Pestalozzi, ou qualquer outro reformista da área educacional jamais basearam suas descobertas na comunidade acadêmica. A experiência pode originar *insights* ou descobertas que entusiasmassem o mundo inteiro, mas raramente chegam a renovar a prática. Mesmo a publicidade quanto aos estudos de Herbart não deixou marcas no ensino. A maioria dos educadores não conhece bem as idéias dele, podendo até desenvolver algum tipo de cópia formal de seus princípios, esquecendo-os com o passar do tempo.

Como afirmei anteriormente, as teorias educacionais aprendidas pelos professores nos cursos de formação quase nunca têm relação com a prática. As idéias dos filósofos são aplicadas ao contexto da sala de aula com grande dificuldade, e continuamos estimulando esses estudos sem saber exatamente a quem devemos beneficiar, pois ainda não pensamos o suficiente sobre o objeto de nossos esforços.

Ainda que tenhamos concluído que os estudos filosóficos, da forma que se desenvolvem, não são de grande valia, e procuremos alternativas, de certa forma não conseguimos nos desvencilhar de nossos vínculos anteriores. Daí só posso deduzir que os estudos sobre educação, por força de nossa própria fixação na filosofia, permanecem nas mãos dos filósofos, que pouco se preocupam com as dificuldades dos educadores que estão no exercício da profissão. Não vejo também qualquer possibilidade de mudança previsível para o futuro. Quanto mais nos demorarmos para romper essa rotina habitual de seguir os filósofos e os teóricos da educação, que sempre adiam a iniciativa de estudar as relações causais atuantes nas ocupações humanas e as tecnologias a elas vinculadas, mais indefinidamente impediremos a criação dos princípios orientadores da metodologia educacional tão esperados pelos profissionais da educação.

Em todas as áreas de empreendimento humano, desde a pré-história, tão logo as pessoas iniciavam algum tipo de trabalho com relação ao seu ambiente, também se desenvolvia uma tradição de técnica a ele relacionada. A pesquisa científica, no entanto, surgiu bem mais tarde. Portanto, a noção de que a tecnologia existe como aplicação da ciência é incorreta. Na verdade, o ensino apelou para esse processo cansativo, porque a explicação dos princípios em que a tecnologia se baseia pareceu um meio conveniente de transmissão do conhecimento das tecnologias existentes às gerações futuras. No passado, as coisas não ocorreram bem assim, pois, nas aprendizagens de ofícios do tipo mestre-discípulo, as explicações sempre eram deixadas para o final. A tradição dedutiva, se assim podemos chamá-la, vai contra a maior parte da história das idéias.

Além disso, assim como a tecnologia era transmitida de mestre para aprendiz, o estudo relativo a ela não tira conclusões de princípios da ciência explicativa, como sistematizar conhecimento através de observações comparativas sobre a situação atual das tecnologias existentes, juntamente com uma análise de seu desenvolvimento histórico, seguido de rigoroso teste para a obtenção de provas das verdades inerentes a essas tecnologias. Até quando, então, isto continuará acontecendo na educação? Tenho me colocado contra o pensamento subjetivo e a aceitação de casos isolados de sucesso acidental na prática educacional, cujos autores os exibem como obras de arte. A educação estará fadada à estagnação, se não se apoiar no método ou desenvolver idéias de forma metódica. Repito que a educação talvez seja a mais complexa de todas as ciências técnicas, por se dedicar ao desenvolvimento da própria vida do homem, e está sujeita a muitos deslizes, que requerem correção e reavaliação por parte de futuros especialistas no assunto.

Não se pode tolerar avaliações subjetivas acidentais e arbitrárias. Deve-se beneficiar as novas idéias com experimentações metódicas, sendo testadas em experiências conduzidas com rigor, para então se chegar a alguma conclusão. Se a tentativa for bem-sucedida, ótimo; se deixar a desejar, deve-se proceder a uma análise cuidadosa das causas do fracasso. Nada deve ser deixado ao acaso, e não se pode aceitar julgamentos precipitados. Estamos analisando somente o aspecto da metodologia do ensino, pois, de início ficou determinado que os objetivos educacionais devem se basear nas metas comuns aos seres humanos, que são reveladas pelos estudos psicofenomenológicos da natureza humana.

Concluindo, desejo citar um trecho de Durkneim, que corrobora a abordagem utilizada em meus estudos sobre metodologia educacional; isto é, estudei as técnicas de ensino, em vez dos fatos educacionais e, através de sua observação, comparação e classificação, procurei encontrar nelas leis causais.

Ainda que os estudiosos da moral não possam afirmar terem deduzido suas teorias de algum princípio estabelecido *a priori*, têm a ousadia de chamar sua moral de "científica", pela simples razão de terem chegado a conclusões partindo de proposições oriundas das ciências confirmativas, isto é, biologia, psicologia, sociologia etc. Os métodos que escolho não seguem esta linha, pois não procuro deduzir a moral da ciência, e sim criar uma ciência da moralidade. As duas noções não poderiam ser mais diferentes.[3]

O FATOR ATITUDE NOS MÉTODOS DOS EDUCADORES

Pertence ao passado a época em que se pensava que a tarefa do educador era sobrecarregar o educando com informações, em forma de disciplinas, porque com isso a educação se desenvolveria. Atualmente, reconhece-se que a essência da educação consiste na maneira de empregar as matérias de ensino para orientar os alunos no processo individual de aprendizagem. Como vimos, isto requer estudos concatenados das várias metodologias. Contudo, antes de passarmos a este aspecto, antes mesmo de analisarmos os métodos de ensino, devemos nos lembrar do que John Dewey afirma: as atitudes do professor com relação ao próprio estudo individual são um bom fator de previsão de sua eficácia no ensino.

Se assim é, a investigação da metodologia da educação depende em grande parte da dedicação dos professores. Os defensores de uma concepção bastante conhecida diriam que, se o professor é sério, os métodos de ensino surgem naturalmente; e citam Pestalozzi como o exemplo por excelência. Sem dúvida, há um fundo de verdade nesta premissa, mas não devemos ignorar que mesmo o mais sério dos professores poderia escolher caminhos totalmente errados. Pestalozzi era um educador honesto e dedicado, mas não se contentava em ser um apaixonado da causa da educação, pois durante toda a vida, empregou a intensidade de seus sentimentos em uma rígida disciplina do estudo dos métodos educacionais. Isto não significa que devamos ignorar o caráter do professor ou rejeitar sua dedicação. Longe disso, pois esta é a base para qualquer tipo de progresso, estando subjacente a tudo que almejamos alcançar. Mas qual a melhor forma de se avaliar esta seriedade? Proponho como ponto de partida a seguinte escala de avaliação:

1) Professores cuja motivação principal é a remuneração
2) Professores cuja motivação principal é a posição social
3) Professores cuja motivação principal é o amor pelas crianças
4) Professores cujo trabalho se baseia no interesse pela educação em si

A primeira categoria, os professores que são inteiramente mercenários em sua ética, é a mais baixa na escala. Embora a complexidade do ofício de ensinar requeira prática e aperfeiçoamento contínuos, este professor não tem nenhum interesse na função, sendo temporariamente atraído pelas possibilidades financeiras, que representam um benefício secundário. Sua dedicação ao trabalho oscila de acordo com as flutuações do salário, e são capazes de desistir de tudo de repente. Essa orientação egoísta, em proveito próprio, é muito diferente da dedicação ao desenvolvimento e às realizações das crianças que se esperaria de um professor. Não podemos depender deste tipo de professor, e confiar a eles a elaboração de planos a longo prazo. O principal, no entanto, é que sua atitude insensível presta um desserviço aos pais e à nação. Já os professores motivados pela possibilidade de ascensão social têm uma atitude mais "normal", considerando que em nossa sociedade capitalista seria quase impossível eliminar a noção de fama. Ainda assim, quando isto se torna o principal objetivo, ou quando a educação passa a ser secundária a esse fim, sua atitude é ainda mais insensível que a anterior. Finalmente, mesmo o professor cuja motivação principal seja a preocupação altruísta com relação às crianças, por considerá-las seus semelhantes, ainda está longe de se tornar um educador tecnicamente bom. Em outras palavras, tudo o que não represente uma dedicação contínua e permanente à tarefa de ensinar propriamente dita não possui fundamentação suficiente para a motivação do professor.

Minha longa experiência como diretor de escola primária levou-me a concluir que é possível reconhecer um professor capaz, ou um inadequado à função, como em qualquer arte ou área técnica. Infelizmente, isto tem passado despercebido aos órgãos de treinamento e supervisão de professores. Aparentemente satisfeitos com a mentalidade mercenária, sua complacência em não determinar diretrizes tem permitido o emprego de pessoas inadequadas à profissão. Nas empresas privadas há uma tendência generalizada a uma forte competição pela sobrevivência quanto às ocupações técnicas, mas, na profissão de professor, o governo estende sua capa de proteção administrativa tão amplamente que até os menos merecedores conseguem sobreviver e firmar-se na comunidade, independente da influência negativa que possam exercer sobre as crianças sob seus cuidados. Uma peça de porcelana mal-acabada, fabricada por um artesão desajeitado, nunca chegará sequer ao mercado; no entanto, o que fazer com os delinqüentes criados pela histeria de um professor incompetente? Resta-lhes apenas trazer problemas à sociedade. Esta causa tem sido relevada no planejamento, pelo ministro da Educação, pelos políticos e educadores. Em vez de gastar quantias enormes na reabilitação de delinqüentes, seria melhor trabalhar preventivamente, dedicando mais atenção à influência do professor nas crianças e jovens. A ignorância do grande potencial positivo ou negativo de que se reveste o professor é desastrosa para a sociedade.

A inércia é inimiga de todos os educadores que procuram desenvolver uma metodologia de ensino que se mostre útil na vida real. As atitudes preguiçosas e complacentes devem ser substituídas por atividades dirigidas e planejadas. Devem ser rejeitadas as abordagens fáceis, que afirmem extrair princípios educacionais práticos de idéias emprestadas superficialmente de psicólogos infantis, ou de meros fatores mentais percebidos ou experimentados como estímulos casuais ao longo da vida. Não podemos ser eternamente obrigados a rejeitar a adulação das investigações filosóficas, que tanto se distanciam da realidade prática.

Estas preocupações precisam ser levadas em consideração antes que as crianças estejam sentadas à nossa frente. Se fossem pacientes num hospital, certamente morreriam diante de nós antes de qualquer tratamento. O vício do estudo faz com que as pessoas civilizadas esqueçam seu propósito, coisa que jamais aconteceu com os povos primitivos. Não devemos pôr os livros de lado e voltar à "observação primitiva" do fator humano, para obter resultados. Podemos seguir os caminhos de outras pessoas, mas não há por que sair do nosso rumo para desenvolver uma atitude de dependência, quando os educadores precisam mesmo é ficar na frente de seus alunos como exemplos de dedicação séria ao processo de aprendizagem. Esta é a maior imagem viva da educação. Sem isso, nada que se diga poderá surtir muito efeito.

Antes de tudo, estamos procurando um método de ensino que não tenda a se tornar obsoleto e cansativo, no decorrer das atividades diárias do ensino profissional. Assim sendo, o que há de mais imediato a se fazer é adotar como objeto de estudo as atividades diárias do ensino, numa tarefa incansável, comparando o planejamento aos resultados, e os efeitos previstos aos resultados alcançados, vinculando essas conclusões às novas diretrizes do planejamento, como um verdadeiro livro de registros do método indutivo. Evidentemente se poderá tecer comparações com experiências similares desenvolvidas por outros colegas da área, para chegar a relações causais que, no âmbito estreito de nossa experiência pessoal, não são aparentes.

É fundamental que os professores também pratiquem e experimentem os princípios e as técnicas de aprendizagem com que pretendem auxiliar seus alunos na compreensão e aquisição de conhecimento. O principal é não nos prendermos a informações soltas e fortuitas, que possamos encontrar ao folhear os escritos sobre o assunto, e das quais tenhamos apenas noção superficial. Nossas leituras devem ter profundidade e objetivo. Também não tem sentido procurar traduzir idéias importadas, quando já existe material nosso que pode ser aplicado. Se a educação é uma ciência aplicada como afirmo, não há razão para esta fixação medieval de tentar retirar idéias dos livros de filosofia, psicologia e outras áreas. Devemos partir diretamente para o estudo da técnica de ensino que, na verdade, evoluiu mais do que esses estudos.

Se nós mesmos nos impomos conhecimento, não temos condições de agir de maneira diferente com os alunos. A única coisa que sabemos fazer é forçá-los a aprender, impondo-lhes informações semelhantes formuladas por outros indivíduos. No entanto, se começarmos a estudar por iniciativa própria, o processo de formulação das nossas idéias será como um esboço do método que utilizaremos para orientar os alunos em seus estudos. Pestalozzi orgulhava-se de, em 30 anos de ensino, nunca ter um livro à mão — coisa que um professor preguiçoso não sentiria!

Quando critico os professores que assimilam negligentemente idéias filosóficas que nem compreendem bem, sem dar atenção a princípios e métodos que podem surgir de sua prática de ensino, não quero dizer que não devemos fazer uso dos livros escritos por outras pessoas, para nos orientarmos em estudo desenvolvido por iniciativa própria. É claro que devemos. A leitura é mais econômica do que a aquisição de conhecimento através da observação das aulas de outros professores. Além disso, o conhecimento adquirido através da leitura é mais fácil de ser organizado em nosso estudo individual do que o obtido por outros meios. Contudo, a leitura deve suplementar, em vez de substituir nossa procura direta de princípios e técnicas, a ser feita através da análise das experiências de ensino, nossas e de colegas.

Estendi-me neste assunto para enfatizar que o estudo desenvolvido pelo professor por iniciativa própria é a preparação básica para um método de ensinar os alunos com competência. Se o professor não tiver esta sólida orientação em relação à aprendizagem, o estudo da metodologia não levará a lugar algum.

MÉTODOS DE ENSINO COMUNS E ESPECIAIS

Recapitulando, o sistema educacional objetivando a criação de valores, apresentado neste livro, revela o projeto atual de ensino forçado, imposto ao educando, como sendo inadequado e prejudicial. Seu propósito é orientar as pessoas para uma vida melhor, através da integração dos valores de benefício, bem e beleza. Não se destina às faculdades díspares de cognição e emoção; ao contrário, fornece orientação para que o aluno desenvolva atividades abrangentes, como um ser integral, através de um programa inteiramente coordenado entre as três áreas que compõem a educação.

Se as escolas tivessem que cumprir tudo o que esta proposta abrange, o custo operacional e o trabalho a ser desenvolvido excederiam os atuais e, ainda assim, provavelmente não seriam suficientes para a tarefa. A educação na escola, no lar e na comunidade tem por objetivo fornecer ao indivíduo orientação para a vida; a única diferença entre elas está no tempo e nos métodos utilizados. Antes de haver escolas, o método de orientação dos jovens para as funções adequadas na estrutura geral da vida era uma extensão da vida em casa, em que o indivíduo aprendia a trabalhar nos negócios da família em seus anos de formação, e esse treinamento era suplementado pelo que aprendia na comunidade local. Com o período Meiji, e o surgimento da educação moderna, houve a expansão das escolas criadas para fornecer um conhecimento além das habilidades básicas de leitura, escrita e aritmética. Todas as pessoas foram levadas à escola, e logo os outros dois tipos de ensino caíram em desuso. Foi a fase em que a escola reinou sem objeções, onipotente. Recentemente percebemos o grave erro em que incorremos, e tentamos suprir a falta com uma variedade de tipos de educação suplementar e de grupos de jovens, para atividades extracurriculares.

De agora em diante, a escola deve estar ciente de seu papel de conscientizar os indivíduos de suas capacidades, daquilo que são capazes de fazer. Deve cooperar com as duas outras áreas da educação, que são o lar e a comunidade, cada uma com seu conhecimento específico e a par do quadro geral dos objetivos da educação como um todo. Essas três áreas devem estar interligadas, em um sistema organizado de complementação mútua.

Minha proposta referente a um sistema abrangente de meio período escolar fundamenta-se na idéia de corrigir a educação mal administrada, que consome um tempo valioso de aprendizagem de trabalho. Devolvendo às duas outras áreas de educação muito do que lhes cabia na fase pré-moderna, referente à orientação geral da vida, somente o restante precisará ser ensinado nas escolas, em um turno de meio período. A eficiência desta estrutura educacional seria comprovada, e se criaria uma vinculação orgânica com as outras duas áreas.

O planejamento complexo de longo prazo envolve, inevitavelmente, uma divisão de trabalho em muitos níveis de procedimento, da proposta à execução. Em cada nível, é imperativo que estejam implícitas a compreensão e cooperação mútuas:

1) Planejamento: estudiosos da educação
2) Facilitação: governo
3) Administração e gerenciamento: administradores públicos e privados
4) Implementação técnica: professores
5) Avaliação crítica: críticos da educação

Estas funções existem e estão sendo ocupadas, mas a interação entre elas não é eficaz ou cooperativa. Não existe um princípio de planejamento inclusivo que as una, cada uma mantendo a respectiva linha de pensamento. Cada área tende a desenvolver funções isoladas, agindo com desconfiança em despeito em relação às outras, não existindo unidade. É preciso chegar ao quinto nível, para se obter uma visão geral do que cada uma está fazendo.

Sugeri anteriormente que talvez o modelo das ciências médicas, com suas várias subciências, seja o mais próximo do que pretendemos com a educação, pois, para encampar toda a amplitude da criação de valores, orientando o desenvolvimento de todos os tipos de capacidades da mesma, deverá se subdividir horizontalmente em várias partes, que, por sua vez, deverão se reunir verticalmente em uma hierarquia de conhecimento. Em resumo, deve alcançar uma estrutura bem evoluída, como os setores de oftalmologia, odontologia, cirurgia, pediatria, obstetrícia etc., num hospital, em que profissionais de todos os níveis, como enfermeiros, médicos e pesquisadores, trabalham. Ao mesmo tempo, devemos evitar os perigos da medicina ocidental, em que se perde de vista o paciente como pessoa integral. Neste sentido, a tradicional medicina oriental tem muito a dizer.

A educação precisa provar ser uma ciência irmã da medicina. A medicina preocupa-se com a vida biológica da pessoa, e a educação com a vida global do indivíduo: a educação no lar protege passivamente contra os obstáculos ao crescimento no aspecto fisiológico, e a na escola e na comunidade procuram orientar o crescimento mental. Tudo isto deve ser percebido como uma tarefa básica na vida da sociedade, isto é, a promoção de recursos humanos impulsionando a criação de valores.

UM RESUMO DOS MÉTODOS DE ORIENTAÇÃO DA APRENDIZAGEM

Em certo sentido, tudo neste livro, até o momento, foi o prefácio. Iremos empreender agora a formulação de um plano abrangente de aprendizagem criadora de valores, que deve incluir o seguinte:

A) *Matérias de ensino.* É preciso um novo exame completo das matérias a serem incluídas no ambiente natural e social, procurando responder às seguintes perguntas:
   1) Quais os temas abrangidos nas matérias de ensino?
   2) Que padrões devem ser utilizados em sua seleção?
   3) Que padrões devem ser utilizados para a sua organização?
   4) Como elas devem ser unificadas?
   5) Como os itens devem ser reunidos para se estruturarem em várias disciplinas no currículo?
   6) As matérias de ensino são compatíveis com os princípios da sua revolução histórica?

B) *A implementação das matérias de ensino no estudo dirigido.* É preciso atentar para o papel do professor de encorajar a iniciativa individual dos alunos, em lugar de lhes impor o conteúdo programático.
   1) A essência do papel do professor deve ser compatível com a evolução histórica dos métodos de ensino.
   2) A orientação fornecida deve abranger três aspectos:
      a) Orientação na cognição.
      b) Orientação na avaliação.
      c) Orientação na criação de valores.
   3) É preciso pesquisar os níveis de ensino, que se refletem nos processos de estudo dirigido.
   4) É necessário haver crítica do progresso do ensino (ou de sua ausência), bem como da prática de ensino.

C) *Considerações sociológicas na administração da educação.* As escolas modernas podem ser consideradas uma sociedade modelo, em que os alunos são divididos em grupos e subgrupos, de acordo com a idade e outros critérios, e vivenciam um tipo de vida comunitária. Este desenvolvimento teve como resultado o surgimento da influência mútua, entre os alunos, na formação do caráter, um elemento novo na educação moderna. Neste contexto, a antiga definição da educação, que era "a transferência intencional do conhecimento do indivíduo maduro para o imaturo, através de métodos estabelecidos", perdeu a validade. Necessitamos, portanto, de novas perspectivas para orientar uma variedade de grupos, cujos membros possuem base cultural e interesses diferentes. O educador deve considerar especificamente o seguinte:
1) A administração sociológica dos níveis de ensino.
2) A administração sociológica das escolas.
3) A supervisão constitucional das escolas.

Também é necessária a criação de metodologias para atender às situações problemáticas, de difícil aprendizagem, diferentes daquelas que normalmente são suficientes. Em outras palavras, devemos estar prontos para tudo, com um conjunto de métodos e técnicas comuns e especiais.

A) Tipos de ensino de acordo com os estágios de desenvolvimento do aluno:
  1) Ensino básico
  2) Ensino secundário
  3) Ensino superior

B) Tipos de educação de acordo com a normalidade dos alunos:
  1) Educação geral:
    a) Alunos com capacidade superior
    b) Alunos com capacidade média
    c) Alunos com capacidade inferior
  2) Educação especial:
    a) Alunos com deficiência física
    b) Alunos prejudicados
    c) Alunos retardados

C) Tipos de educação de acordo com o sexo dos alunos:
   1) Alunos do sexo masculino
   2) Alunos do sexo feminino
   3) Co-educação

D) Diversidade de ambientes para a educação:
   1) Educação na escola
   2) Educação no lar
   3) Educação na sociedade

E) Tipos de educação com base em abordagens generalizadas ou específicas:
   1) Educação geral: destinada a atender à pessoa integral
   2) Educação cívica e educação do adulto: destinadas ao desenvolvimento de partes específicas da pessoa

F) Tipos de educação de acordo com características específicas de vários currículos: as diferenças metodológicas necessárias ao ensino de conteúdos e habilidades ligadas às várias disciplinas do currículo, como história, geografia, gramática etc.

Consideremos agora a questão da educação especial ou corretiva em maiores detalhes. Trata-se de assunto extremamente delicado, pois a ninguém agrada ver seus defeitos apontados por outros — as deficiências mentais mais do que as físicas. Atualmente, há cura para muitas doenças antes tidas como incuráveis, como a paralisia infantil, o pé torto etc. As disfunções mentais e emocionais, no entanto, apresentam um problema mais difícil, pois não há como utilizar membros artificiais, ou outros tipos de material de auxílio, como nas deficiências físicas, pois esses problemas fazem parte da vida do indivíduo. Ainda assim, na medida em que a vida do corpo é a vida da mente, não há razão para concluir que as doenças mentais e emocionais não sejam passíveis de tratamento, como as incapacidades físicas externas. O fator principal é a vontade de ser curado ou a confiança que se tem na possibilidade de cura, sem o que nem o mais famoso dos médicos pode ter sucesso. Quando inexiste a vontade, a recuperação é terrivelmente lenta, mas quando a vontade e a autoconfiança do indivíduo trabalham em cooperação com os esforços dos outros, pode ocorrer avanço em direção à saúde e à vida produtiva.

Em última análise, é nisto que se resume a educação para a criação de valores. Nossa responsabilidade, como professores, é possibilitar ao aluno, independente de sua base cultural ou capacidade individual, descobrir e desenvolver habilidades e interesses especiais que cada um possua, seja por hereditariedade ou circunstâncias individuais. O homem não é como os animais; o jovem só consegue experimentar este tipo de crescimento saudável e equilibrado com uma orientação sábia e paciente por parte de pessoas que compreendam os princípios básicos da aprendizagem e do desenvolvimento humano. Por isto, enfatizamos a necessidade da compreensão, por parte dos professores, dos princípios de aprendizagem, obtida pela análise objetiva e científica de experiências desenvolvidas por si mesmos e por outros professores.

Matérias de Ensino

A Seleção das Matérias de Ensino

Em março de 1931, a Câmara dos Comuns da Legislatura do Japão declarou que, "com relação à mudança dos tempos, o governo deve prosseguir com reformas nos sistemas e conteúdos da educação, com a devida urgência". Um jornal de Tóquio publicou um editorial tecendo forte crítica à conciliação de generalidades, salientando que:

> (1) As matérias de ensino precisam ser reorganizadas e unificadas; (2) as várias disciplinas devem ser equilibradas e interligadas; (3) muitos elementos de cada disciplina merecem maior ou menor ênfase relativa, para que se evite insuficiências e excessos.[...] Foram realizadas muitas conferências sobre as questões da reforma educacional, a maioria delas reunindo autoridades ineficazes, inúteis. Não há nada de errado com conferências que discutem generalidades, mas o que se quer hoje é uma investigação completa dos três pontos mencionados anteriormente, e o próximo passo, no sentido de propostas concretas. Um só encontro não será suficiente para alcançar este propósito. Nenhuma reforma que não leve em consideração a situação atual da sociedade, ou que negligencie a idéia de solicitar as opiniões de especialistas de todas as áreas para participarem das questões, com considerações detalhadas, em subencontros, pode ser denominada reforma, no sentido exato da palavra.[1]

Então, o que fazer? Chegamos ao ponto em que não podemos mais evitar uma revisão da seleção e organização do conteúdo programático, isto é, das matérias de ensino, o que nos leva à questão fundamental dos princípios básicos e do objetivo da educação. Talvez seja natural que pessoas alheias è educação imaginem que basta pedir mudanças e seus ideais serão realizados pelos educadores da área; afinal de contas, esta é sua função. A maioria deles, no entanto, não tem noção do que fazer, e termina por seguir experiência intuitiva.

Vemos aqui o verdadeiro perigo das discussões de comitês que nunca concluem nada. Não se chega a nenhum retrato acurado, através da conclusão de uma maioria, originada de pontos de vista divergentes. Daí meu apelo para que as decisões sejam baseadas na felicidade como o objetivo da educação, e nos princípios que a compõem, os valores benefício, bem e beleza.

Os padrões para a seleção do conteúdo a ser ministrado devem incluir perguntas mundanas, tais como: "O que deve ter sentido para a vida das pessoas comuns, os filhos de fazendeiros, as filhas do pequeno comerciante, as classes que não tiveram nenhum contato com a escola na época anterior à igualdade de oportunidades na educação?" Até o presente, o ensino da língua estrangeira é mantido no currículo, sem nenhuma razão, considerado importantíssimo pelos educadores. Seguindo este caminho, os alunos podem chegar ao nível superior lado a lado com o pequeno grupo seleto que pode se orgulhar da capacidade de ler um punhado de livros pouco conhecidos. Isto, porém, leva a quê? Quem poderá olhar para trás, para seus tempos de escola, e não lamentar o precioso tempo perdido nesse absurdo acadêmico?

Voltamos à questão de como selecionar e rejeitar elementos específicos de nosso meio ambiente como adequados ou não para o estudo, e do tipo de padrão que deve ser seguido para este fim. Chegamos a um beco sem saída com o subjetivismo irrealista. A distinção de tempo de aula e recursos financeiros para o ensino de línguas estrangeiras e da matemática enigmática é o cúmulo da mentalidade burguesa tradicionalista. A maioria dos estudantes, ao contrário de uns poucos, precisa se preocupar com a sobrevivência futura.

Voltamos à questão do objetivo da educação e de quem deve formulá-lo para o cidadão comum. O objetivo da educação deve se originar do reconhecimento de objetivos da vida humana, da observação do que, consciente ou inconscientemente, as pessoas estão avançando no sentido de alcançar algo na vida. Analisando essas observações, verifica-se que todos procuram alguma transformação de benefício, bem e beleza. Esses valores devem, portanto, funcionar como os princípios para a seleção e organização do conteúdo e da metodologia de ensino

Observando o mundo em que vivemos, podemos distinguir dois campos de fenômenos:

    Os fenômenos naturais — aproximadamente divisíveis nos campos celeste, terreste e humano
- fenômenos astronômicos
- fenômenos terrestres
- fenômenos aquáticos
- fenômenos atmosféricos
- fenômenos biológicos
- fenômenos inorgânicos
- fenômenos humanos
  - meios de vida
  - meios de agrupamento
  - grupos sociais
  - classes sociais
  - divisão de trabalho na sociedade
  - fenômenos políticos
  - fenômenos econômicos
  - fenômenos educacionais e transmissão de cultura

Orientar os alunos quanto à maneira de viver em harmonia com o mundo natural e o humano é orientá-los na criação de valores nessas diversas áreas; mostrar como, nas relações desejáveis com essas coisas do mundo real, as pessoas avaliam, rejeitam, selecionam e, eventualmente, apreciam ou sofrem situações, segundo padrões de beleza e feiúra, perda e ganho, e bem e mal, é demonstrar como todos vivemos em mundos de valores que nós mesmos fazemos e refazemos. A educação aumenta a capacidade das pessoas de criação desses valores. Como meios, as disciplinas podem ser estruturadas para focalizar as três áreas seguintes: disciplinas para a valoração econômica da vida, disciplinas para a valoração moral da vida e disciplinas para a valoração estética da vida.

Uma vez criadas, as disciplinas devem ser dispostas segundo um padrão de princípios valorativos. Da mesma forma, sua amplitude deve ser ajustada por considerações de valor. Isto é, não devemos dar as costas ao processo do desenvolvimento mental da criança e esquecer que o que elas conseguem compreender a cada momento tem limites. Isto sugere estruturação e organização de disciplinas em uma progressão organizada, do simples ao mais complexo. Existe uma economia da aprendizagem que não se transporta de uma disciplina para outra desordenadamente. O educando desenvolve sua capacidade de raciocínio de cada passo para o próximo, desde que não esteja sobrecarregado pela memorização mecânica. Assim, a ordenação dos textos e das matérias em disciplinas pode fazer uma grande diferença na promoção de habilidades, no aluno, para pensar em seu próprio caminho para uma vida com valor. Um excelente exemplo de conteúdo de ensino, baseado nesses princípios, é a obra de Josei Toda, *Suirishiki Shido Sanjutsu* (Uma Orientação Dedutiva para a Aritmética).[2] Os professores que utilizaram este texto informaram que houve um progresso notável no desenvolvimento da compreensão da matemática por parte dos alunos.

A Estruturação do Currículo

A ORDENAÇÃO DAS MATÉRIAS

Orientar as crianças em seus estudos, de maneira organizada, de acordo com um programa determinado, numa progressão gradual, não significa apenas obedecer a uma seqüência, de um período escolar para o próximo; implica definir os limites de todas as disciplinas, durante o ano letivo, a cada ano. A apresentação das matérias a serem ensinadas deve seguir este espírito.

Estas matérias do currículo devem ser a preocupação imediata do educador no Japão, enquanto desenvolve seu trabalho cotidiano. Contudo, no sistema de ensino japonês, a seleção das matérias, os planos de curso etc. não são feitos de acordo com uma visão abrangente do currículo. Ao contrário, são uma tradução literal do sistema alemão, como foi adotado após as reformas da Organização da Escola de Ensino Básico Imperial, em 1890, sem nenhuma consideração com referência a assuntos básicos em oposição aos periféricos, e nenhuma interligação orgânica horizontal ou vertical. Tendo valor ou não, os alunos compreendendo ou não, o currículo continua, com uma série de matérias que talvez alguém ache necessárias, embora ninguém analise como as crianças irão aplicá-las em suas vidas. Isto é uma forma de violência.

Proponho, portanto, a seguinte estruturação de currículo, em três etapas:

1) Um curso básico de observação direta — estudos dirigidos, com observação direta das realidades da vida, na casa do aluno.

2) Cursos especializados de desenvolvimento de habilidades — estudos em sala de aula, relativos a várias disciplinas intermediárias.
3) Cursos abrangentes resumidos — estudos dirigidos relativos a aplicações na vida real, visando à cidadania plena.

A simples menção de um curso na casa do aluno levará alguns membros mais idosos da comunidade educacional a aproveitar a oportunidade para denunciá-lo como um curso adicional, quando o currículo já está completo. Mas são essas mesmas pessoas que defenderiam sem nenhuma crítica os atuais padrões de ensino, do período Meiji, o que me torna mais convencido de que a sua idéia de educação não tem ligação com as realidades da vida.

Na história da educação, observamos o desenvolvimento de um processo formativo de aprendizagem. A ciência atual não surgiu do nada. Olhando para o passado, para o caminho de onde viemos, podemos reconhecer uma ramificação para cima e para fora. No início, a vida do homem era um tumulto caótico de reações irracionais a um ambiente que não era totalmente compreendido, nem conscientemente muito bem percebido. Depois, escolhemos, um a um, elementos específicos que, de alguma forma, estavam relacionados e, neles, concentramos nossa atenção; comparamos eles com outros elementos em relações semelhantes, e descobrimos quais eram essenciais. Desse começo primitivo nasceu a ciência moderna. Para que as crianças e os jovens obtenham algum conhecimento verdadeiro de seu meio ambiente, a educação deve seguir um caminho similar de desenvolvimento. Os principais pensadores educacionais, a partir de Comenius, declaram que a educação precisa obedecer à natureza, na medida em que ela dita um curso natural de crescimento. Todavia, examinando a distribuição e ordenação das disciplinas na educação japonesa atual, o que testemunho não tem nada a ver com isto. Desde a primeira série da escola primária, temos uma seqüência de cursos que inclui moral, gramática e matemática. É fácil perceber a perda que essas práticas significam dos melhores anos de aprendizagem. Conceitos avançados, como de nação e Estado, são impostos às crianças de dez anos, e ainda lançados na história política daquele estado, de 2.500 anos atrás.[3] Não é de se estranhar que as crianças não demonstrem interesse; é como se um novato fosse matriculado em um curso de especialização.

O que proponho é um curso no ambiente do lar, para servir de base ao ensino posterior de cursos existentes, levando os alunos, em excursões dirigidas, ao local em que nasceram. Pelo menos, esta observação direta oferece um meio de evitar que os especialistas distantes da realidade da educação reduzam o ensino a abstrações estanques, ao custo de não permitir aos alunos qualquer tipo de conscientização do valor do trabalho. A cada dia me convenço mais da idéia de um curso no ambiente do lar, desde o primeiro dia em que ela me ocorreu, há mais de 20 anos. Nesta obra, posso apenas delinear os conteúdos e métodos desse curso, ficando seu detalhamento para um livro específico.[4]

Enquanto a idéia de um curso no ambiente do lar não se torna realidade, pode-se verificar, em retrospecto, que se fundamenta na evolução global das concepções relativas às matérias de ensino. Podemos identificar quatro períodos específicos com relação ao uso dessas matérias: a fase do apoio exclusivo em textos escritos, a fase da referência a ilustrações pictóricas, a fase da referência a objetos e modelos reais, e a fase da observação direta do meio ambiente, como conteúdo de ensino. Uma vez que as deficiências dos três primeiros estágios sejam percebidas, o quarto se torna inevitável.

A AMPLITUDE DAS DISCIPLINAS DOS CURSOS

Pode-se alcançar a vida boa somente através da realização do indivíduo, e este objetivo de felicidade, por sua vez, só pode ser atingido pelo desempenho do grupo do qual o indivíduo depende para viver e se sustentar. A educação, portanto, como um meio de auxiliar o indivíduo a compreender como alcançar a vida boa, deve fornecer orientação específica para uma vida adequada, de acordo com as expectativas do indivíduo e da sociedade. Além disso, deve promover o desenvolvimento de aptidões que capacitarão a pessoa a contribuir efetivamente para o bem maior da sociedade. O fato de não ser feita nenhuma tentativa sistemática para levar à conscientização da sociedade, à luz desses propósitos mais elevados, é um sério descrédito ao sistema educacional presente.

Ainda que os defensores do sistema atual argumentem que um grande esforço é desenvolvido no sentido da realização da vida do indivíduo, nada se faz para uma orientação conscientemente organizada em direção à criação de valores de benefício real. É verdade que tem havido algumas tentativas neste sentido, mas muito esporádicas. Como o bem-estar do cidadão comum — isto é, de quase todos nós — está intimamente relacionado com a economia cotidiana, e como a independência econômica é a base fundamental da vida humana, não pode haver muita objeção quanto à adoção do tema dos meios econômicos pela educação. Evidentemente, é preciso explorar uma variedade de alternativas quanto à forma de executar esta idéia, através de estudos que ultrapassam as atuais divisões de disciplinas.

Quando a educação se der conta de sua importante responsabilidade de orientar os alunos na criação de valores de benefício, olhará para os campos natural e humano de maneira diferente, na sua procura de assuntos a ensinar. O mero interesse intelectual cognitivo não será mais critério suficiente; a idéia de desenvolver as capacidades de criação de valores de benefício será mais importante, e transformará o currículo, para incluir cursos de avaliação e apreciação dos meios para o indivíduo se beneficiar. Inúmeras possibilidades se apresentam em muitas áreas: cursos sobre a utilização da natureza, orgânica e inorgânica, com o objetivo de criação do valor benefício, nas formas primitivas de produção, tais como agricultura, criação de gado, sericicultura, pesquisa aquática, hibridização e silvicultura, ou em várias indústrias, utilizando seus produtos como matéria-prima com vistas à criação de valores mais ampla, ou no transporte desses bens e posterior elevação do valor, através do comércio. As atuais disciplinas, ciências, geografia, artes manuais, agricultura etc. encaixam-se neste quadro, porém não da maneira isolada e fragmentada como são desenvolvidas. O planejamento abrangente, global é fundamental.

Consideremos os tipos de cursos que deveriam ser instituídos com referência à promoção de habilidades para a criação do bem Ocorrem-nos disciplinas como moral, história, geografia, e a língua nacional, e percebemos o quanto elas são enfatizadas, talvez até demais. Por que não são interligadas pelo conceito central de sociedade? Por que damos ao aluno visões parciais, e não o quadro global? Por que devem procurar sombras, os fenômenos operantes resultantes, mas não apreender o corpo principal? Esta é uma maneira de levar as crianças a apreciarem o conceito de nação? Até a história, como qualquer estória, só será lembrada pelas cenas interessantes, se não tiver uma ligação definida com uma apresentação global da sociedade. Na geografia, da mesma forma, não basta descrever o mapa da superfície da Terra, para incutir no aluno o sentimento de patriotismo. Ela deve esclarecer e conscientizar o educando da interdependência de nossas vidas. As práticas de ensino devem mudar, e passar a refletir esta orientação abrangente.

E quanto às disciplinas que deverão orientar os alunos na vida estética? Já temos várias disciplinas cujo objetivo é encorajar e direcionar a criação desses valores: artes manuais, jardinagem, desenho, coro etc. No entanto, não estão claramente unidas em relação aos objetivos da vida humana, não sendo, portanto, vistas como preparação para nada. São desenvolvidas apenas como atividades de avaliação, o que as torna meras cognições do ambiente, sem sentido e esporádicas. Orientam para a criação de valor, mas em partes estanques. Se os alunos não recebem orientação de como unificar esses conhecimentos, de modo consciente, não adquirem um retrato geral, vivo do que representam. Soube que, na América, as aulas de artes manuais são desenvolvidas como parte das preocupações da vida real, e não apenas como auto-expressão ou belas-artes. Os alunos aprendem a responder às suas necessidades estéticas, em itens de uso real, que também fornecem um benefício prático — coisas belas, mas também funcionais. Com isso, as crianças aprendem a criar e apreciar os valores de maneira interligada.

Resumindo, apresento uma estrutura para avaliação crítica e reestruturação do currículo atual, para que forneça uma aprendizagem mais eficaz:

1) Disciplinas com o objetivo de orientar a criação de valores de benefício: os atuais cursos de artes manuais e costura necessitam de suplementação, com orientação para habilidades para a vida.
2) Disciplinas com o objetivo de orientar a criação de valores morais: moral, história, geografia etc., com revisão de conteúdo.
3) Disciplinas com o objetivo de orientar a criação de valores estéticos: desenho, coro, artes etc., também com revisão dos métodos de ensino.
4) Disciplinas com o objetivo de orientar, de modo geral, a criação de valores, para fornecer as bases para as disciplinas mencionadas: língua (japonesa), aritmética, educação física etc., sendo que seus objetivos devem ser repensados e os conteúdos associados, redirecionados.

As pessoas não familiarizadas com a psicologia da aprendizagem poderão procurar reduzir outras disciplinas, estendendo o curso de língua japonesa, com base no fato de que o ensino da língua abrange matérias e conteúdos de outras disciplinas. Contudo, este argumento é incorreto, pois, eventualmente, se tornaria pouco econômico, em termos de tempo e esforço de aprendizagem. No caso do ensino da língua, por exemplo, o domínio da mesma leva à economia da aprendizagem, e é facilmente aplicável na vida cotidiana, na comunicação social, facilitando, com isso, a entrada na vida cooperativa do grupo social do indivíduo. Uma disciplina que se dedique exclusivamente às habilidades da linguagem é fundamental.

Para terminar esta seção, pode ser útil observar que Herbert Spencer,[5] em sua obra original, *Education: Intellectual, Moral and Physical* (1861), argumentou que as disciplinas devem ser selecionadas de acordo com a seguinte abordagem da educação como preparação para a vida de felicidade, isto é, a vida de auto-realização:

1) Atividades diretamente ligadas à autopreservação = providências diretas para a autopreservação = fisiologia
2) Atividades indiretamente ligadas à autopreservação = providências indiretas para a autopreservação = matemática, física, química, biologia, sociologia
3) Atividades que levam a educação às gerações futuras = preparação para a paternidade e maternidade = psicologia do desenvolvimento
4) Atividades de apoio às relações sociopolíticas adequadas = preparação para a cidadania = história cívica e história natural das sociedades
5) Atividades para preenchimento do tempo livre = providências para envolver a vida com gosto e interesse = arte, pintura, poesia, literatura etc.

Trata-se de uma hierarquia de valores concisa, refletida em seleções de disciplinas concretas, um documento importante, que não deve ser esquecido. Esta proposta com orientação para os valores se mostra mais importante quando considerarmos que foi oferecida há cerca de 75 anos, tornando assim o caos educacional em que nos encontramos ainda mais intolerável.

O CURRÍCULO ORGANICAMENTE ESTRUTURADO

As várias disciplinas que compõem os currículos do ensino básico e secundário devem representar uma soma de conhecimentos, que se unam em torno de uma preocupação central, para que se evite a fragmentação do caráter pessoal. Um sistema orgânico de conhecimentos só poderá ter forma quando as diversas divisões do estudo, as disciplinas e subdisciplinas estruturadas ao longo dos anos, no Ocidente e no Oriente, forem consideradas meios para se alcançar algum ponto inicial de relevância.

Há muito tempo, temos negligenciado este ponto inicial. Como resultado, os alunos adquirem conhecimento fragmentado, poucas oportunidades de aplicação do mesmo na vida real ou, ainda, sua aplicação inadequada. Isto talvez explique o aumento da taxa de crimes em nossa sociedade, apesar da oferta de mais educação. Jovens mal informados, impropriamente educados, que assistam a um filme com muitas cenas violentas ou pornográficas, por exemplo, de todo o desenrolar da história, a maioria ficará com a impressão fragmentada só dessas partes, que lhes fornecerão uma visão distorcida da vida e do comportamento humano. É preciso que a educação sempre enfoque a questão fundamental da felicidade humana, e da vida boa, em uma perspectiva global de criação de valores.

Na medida em que a felicidade seja o objetivo da vida humana e, conseqüentemente, o objetivo da educação, e, além disso, como a felicidade é, de fato, a soma do resultado da vida comprometida com a criação dos valores de benefício, beleza e bem, a educação deve orientar os alunos em atividades de apreciação e avaliação nessas três direções. Ela deve fornecer uma abordagem sistemática da vida. Todas as pessoas, no âmago de seu ser, desejam viver de maneira segura, saudável e ordenada. É nisto que está a possibilidade de a educação ter um papel adequado em nossas vidas. Através de seus estudos, as crianças devem ser levadas ao ponto de conscientização em que, quando chegada a hora da graduação — o auge de seu currículo — possam olhar para trás, analisar as disciplinas que estudaram e obter um quadro geral de todas elas. Sua escolarização deve ter algum significado para elas, ao menos em retrospecto. Nos níveis superiores do ensino, as disciplinas devem reunir as coisas para eles; os alunos devem chegar a uma compreensão de como cada parte se encaixa, como um meio para levá-las a este ponto. Portanto, avançando nível após nível no currículo, os alunos devem internalizar uma estrutura de idéia geral de meios e fins.

Enquanto ainda são crianças, os alunos devem refletir sobre os objetivos em cuja direção estão se encaminhando, sobre o motivo de irem para a escola todos os dias, sobre o tipo de valor que estão criando. Isto tudo deve se juntar para formar uma rede de idéias que seja clara para eles. Isto é possível e necessário, e levará à formulação de uma visão coerente da vida humana: Qual a finalidade de tudo isto, dinheiro e bens, fama e posição, ou algo mais? Este algo pode ser alcançado pelo indivíduo sozinho, ou somente pela vida cooperativa da comunidade?

Uma vez que esses objetivos de vida sejam reconhecidos, o próximo passo é levar cada aluno a comparar seu modo de vida com o dos outros, a fim de desenvolver a capacidade crítica. A disciplina da moral não terá sentido para a vida real das crianças se isto não for feito. O que se aplica às matérias da escola primária também se aplica aos outros níveis de ensino. Somente relacionando os estudos, de forma cumulativa, à vida real dos estudantes, em seu ambiente específico, se pode fazer com que esses estudos tenham vida para eles e, só então, veremos sucessos significativos na aprendizagem.

Veremos como tudo isto pode ser feito, e quem deve se responsabilizar pela tarefa. Por enquanto, independente de quem vá pensar no problema, a tarefa passa a ser a preparação do programa, dos livros-texto editados pelo Estado, e sua apresentação pelo professor, o que torna muito fácil cair na mesma velha armadilha de forçar a aprendizagem das informações. Há necessidade de docentes que possam ensinar esses ideais com eficiência, daí a necessidade de seleção mais rigorosa e de melhor formação dos professores. Existe um abismo considerável entre esses ideais e a realidade, e não é preciso dizer que encontraremos muitas dificuldades, nenhuma delas insuperável.

De maneira geral, as disciplinas úteis para alcançar o objetivo da felicidade através da vida criativa devem incluir três estágios: primeiro, as disciplinas que orientam atividades de avaliação de nível inferior, que não necessitam de muita conscientização; segundo, as disciplinas de orientação para a reavaliação avançada, através de processos cognitivos de compreensão da natureza das coisas, em termos de valor; terceiro, as disciplinas de orientação para a criação de valor aplicada, como o ponto final de retorno. É desta forma que devemos unificar o currículo, relacionando as partes, de maneira causal, de forma a estruturar uma sistematização orgânica global.

Já estamos, na verdade, perto da realização desta meta, pois, essencialmente, as discordâncias quanto ao que se espera, em última instância, da educação, não são em maior número do que o que se considera ser o sentido da vida. Completamos nossos primeiros direitos adquiridos pelo nascimento, realizamos nossa missão na vida como seres humanos atingindo valores de vida em harmonia com os ambientes natural e social do lugar a que chamamos casa. Isto é, criamos valores de benefício, bem e beleza, segundo nossas tendências individuais, e os oferecemos à cultura de nossa sociedade. Se a educação tiver sucesso no encaminhamento dos estudantes para esta realização, terá alcançado nossas expectativas de uma educação para a criação de valores.

Em um currículo organicamente estruturado, cada disciplina deve ter sua função de contribuição, e cada propósito individual, sua disciplina correspondente, assim como cada órgão do corpo existe por alguma razão. Portanto, não podemos eliminar disciplinas de modo aleatório, porque aparentemente são muito numerosas, sem uma investigação adequada da razão de ser de cada uma. Da mesma forma, o fato de cada disciplina ter sua peculiaridade e seu propósito específico não lhe dá o direito de perseguir sua finalidade desvinculada das outras, como um órgão do corpo não pode declarar independência do resto. Este é o problema do currículo atual: um corpo dividido contra si mesmo.

Como podemos, então, dar a cada disciplina sua justa medida de autonomia e, ao mesmo tempo, controlar a tendência de se dividir indefinidamente? Para isto, definiremos a autonomia em função dos três maiores agrupamentos de disciplinas necessárias para promover padrões de vida. Estas são as áreas de conhecimento que o educando deve adquirir primeiro, para ser um indivíduo saudável, íntegro e desenvolver a capacidade de trabalhar e continuar em direção a objetivos individuais de vida. Esses três componentes do currículo podem ser vistos como chaves para a criação de leis para a vida humana. Como sistemas complementares de conhecimento, podem ser organizados em uma estrutura de três partes, a cada nível:

I) *Conhecimento das leis naturais.* Ciência, para promover a compreensão de leis naturais e suas tecnologias aplicadas.

II) *Conhecimento das leis sociais.* Moral, história, geografia etc., para promover o respeito às leis sociais e sua aplicação.

III) *Conhecimento dos valores ligados à natureza e à espécie humana.* Abrangência sistemática dos meios de se expressar valores criados na vida interior do indivíduo.
   A) Expressão direta através de atividade física: brincadeira, educação física, dança etc.
   B) Expressão criativa tridimensional: disciplinas produtivas em artes manuais etc.
   C) Expressão criativa bidimensional: desenho, desenho de projetos, confecção de mapas etc.
   D) Expressão lingüística:
      1) Conhecimento e habilidades audiovocais: declamação, canto e outros itens ligados ao resto do currículo.
      2) Conhecimento e habilidades visuais-observacionais:
         a) Escrita, soletração, leitura etc.
         b) Números, aritmética etc.
         c) Notas musicais e leitura musical.

Cada uma das disciplinas mencionadas anteriormente foi selecionada para uma finalidade, e todas se complementam. Todas funcionam para manter e desenvolver um equilíbrio adequado de sensibilidades físicas. A mera redução ou a união arbitrária de disciplinas, exclusivamente devido às aparências, só poderá resultar na repressão de um ou mais dos cinco sentidos, da amplitude total de suas capacidades potenciais.

A estruturação orgânica do currículo tem, como benefício adicional, o fornecimento aos alunos dos meios mais econômicos de abranger toda a amplitude dos estudos, pelo fato de os interligar; isto é, segundo os princípios da psicologia moderna, a retenção e memória do conhecimento são conseguidas de modo mais eficaz pela ligação das idéias a vários pontos-base. Das inúmeras idéias que flutuam em nossa mente, as associações não se manifestam de modo desconexo, e sim se enredam, em uma ordem determinada em pontos específicos de conexão. Daí sermos capazes de trazer à mente a idéia certa, na hora adequada, para se mostrar útil à nossa vida, se o tecido de nosso pensamento faz as conexões de maneira correta. Assim, as gradações ilimitadas da argúcia humana só dependem do grau de conexão global de suas idéias. Se isto for admitido, será fácil perceber que uma rede de idéias não se organiza de modo competente, se for entregue à própria sorte.

Da mesma forma, se, no ensino de várias disciplinas, for desenvolvido um esforço consciente e consistente, no sentido de interligar os pontos de partida e as conclusões das apresentações, para direcionar as observações no ambiente do lar, então, daquele fluxo de estímulos que as crianças recebem durante vários anos de escolarização, se desenvolverá um corpo de conhecimentos consistente e interligado, um sistema de conhecimento que começa e termina no mundo à sua volta. Desta forma, não estamos impondo a informação ao educando, mas fornecendo-lhe sua biblioteca mental particular e seus sistemas de arquivamento. Cada aluno se torna seu próprio bibliotecário, que pode usar o sistema para expandir a própria biblioteca. Aqui podemos reconhecer um critério importante da aprendizagem unificada: o conjunto de conhecimentos disponíveis ao aluno estará sempre total e organicamente interligado a cada estágio, e acréscimos posteriores poderão utilizar o curso do ambiente do lar, já consolidado como centro para ramificações adicionais, como em uma árvore.

Como pode ser visto no diagrama a seguir, o curso do ambiente do lar deve ocupar uma posição central em um currículo progressivo:

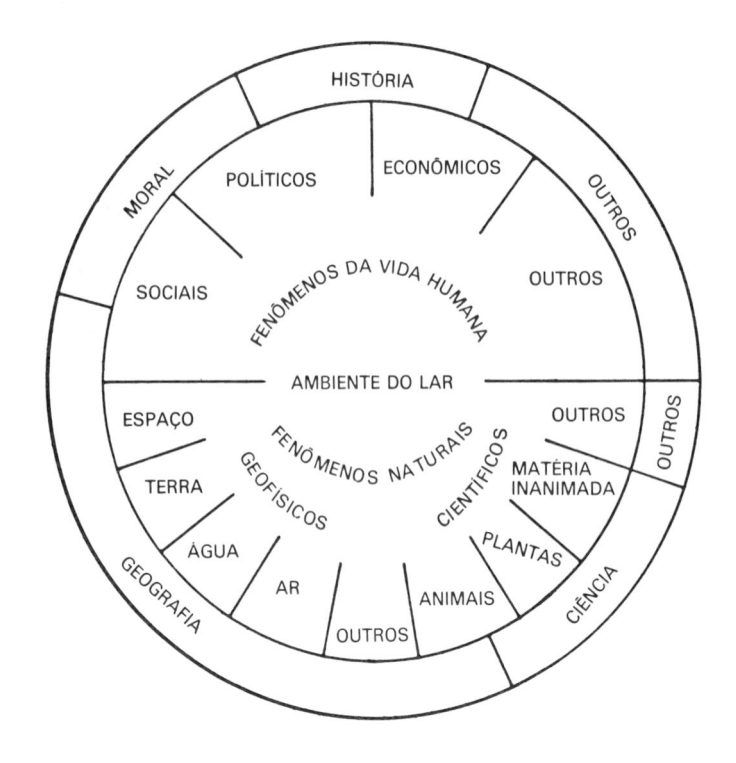

Fig. 1. Diagrama visual do curso do ambiente do lar.

Este é apenas um dos esquemas possíveis de distribuição de disciplinas. É importante que sempre seja dada a todas as disciplinas uma amplitude equilibrada e idêntica. Se o objetivo principal da instrução é o desenvolvimento das capacidades mentais básicas, a ênfase não deve estar na quantidade de informações, mas no equilíbrio das disciplinas. Já foram feitos muitos planos para a obtenção deste equilíbrio. Na maioria deles, foi escolhida uma disciplina específica, como religião, ou uma essência de várias disciplinas, e todas as outras foram organizadas em volta daquela, que é o centro do currículo. Contudo, todos esses planos têm problemas em sua estrutura. Tenho percebido que, sempre que uma ou mais disciplinas são projetadas para servir de fator unificador do currículo, sua realização é difícil. Por mais que os acadêmicos tentem justificar seu tipo de estrutura como sendo *o* meio de unir os assuntos para as crianças, na realidade as idéias abstratas se relacionam muito pouco com as mentes infantis. Assim, cada um destes planos de desenvolvimento de programas de aprendizagem coerentes e eficazes, um após o outro, teve seus dias de popularidade, para depois desaparecer, sem efetuar nenhuma mudança significativa a longo prazo na política ou prática educacionais.

Estas observações me deram a idéia de um curso do ambiente do lar, como forma mais racional de organização das disciplinas básicas do currículo. Em vez da implantação autoritária de um tema central imposto, que as crianças não conseguem apreender, ocorreu-me que elas já têm uma considerável riqueza de matérias e idéias básicas a partir das quais se poderia começar. Se os educadores pegassem todas as coisas, tangíveis e intangíveis, com que as crianças já se familiarizaram no ambiente do lar — estímulos que não podem lhes escapar ou serem esquecidos — e os vinculassem a todas as outras matérias, do começo ao fim, o resultado seria o mais natural e, estou convencido, o mais eficaz dos planos de unificação imagináveis. Este é o futuro que antevejo para a organização do currículo.

Posfácio

UMA APRECIAÇÃO FILOSÓFICA

Ironicamente, a fama de Tsunessaburo Makiguti no Japão como fundador da Soka Gakkai (organização budista leiga, dedicada à criação de valores) obscureceu o trabalho que desenvolveu ao longo da vida, como professor, filósofo educacional e reformista da educação. Com o objetivo de chamar a atenção para os importantes resultados deste seu trabalho, o Prof. Dayle Bethel, neste volume, apresenta as principais teorias educacionais e propostas de reforma de Makiguti.

O distanciamento cultural não levará os leitores ocidentais — talvez para surpresa sua — a sentir dificuldades na apreensão das idéias de Makiguti. Os malefícios da sociedade japonesa, reconhecidos pelo autor como oriundos das deficiências do ensino japonês, estão presentes nos Estados Unidos e em outros países do Ocidente. Embora suas propostas de reforma sejam, em alguns casos, radicais, refletem noções que embasam a cultura ocidental. Especificamente, Makiguti trabalha com concepções do ser humano, do indivíduo, do desenvolvimento para o bem e da vida com valores, que foram expressas nas filosofias eudemonistas de Sócrates, Platão e Aristóteles. Procurarei explicitar estas origens do pensamento de Ma kiguti, demonstrando a profundidade e atualidade de seus temas, ao mesmo tempo possibilitando que seu trabalho nos alerte quanto a continuar dando importância aos conhecimentos clássicos em nossos dias.

Consideremos, primeiramente, alguns dos males da sociedade japonesa, que Makiguti vê como resultados diretos ou indiretos da má educação:

> O povo japonês, em sua grande maioria, identifica a vida boa com recompensas materiais; a "felicidade" é concebida de forma egoísta e com uma visão econômica. Cada vez mais pessoas "clamam de viva voz por seus direitos, mas ignoram as responsabilidades que os acompanham". Valores e avaliação são considerados preocupações específicas de cada indivíduo, para o que nenhuma educação é necessária; as avaliações de cada pessoa são vistas como tão corretas quanto as de qualquer outra. O desenvolvimento do caráter é ignorado, considerado irrelevante para os propósitos da vida, ou concebido de modo restrito, como um treinamento nas lealdades nacionalistas. A aprendizagem é identificada com a sala de aula, sendo negligenciada após os primeiros vinte ou 25 anos da vida do indivíduo.

Makiguti identifica as seguintes deficiências no sistema de ensino:

> O sistema de ensino como um todo é estruturado segundo o nível dos conhecimentos factuais adquiridos, avaliado por exames. O sentimento de amor pela aprendizagem, inerente às crianças, de modo geral se extingue antes de se chegar à adolescência, como resultado da aprendizagem forçada. Algumas dificuldades de aprendizagem são inatas, muitas, porém, são produzidas pela educação inadequada. A prática educacional desenvolve-se na uniformidade ou permissividade excessiva. O padrão da educação formal, consistindo em 12 a 16 anos seguidos em sala de aula, não está de acordo com o metabolismo dos jovens, com a avidez pelo contato direto com o mundo. Presta um desserviço ao ideal de educação permanente, fazendo crer que a aprendizagem do indivíduo termina com o diploma

ou o nível alcançado. As teorias educacionais predominantes provêm de acadêmicos e pesquisadores distantes da realidade do ensino primário e secundário; como resultado deste divórcio, não se aplicam à sala de aula.

Se o que Makiguti descreve reflete nossa situação, isto significa que podemos encontrar elos com suas propostas de reforma. Enumerarei alguns dos pontos mais fundamentais ou notáveis dessas propostas, introduzindo os conhecimentos filosóficos que os interligam e lhes conferem atualidade.

A reforma mais surpreendente na proposta de Makiguti é a redução do tempo diário de escolarização em sala de aula, em todos os níveis, para meio período. Sua intenção foi integrar a sala de aula e o mundo, e recuperar, para a comunidade e o lar, sua plena parceria no trabalho da educação.

Com isto, a educação formal deve expandir seu objeto de preocupação, deixando de se dirigir apenas à mente do educando, e passando a considerar a pessoa integral, assumindo a responsabilidade de desenvolver o bom caráter moral. Para tanto, a preocupação com os fatos e a verdade deve ser acrescida do desenvolvimento, no jovem, das capacidades de reconhecimento e avaliação e, finalmente, de criação de valores. Como a valoração tem um componente emocional inseparável, a educação dos sentimentos também está envolvida. A suposição de que os sentimentos apenas existem, sem que se possa ensiná-los, é um dos erros perpetuados pela educação supostamente sem valor, e pela negligência do desenvolvimento do caráter. Como afirmou Aristóteles, o objetivo mais profundo da educação é levar o educando a aprender a tirar prazer das coisas certas.

O professor, antes de tudo, não deve ser um fornecedor de conteúdo, mas um orientador que auxilia as iniciativas individuais de aprendizagem dos próprios estudantes; deve "deixar a descoberta de fatos para os livros, e adotar um papel de apoio da experiência de aprendizagem do aluno". É preciso haver o reconhecimento de que a principal força motriz da educação é o interesse do aluno, o qual pode ser canalizado, redirecionado e focalizado, mas nunca ignorado ou reprimido. A importância deste aspecto justifica minha inclusão da historieta a seguir, de um professor americano, relativa ao ensino universitário, mas aplicável principalmente ao primário e secundário.

> Há alguns anos, deparei-me ministrando um curso de matemática, utilizando o *Almagesto* de Ptolomeu como texto. Presumi que os alunos estavam familiarizados com os movimentos

do céu, que podem ser vistos a olho nu — por exemplo, o movimento circular diurno das estrelas fixas ao redor do pólo, o movimento dos planetas e a mudança na posição do sol nascente — e comecei com a explicação de Ptolomeu sobre esses movimentos. Logo descobri que nenhum dos alunos havia tido a oportunidade de ver essas coisas, como certamente o teriam feito se vivessem em uma cultura menos urbana do que a nossa. Expliquei, de forma elaborada e engenhosa, os fenômenos que a turma desconhecia e, conseqüentemente, não sentia nenhuma necessidade de receber explicações a respeito. A experiência foi traumática e, desde então, tenho o cuidado de fazer com que a necessidade da explicação preceda a explicação propriamente dita.

A educação deve promover o desenvolvimento da consciência social, e a identificação com o bem comum, ou bem social, bem como a formação do "caráter pessoal necessário para que os membros de uma sociedade se tornem participantes criativos". A individuação, de vital importância, não deve ser concebida de modo egoísta, mas em termos do tipo de contribuição social que cada pessoa irá fornecer.

Com a prioridade dada à consciência social, a educação primária deve começar com cursos sobre o ambiente do lar, isto é, estudos no próprio lar e estudos em sala de aula, sobre a comunidade local, como base unificadora. Para Makiguti, como esta base de integração é natural para as crianças, é preferível às integrações concebidas de modo abstrato, "impostas de cima".

Cada uma das reformas indicadas implica mudanças nos níveis secundário e superior, mas vamos nos ater à estrutura conceitual na qual se fundamentam. Os conhecimentos principais têm relação com a natureza do homem, do indivíduo, a questão do que constitui o valor da vida e a natureza do desenvolvimento para o bem. A melhor maneira de demonstrar a sabedoria e a profundidade das idéias de Makiguti é mencionar que elas são sustentadas pelo pensamento eudemonista de Sócrates, Platão, Aristóteles e seus sucessores, nesta tradição de filosofia ocidental até o presente.

Contudo, a filosofia de Makiguti não deriva daí, tendo se desenvolvido da reflexão sobre sua experiência e as de outros no ensino de alunos japoneses. Isto deve ser enfatizado, pois Makiguti insiste em que as fontes do pensamento e da cultura japonesa devem ser japonesas, e não importadas da Europa ou dos Estados Unidos. Além disso, para ele, a educação em seu país decaiu por ter sido obrigada a incorporar filosofias de educação de acadêmicos distantes da prática do ensino primário e secundário. O que testemunhamos não é a derivação de suas idéias de fontes clássicas, mas uma incrível confluência do trabalho de pensadores independentes: Sócrates, Platão e Aristóteles, de um lado, e Makiguti, do outro. Estas confluências são momentos importantes na história do pensamento — a chegada independente de Leibniz e Newton ao cálculo diferencial, e a de Wallace e Darwin à teoria da evolução das espécies pela seleção natural. Conheço um caso intimamente comparável a Makiguti, que envolve meu conhecimento de Abraham Maslow. Em seus estudos clínicos, inteiramente desvinculados de Sócrates, Platão e Aristóteles, Maslow chegou a concepções da natureza humana, do desenvolvimento para o bem e do funcionamento global do ser humano idênticas às deles. Considerando que a filosofia, pela natureza de seus problemas, não pode ser (nem deve procurar se tornar) uma ciência exata, tais confluências são o que a filosofia permite, no sentido da confirmação independente das hipóteses.

A espinha dorsal da filosofia da educação de Makiguti é sua tese de que o objetivo último da educação é a felicidade. Para chegar a esse sentido, devemos evitar dois perigos de má compreensão. Em primeiro lugar, ele não quer dizer (como tendemos a supor) que o objetivo da educação é a felicidade futura dos alunos: o que se deve procurar é a felicidade dos alunos no presente, além da futura. O argumento de Makiguti é que o treinamento para adiar a felicidade promove, na fase adulta, o adiamento da felicidade. Este é o perigo menos importante, sendo melhor começarmos pela origem do equívoco mais grave.

Ele ocorre quando transpomos nosso sentido de *felicidade* para a declaração de Makiguti. O que nós, ocidentais e japoneses, comumente queremos dizer por *felicidade* é o prazer ao longo do tempo, e um período feliz em nossas vidas é aquele em que a soma total de prazeres excede de modo significativo a soma total de dores. *Prazer* é definido como o sentimento de desejo satisfeito. As doutrinas que defendem o prazer (e a felicidade) como o bem supremo, o qual todas as pessoas desejam alcançar, ou deveriam desejá-lo, são agrupadas como variantes do hedonismo.

Makiguti, todavia, defende que este sentido de felicidade não leva à vida correta, pois o prazer não fornece este tipo de orientação. Ao contrário, justifica a satisfação de todos os desejos indiscriminadamente, nada podendo fazer com relação à diferença crucial entre os desejos certos e os errados. Juntamente com a felicidade, Makiguti defende que o objetivo principal da educação é o desenvolvimento do caráter pessoal. Isto porque os dois são inseparáveis: a felicidade, para Makiguti, é a recompensa subjetiva do bem viver, e viver bem, para um ser humano, é desenvolver o caráter pessoal, pois o que é bom em nós, no início da vida (como bebês e crianças pequenas), subsiste como potencialidade não realizada.

O desenvolvimento é um tipo de mudança dirigida, sem se dar ao acaso. O problema dos desejos não trabalhados é que são multidirecionados e contraditórios. Fica evidente no caso das crianças pequenas, em que isto é esperado; no entanto, também pode ocorrer no adulto, por exemplo, uma pessoa que deseja um carro novo, mas também não quer gastar sua poupança ou contrair uma dívida; ou na pessoa que cobiça o cônjuge do vizinho e, ao mesmo tempo, deseja preservar um bom casamento — aqui é evidente a falta do desenvolvimento do caráter pessoal, a que Makiguti dá prioridade na educação.

As pessoas desprovidas de autoconhecimento freqüentemente desejam o que não é bom para elas, e o prazer atende à satisfação desses desejos. Os indivíduos que procuram escapar às responsabilidades, incluindo as sociais, se aprazem com o sucesso obtido nessas fugas.

Além disso, o hedonismo mascara a importante distinção entre o que chamarei desejos produtivos e desejos receptores. *Desejos produtivos* são os que só podem ser satisfeitos pelos esforços da própria pessoa, enquanto que *desejos receptores* podem ser satisfeitos por outros. Meu desejo por um carro novo, por exemplo, será muito satisfeito se alguém me presentear com um, mas ninguém poderá me conferir um caráter melhor; meu desejo de desenvolver o caráter, ainda que possa ser apoiado (ou atrapalhado) por outros, só poderá ser satisfeito através de esforços próprios. Poder-se-ia concluir que a perda da diferença entre os desejos produtivos e os receptores resultou em uma orientação preponderantemente receptora, em que os conceitos das pessoas sobre si mesmas se baseiam no que acreditam que podem receber. É a isto que Makiguti se refere quando diz que as pessoas "clamam de viva voz por seus direitos, mas ignoram as responsabilidades que os acompanham". Do ponto de vista do desenvolvimento, pode-se perceber que, na infância, a pergunta principal é "O que irei receber?" e, na adolescência, "O que irei fazer?" Deste ângulo, a mudança para uma orientação receptora (ou consumismo) indica uma parada ou regressão no desenvolvimento.

Com relação ao desenvolvimento do caráter pessoal, Makiguti enfatiza a produtividade em vez da receptividade. Colocado de outra maneira, a responsabilidade é aceitar a prioridade lógica sobre os direitos. Na obra *A República*, de Platão, o conceito básico de justiça é cada pessoa fazer o que lhe é mais adequado, de acordo com sua natureza inata. A justiça receptora deriva disto: a cada pessoa cabe o que ela necessita, para que possa fazer o que é seu fazer. Aristóteles definiu *felicidade* produtivamente, como "a atividade em harmonia com a virtude". A concepção de Makiguti da essência da pessoalidade é idêntica à de Platão e Aristóteles. Ser uma pessoa é ser uma excelência potencial inata, que precisa ser realizada, e a responsabilidade por essa realização é a base da vida moral. "Algo inato[...] orienta a vida de cada indivíduo" e, da mesma forma, a felicidade é "um sentido de devir". Daí se segue que "os educadores devem trabalhar efetivamente para mostrar a cada criança seu potencial de realizar uma vida ideal".

Uma implicação importante é que a vida bem vivida é a atividade básica do indivíduo, a da auto-realização. Isto coloca Makiguti em oposição à concepção moderna de trabalho como uma necessidade desagradável, a qual todos evitariam se pudessem, e que deve ser compensada com gratificações materiais e lazer. Makiguti conclama a educação a "fornecer alegria e apreciação pelo trabalho" (como Henry Thoreau comentou em "Life Without Principle" que o trabalho deve ser "convidado e glorioso").[2]

O trabalho é visto como uma necessidade desprovida de prazer porque as pessoas, por disposição inata, diferem muito entre si, com relação ao trabalho que devem fazer. Para cada pessoa, há muitos tipos de trabalho bom, útil e produtivo que, no entanto, não são intrinsecamente gratificantes. Por outro lado, há alguns tipos de trabalho (geralmente interligados) que são percebidos como intrinsecamente gratificantes, de tal modo que o indivíduo se identifica com eles e, por sua própria iniciativa, neles investe o melhor de si. Porém, normalmente, e há muitos séculos, não se tenta unir as pessoas aos trabalhos que tenham significado para elas (a educação deveria orientá-los para o autoconhecimento necessário a tal união). Em conseqüência, poucas pessoas, acidentalmente ou por sorte, encontram um trabalho significativo e, a grande maioria, sem nenhuma experiência do contrário, endossa a opinião que prevalece, isto é, que o trabalho é uma necessidade desprovida de prazer. O trabalho que é a vida da pessoa e aquele através do qual a pessoa se sustenta são casos análogos. Quando é o trabalho certo (isto é, no primeiro caso, a vida certa para o tipo de pessoa que se é), suas recompensas intrínsecas são tantas, como disse Aristóteles, que ela não o trocaria por nenhum outro (e, como enfatizou Platão, o agente venenoso social e pessoal da inveja não encontra sustentação neste tipo de vida). Makiguti identifica como felicidade as recompensas intrínsecas do viver a vida certa. Integrado na vida certa para o indivíduo, deve estar o trabalho certo, no sentido limitado de vocação ou trabalho, isto é, o trabalho-pelo-dinheiro que o indivíduo experimenta como intrinsecamente gratificante e com ele se identifica.

Makiguti condena o egoísmo, sem, no entanto, incorrer no erro compensatório de identificar a conduta moral como altruísta (isto é, objetivando servir aos interesses dos outros à exclusão daqueles do eu). Em vez disso, ele afirma que os interesses dos outros e os do eu, quando concebidos corretamente, estão tão intimamente vinculados que são inseparáveis. Esta noção faz parte de sua definição de felicidade como sendo a vida de criação de valores. O bem-estar de cada indivíduo é entendido como contribuindo para o bem-estar de todos. O objetivo real do indivíduo engajado na auto-realização é manifestar o valor objetivo no mundo, jamais para benefício única ou principalmente do eu, mas para o de quem quer que seja capaz de apreciar e utilizar esse tipo especial de valor. Ao mesmo tempo, Makiguti enfatiza a avaliação no sentido de um treinamento da apreciação das variedades do valor, para possibilitar às pessoas reconhecer, apreciar e utilizar um espectro mais amplo dos diversos tipos de valor manifestos pelos indivíduos que os criam. Pode-se esperar do carpinteiro e o filósofo, por exemplo, que reconheçam a excelência de sua área, mas cada pessoa se torna útil ao outro quando passa a reconhecer e apreciar a excelência na área do outro também.

Quando nos libertamos da bifurcação egoísmo-altruísmo, podemos reconhecer que cada uma das virtudes morais — sabedoria, coragem e temperança, por exemplo — é uma utilidade tanto pessoal quanto social. As virtudes fortalecem o ser na busca de suas metas pessoais; e um ser virtuoso que se dedica às metas dos outros é um aliado valioso. Se o objetivo da pessoa virtuosa é, como dissemos, realizar valor no mundo, para quem quer que possa apreciar e utilizar esse tipo especial de valor, então essas virtudes servem, ao mesmo tempo, ao eu e aos outros. Este é o sentido da observação de Aristóteles, de que "toda virtude ou excelência coloca em boas condições a coisa (pessoa) da qual é a excelência e faz o trabalho da coisa (pessoa) ser bem-feito".[3]

Uma ilustração concreta do prejuízo causado pela bifurcação egoísmo-altruísmo aparece na controvérsia atual sobre várias experiências de reforma do trabalho. Com os nomes de "enriquecimento do trabalho" e "humanização do local de trabalho", muitas tentativas experimentais para dar mais significado ao trabalho têm sido empreendidas nos Estados Unidos e em outros países ocidentais, nos últimos trinta anos. Mas os sindicatos têm questionado o objetivo dos experimentos, salientando que o apoio gerencial só existe devido à possibilidade do aumento da produtividade. Como reação, alguns humanistas, reformistas do trabalho, têm procurado demonstrar a pureza de seus motivos, eliminando o aumento da produtividade de sua lista de objetivos. Com isto, no entanto, como prognosticado, perderam o apoio gerencial de que necessitavam para a implementação de suas propostas de reforma. Esses balanços não compensatórios do pêndulo só podem ser interrompidos pela recuperação da verdade defendida por Makiguti, isto é, que o aumento no valor dos produtos do trabalho e a realização pessoal dos trabalhadores resulta da combinação de trabalhadores e dos tipos de trabalho adequados às suas várias disposições inatas. O autoconhecimento sempre será imperfeito, mesmo com uma educação planejada para desenvolvê-lo e, talvez, alguns tipos de trabalho socialmente necessários não satisfaçam ninguém. Para lidar com esses problemas, é preciso talento e, pelo redirecionamento das iniciativas sociais, eles podem perder a importância, enquanto prevalece, atualmente, a ausência do autoconhecimento e de um trabalho significativo.

Nós, no Ocidente, estamos mais confusos com alguns problemas conceituais do que com as noções de individualidade e individualismo. Estes conceitos estão profundamente arraigados em nossa herança cultural e, ainda assim, muitos críticos lhes atribuem nossos males ubíquos de alienação, isolamento e narcisismo. Aqui, a sabedoria de Makiguti novamente se faz presente. Nossa condição é produto do pensamento desconectado: o indivíduo ou a sociedade. Supomos que um deve predominar à custa do outro, mas Makiguti nos apresenta outra concepção de ambos, de tal forma que a prosperidade de um pressupõe e implica a prosperidade do outro.

Do que já foi dito, está claro que Makiguti é um tipo de individualista; uma vida boa para o ser humano é uma vida criadora de valores "de acordo com nossas inclinações individuais". Ainda assim, ele se opõe com veemência ao tipo de individualismo que predomina na sua (e na nossa) sociedade, egoísta e econômico, de procura incessante da vantagem material pessoal (sem reconhecer nenhuma outra), em competição com as outras pessoas. Além disso, esse individualismo premia uma autonomia que concebe como auto-suficiência individual total, sem considerar a inevitável dívida da pessoa para com a sociedade em que vive e a tradição na qual foi criada. O individualismo de Makiguti, ao contrário, é compatível com uma profunda interdependência humana, que penetra a identidade das pessoas, unindo-as em comunidade com um elo comum. Inversamente, o falso ideal da auto-suficiência total nega a comunidade, concebendo o indivíduo como uma entidade não social, atômica; o individualismo egoísta, econômico, limita as relações sociais àquelas puramente externas, de troca voluntária. Nas palavras de um crítico, é um "concurso de egoísmo".

Ao propor o desenvolvimento do tipo de individualismo moral que encontra sua realização na contribuição social, um dos problemas pedagógicos que Makiguti encontra é que as pessoas que chegaram a esta compreensão de auto-realização tiveram a oportunidade da "reflexão do lazer, baseada no conforto material". Para as pessoas cuja subsistência é precária e a luta cotidiana, o autoconhecimento é um luxo que não podem ter; mas é uma necessidade para a vida bem vivida, intrinsecamente gratificante. Aqui encontramos um nó górdio. Como desatá-lo? A única solução possível é a intervenção social. Na verdade, o primeiro passo significativo já foi dado, com a instituição da educação pública universal obrigatória, através da qual se proporciona às crianças, anteriormente obrigadas a trabalhar no campo ou na fábrica, muitas horas por dia durante a semana — pelo menos em potencial — de intervalo das lutas prementes da vida. Visto de modo amplo, este é um alcance considerável, que leva a nada menos que o espaço criado socialmente para a reflexão, para todas as pessoas. Mas, evidentemente, a pausa para descanso não é preenchida dessa forma, e sim com o estudo forçado, imposto e exagerado de fatos, para prestar exames visando ao "sucesso" no mundo, no sentido econômico e egoísta atual. Assim, o que poderia ser um intervalo para descanso, acaba sendo uma cópia das exigências sufocantes da vida.

Makiguti defende que a educação deve ser uma preparação para a vida no mundo e, principalmente, para se viver bem. Segundo ele, é preciso viver bem no presente, pois um treinamento que adia a felicidade para um futuro indefinido é um treinamento do adiamento da felicidade. Encontramos em Makiguti uma teoria dos estágios da vida — infância, adolescência e juventude, maturidade e velhice —, cada um com seu tipo peculiar de realização e, conseqüentemente, de felicidade (bem como com profundas quebras de continuidade ao longo disso). Valores, virtudes e obrigações intrínsecos a cada estágio devem ser preenchidos naquele estágio, e não adiados para a fase adulta. Makiguti apresenta o tema enfaticamente: "Não é prerrogativa dos educadores decidir que a preparação para a vida adulta deve ser o objetivo da educação.[...Eles] devem entender que a escolarização que sacrifica a felicidade presente das crianças, fazendo da felicidade futura sua meta, viola a personalidade infantil e o próprio processo de aprendizagem." A aprendizagem forçada dos fatos, desconsiderando os interesses dos alunos, termina por destruir a avidez pela aprendizagem que é natural nas crianças.

Porém, a curiosidade natural das crianças pode e deve ser orientada. Com relação aos caminhos que esta orientação deveria tomar, resumirei meus comentários a uma das recomendações de Makiguti, que é o âmago de sua filosofia educacional, pois é o meio pelo qual as crianças podem ser levadas à compreensão do que antes era conhecido apenas pelo sábio, isto é, que a realização individual está na contribuição social. As crianças terão acesso a este reconhecimento, segundo Makiguti, se sua educação for planejada para começar com estudos sobre "o ambiente do lar", isto é, com a familiarização no local e na sala de aula, e a compreensão de sua comunidade. O propósito é facilitar, desde o começo, a identificação das crianças com as necessidades e os serviços da comunidade, não à custa da própria individualidade que está nascendo, mas como o local apropriado para a expressão da mesma. Para a criança, a comunidade tem a vantagem de ser tangível e concreta; ela fornece o contexto inicial para a idéia da vida de criação de valores. À medida que a educação prossegue, inclui o estudo de outras comunidades, depois do país e de outras nações e, finalmente, do mundo como a comunidade humana global.

A fim de que a comunidade não seja apenas um objeto de estudo, mas também um professor, Makiguti propõe que a aprendizagem em sala de aula seja limitada a meio período. Este pensamento tem uma contrapartida importante nos Estados Unidos. O relatório de 1979 do Conselho de Carnegie sobre educação, *Giving Youth a Better Chance* (Dando ao Jovem uma Sorte Melhor), inclui o seguinte: "Os jovens recebem uma carga muito pesada de escolarização por um período longo demais, sem incluir o conhecimento do mundo do trabalho ou experiência de trabalho ou serviço comunitário. O trabalho na forma de serviço comunitário é particularmente desejável, pois fornece ao jovem um sentido de envolvimento nos problemas da comunidade e de contribuição para sua solução."[4]

Com o objetivo semelhante, vários americanos influentes — do filósofo William James no começo deste século e a antropóloga Margaret Mead ao Presidente Lyndon Johnson e o senador Bill Bradley, de Nova Jersey — propuseram a criação de um Serviço Nacional da Juventude, no qual os jovens poderiam, a intervalos, totalizando talvez dois anos, dedicar seu tempo a muitos tipos de serviço nacional e local.[5] Atualmente, seis ou sete nações possuem este serviço, e alguns deles desenvolvem a troca internacional de grupos de trabalho, permitindo oportunidades no exterior e no próprio país de experimentar outras culturas e estilos de vida.

Também com propósito semelhante, algumas escolas secundárias e faculdades americanas vêm desenvolvendo, por várias décadas, programas de trabalho e estudo alternando um semestre em sala de aula com um semestre de serviço comunitário ou trabalho no setor privado, ou dividindo o dia entre trabalho e estudo. O antigo ministro do Trabalho, Willard Wirtz, apoiou este empreendimento por seus efeitos atenuantes sobre as "armadilhas do tempo, a juventude para a educação, a fase adulta para o trabalho e a velhice para nada".[6]

Em meio às muitas vantagens que podem ser citadas por romperem o padrão convencional de ensino de 16 anos seguidos em sala de aula, não devemos negligenciar a prioridade que o eudemonismo dá ao desenvolvimento individual. Em seu modelo de desenvolvimento, a fase adulta começa com as escolhas da forma de vida (vocação, casar ou não e com quem, ter filhos ou não, diversões, local de residência, comprometimentos religioso e cívico etc.), e a adolescência é a fase para a exploração das alternativas disponíveis com respeito a essas escolhas. A sala de aula não é suficiente para essas explorações. Uma coisa é ler sobre o Alasca, e outra muito diferente é viver lá; uma coisa é ler sobre uma profissão ou um estilo de vida, mas é muito diferente praticá-lo; e as pessoas descobriram que a prática de sua vocação é muito diferente da preparação que recebem em sala de aula para exercê-la.

Atualmente, muito do que é considerado escolha, com relação à questão a dar forma à vida, não passa de pseudo-escolhas. O desafio é facilitar a escolha genuína, baseada no autoconhecimento, aumentando em cada pessoa o conhecimento prático das alternativas. O autoconhecimento é desenvolvido dessa forma, pois ele começa na descoberta dessas opções produtivas que a pessoa experimenta como sendo intrinsecamente gratificantes.

Entre as muitas contribuições importantes de Makiguti para esta compreensão, está sua demonstração persuasiva de que a educação para a vida produtiva, intrinsecamente gratificante, deve começar na primeira infância. Muitos filósofos eudemonistas supõem que se pelo menos conseguirmos evitar a sufocação do incentivo inato das crianças para o crescimento e a aprendizagem, o trabalho construtivo começará na adolescência.

Minha tarefa nesta apreciação foi vincular a filosofia da educação e as propostas de reforma de Makiguti a uma grande tendência na filosofia ocidental, o eudemonismo grego, que ainda está muito vivo. De fato, há evidências de que um número cada vez maior de pensadores ocidentais está se voltando para essa linha, a fim de nos libertar de alguns males ubíquos, que resultam das concepções modernas, menos profundas, mais oportunistas, do indivíduo, da sociedade e da vida boa para o ser humano. No entanto, não conheço nenhum pensador contemporâneo que se aproxime de onde chegou Makiguti, no desenvolvimento das implicações para a educação e, mais especificamente, a educação primária e secundária, dos conhecimentos eudemonistas duradouros.

DAVID L. NORTON
Professor de Filosofia
Universidade de Delaware, Newark

Notas

Introdução

1. Para uma análise abrangente do impacto da industrialização nas sociedades humanas, ver Alvin Toffler, *A Terceira Onda**, William Morrow, Nova York, 1980. Ver também C. Wright Mills, *The Power Elite*, Nova York, 1956, e *The Sociological Imagination*, New York, 1959.
2. *Soka Kyoikugaku Taikei*, vol. 1, livro 1 (Soka Kyoiku Gakkai, Tóqui, 1930), Seikyo Shimbunsha, Tóquio, 1972, p. 25. Esta insistência para que haja uma relação íntima entre a educação e o lado prático da vida das pessoas está presente em toda a obra de Makiguti. O trecho a seguir é parte do discurso de posse de um novo diretor do departamento de arquitetura do Instituto de Tecnologia Armour, em Chicago, feito em 20 de novembro de 1938, e demonstra esta preocupação, além de fornecer um resumo da opinião de Makiguti a esse respeito, apoiando-a:

> Qualquer educação deve começar com o lado prático da vida. A verdadeira educação, contudo, deve transcender este aspecto para formar a personalidade. O primeiro objetivo deve ser fornecer ao educando o conhecimento e as habilidades necessárias à vida prática; o segundo, desenvolver sua personalidade e capacitá-lo a utilizar corretamente seu conhecimento e suas habilidades.
> A verdadeira educação, portanto, não se preocupa apenas com os objetivos práticos, mas também com valores. Através dos objetivos práticos, nos preparamos para a estrutura específica de nossa épo-

---

*Publicado no Brasil pela Record.

ca. Nossos valores, por outro lado, se fundamentam na natureza espiritual do homem. Os objetivos práticos avaliam somente nosso progresso material, enquanto que os valores que professamos revelam o nível de nossa cultura. Ainda que diferentes, os dois estão interligados, pois, a que nossos valores devem se relacionar, se não às nossas metas de vida? A existência humana implica conjuntamente as duas esferas. Nossos objetivos asseguram a vida material, nossos valores tornam a vida espiritual possível.

3. Makiguti, *Soka Kyoikugaku Taikei*, vol. 1, livro 2, p. 134.
4. Makiguti, *Soka Kyoikugaku Taikei*, vol. 1, livro 2, p. 169.
5. Aqui cabe uma advertência. Esta condenação de Makiguti da preocupação egoísta com o ganho imediato material pessoal aparentemente contradiz sua orientação geral para o valor, na qual a satisfação pessoal está no centro de seu sistema filosófico de beleza, ganho e bondade. Contudo, um exame mais aprofundado de suas idéias evidencia que, apesar de reconhecer a busca do proveito pessoal, talvez até, de certa forma, valorizá-la, como um elemento bom e salutar da vida, essa busca está sempre no contexto dos valores de beleza e bem, e equilibrada por eles. Assim, a procura individualista do proveito pessoal, seja ele de riqueza material ou de posição social e poder, era vista por Makiguti como um elemento canceroso e destrutivo da vida humana, o qual acreditava ser pelo menos parcialmente, se não totalmente, uma conseqüência do sistema educacional vigente.
6. Makiguti, *Soka Kyoikugaku Taikei*, vol. 1, livro 1, p. 19.
7. A posição de Makiguti não deve ser confundida com o sistema de valores de orientação individual que se desenvolveu nas culturas ocidentais e veio a consistir no núcleo do "individualismo inflexível" americano. Há uma profunda diferença entre as duas posições. Para Makiguti, o indivíduo cujas experiências de aprendizagem levam à apreciação e compreensão do eu e à manutenção da rede de inter-relações do eu com a comunidade procurará desenvolver ao máximo o potencial criativo inerente ao eu, para contribuir com valor para a sustentação daquela comunidade e seus membros (nisto Makiguti está acompanhado de um grande grupo de filósofos-psicólogos-educadores, que vai dos filósofos da Grécia até os pensadores recentes e contemporâneos como Abraham Maslow, Robert Theobald, David Norton, Erich Fromm e Carl Rogers). Por outro lado, o individualismo inflexível da América, com suas origens no individualismo britânico e no darwinismo social, imbui o indivíduo da convicção de que a vida está centrada no desenvolvimento das

capacidades criativas do eu para o seu próprio proveito e engrandecimento. Makiguti condenou o resultado deste sistema de valor e orientação de vida — que David Norton descreve como "maximização de benefícios" para o eu — como sendo autodestrutivo para os indivíduos e as sociedades. Segundo ele, este resultado foi um dos legados do sistema educacional japonês. Com referência a este tema, ver David L. Norton, *Personal Destinies: A Philosophy of Ethical Individualism*, Princeton University Press, 1976, pp. 315-18.

8. Makiguti, *Soka Kyoikugaku Taikei*, vol. 1, livro 1, pp. 19-20.

9. Makiguti, *Soka Kyoikugaku Taikei*, vol. 1, livro 1, pp. 28-29.

10. Makiguti, *Soka Kyoikugaku Taikei*, vol. 1, livro 1, pp. 49-51.

11. Makiguti, *Soka Kyoikugaku Taikei*, vol. 1, livro 1, pp. 36-37.

12. Makiguti, *Soka Kyoikugaku Taikei*, vol. 3, livro 4, (Soka Kyoiku Gakkai, Tóquio, 1932), Seikyo Shimbunsha, Tóquio, 1979, pp. 250-252.

13. Tsunessaburo Makiguti, "Soka Kyoikugaku ni Motozuku Kokugoka (Yomi-kata, Tsuzuri-kata) Kyoju no Kenkyu Happyo" (Estudo do ensino [da escrita e leitura] japonesa baseado na pedagogia orientada para a criação de valores), *in Makiguchi Tsunesaburo Zenshu* (As obras completas de Tsunessaburo Makiguti), vol. 5, Tozai Tetsugaku Shoin, Tóquio, 1965, p. 467.

14. Dayle M. Bethel, *Makiguchi the Value Creator*, Weatherhill, Tóquio, 1973, pp. 72-73, 95-96.

15. O prefácio de Makiguti ao volume 1 da obra *Soka Kyoikugaku Taikei*, publicada em 1930, é apresentado como prefácio neste livro.

16. Neste período de sua vida, Makiguti foi encorajado e auxiliado em seus esforços de reformar a educação por amigos e ex-alunos, que estavam convencidos do valor de suas idéias. De seus interesses e preocupações comuns surgiu uma organização informal, denominada Soka Kyoiku Gakkai (Grupo da Educação para a Criação de Valores). Foi com o companheirismo desse grupo que Makiguti procurou integrar e desenvolver melhor suas idéias, além de preparar seus apontamentos para publicação. Veja o Prefácio para maiores detalhes.

17. Ao final do volume 4 da obra *Soka Kyoikugaku Taikei* há uma nota que faz referência a um quinto volume, que se intitularia *Método de orientação da criação de valores*. A nota inclui um índi-

ce completo dos temas; portanto, aparentemente, Makiguti havia terminado seu rascunho. Contudo, o manuscrito desse volume nunca foi encontrado. Acredita-se que, se realmente foi escrito, perdeu-se durante a guerra.

18. Estou convencido de que as propostas de Makiguti relativas à reforma da educação merecem a atenção dos educadores de todo mundo, e que devem ser empreendidos o planejamento e a execução de sua testagem objetiva. Supostamente, as escolas criadas pela Soka Gakkai em Tóquio, Osaka e outras localidades no Japão, do nível básico ao universitário, estão engajadas nesse teste, e aplicação. Todavia, não se sabe até que ponto puderam incluir em suas práticas educativas as idéias e propostas de reforma de Makiguti, o que implicaria no abandono radical das políticas e práticas educacionais vigentes, bem como não se tem notícias do quanto as Escolas Soka tiveram que se adequar à realidade do ensino no Japão. Ainda não foram feitos estudos objetivos sobre as Escolas Soka neste aspecto. Do que estou a par, além dessa experiência ligada às Escolas Soka, a limitada implementação das propostas de Makiguti, que me foi possível levar avante no Centro Universitário Internacional de Osaka, no Japão, representa a única tentativa de teste de suas idéias. Tenho muito interesse em conhecer qualquer outra experiência que tenha sido desenvolvida nesse sentido.

19. Bethel, *Makiguti, o Criador de Valores*, pp. 83-87.

20. Koichi Mori, *Um Estudo Sobre Makiguti Tsunessaburo: O Fundador da Soka Gakkai*, tese de doutorado apresentada na Associação Teológica de Pós-Graduação, Berkeley, Califórnia, 1977.

21. Mori, *Um Estudo Sobre Makiguti*, p. 206.

22. Mori, *Um Estudo Sobre Makiguti*, pp. 200-215.

23. Por outro lado, alguns escritos de Makiguti sugerem que ele não tinha noção do papel das estruturas de poder existentes, na negação da oportunidade de crescimento criativo e de bem-estar aos indivíduos. Ver especificamente sua referência ao "insensível poder de opressão", que é uma crítica à política do governo, e sua opinião de que "a situação sócio-econômica em nosso país se desequilibrou ao extremo, e que é chegada a hora de mudar", pp. 26-32, in *Soka Kyoikugaku Taikei*, vol. 3, livro 4.

Capítulo 1

1. Ooka Tadasuke (1677-1751) atingiu tal fama, no período Edo, por sua engenhosidade na resolução de discórdias, que foi com-

pilado um volume completo com suas decisões judiciais, com o título de *Ooka Meiyo Seidan (Os julgamentos famosos do senhor Ooka)*. Para fundamentação histórica, ver Edwin O. Reischauer e John K. Fairbanks, *East Asia: The Great Tradition*, Houghton Mifflin Company, Boston, 1960, p. 623.

2. Para uma descrição do currículo da língua inglesa nas escolas japonesas nesse período, ver Yoshikichi Omura, *Eigo Kyoiku Shiryo (Material para a história do ensino da língua inglesa no Japão)*, Horei Shuppan, Tóquio, 1980.

3. Emmanuel Kant (1724-1804).

4. As Cinco Relações confucianas eram a lealdade do sacerdote ao senhor, a devoção do filho ao pai, a fidelidade de marido e mulher, o respeito do jovem pelo idoso e a confiança mútua entre amigos. Ver Reischauer e Fairbanks, *East Asia*, p. 28.

5. A fonte desta citação não está indicada.

6. O critério apresentado por Makiguti pode parecer simples bom senso. No entanto, segundo o que defendeu Alfred North Whitehead anos atrás, e está sendo reconhecido por vários educadores, trata-se de um ponto de vista que foi ignorado pelo homem durante três séculos. Para Whitehead, nossas sociedades industriais modernas, cientificamente orientadas, se fundamentam em premissas mal orientadas referentes a local, tempo, espaço e causalidade, e essas premissas foram introduzidas em nossos sistemas educacionais. Robert S. Brumbaugh fez um comentário sobre as opiniões de Whitehead:

> Um exemplo característico analisado por Whitehead é a aceitação da noção técnica de que o espaço funciona apenas como um isolador. No caso de pequenas partículas materiais, presume-se que, considerando duas partículas, uma não exerce influência sobre a outra, exceto quando há algum tipo de contato. Porém, quando generalizamos esta noção para todos os tipos de coisas e de espaços, o resultado não é este. No interesse de um suposto "realismo", podemos tratar cada nação como uma unidade isolada de todas as outras, a não ser nos contatos ao longo das fronteiras. A conseqüência disto é o nacionalismo e o imperialismo irracionais. Aplicamos o modelo aos indivíduos na sociedade, e o resultado é o egoísmo irresponsável. Estendendo-o à cosmologia, o resultado é um materialismo que parece impossibilitar qualquer reconciliação entre realidade e religião.

Ver Robert S. Brumbaugh, *Whitehead, Process Philosophy, and Education*, State University of New York Press, Albany, 1982, pp. 1-6.

7. *Jinsei Chirigaku* (*A geografia da vida humana*), Fuzanbo, Tóquio, 1903, pp. 673-77. A tradução para o inglês deste capítulo da obra anterior de Makiguti foi feita pelos Dr. Stanley Ohnishi e Dr. Hope C. Bliss.

8. Makiguti refere-se à obra de Ward, *Applied Sociology*, Ginn and Co., Nova York, 1906.

9. Essas idéias foram extraídas da obra *Sei no Keishiki (Formas de vida)*, uma tradução japonesa do título original (1920) de Eduard Spranger (1882-1963), e *Ippan Kyoikugaku (Pedagogia geral)*, uma tradução japonesa do título original (1806) de J. F. Herbart (1776-1841). Spranger classificou a motivação humana em seis partes: comportamento econômico, comportamento lógico, comportamento estético, comportamento político, comportamento social, e comportamento moral e religioso. Os seis tipos de interesse de Herbart eram o observacional ou informacional, o deduzível, o estético, o social, o moral e o religioso.

10. Para uma análise mais aprofundada das idéias de Augusto Comte sobre o desenvolvimento do conhecimento humano, ver Kenneth Bock, *Human Nature and History: A Response to Sociobiology*, Columbia University Press, New York, 1980, pp. 106-108, 170-172. Ver também William E. Drake, *Intellectual Foundations of Modern Education*, Charles E. Merril Books, Columbus, Ohio, 1967, pp. 230-231.

11. Kuan-tsu (645 a.C.) foi primeiro-ministro de Estado de Ch'i durante o período de Primavera e Outono da China. Como filósofo legalista, enfatizou as habilidades práticas e econômicas.

Capítulo 2

1. Henri-Louis Bergson (1859-1941), filósofo francês. A fonte exata da qual Makiguti parafraseou é desconhecida.

2. Wilhelm Dilthey (1833-1911).

3. Hermann Heinrich Gossen (1810-58), economista alemão.

4. Este provérbio apareceu pela primeira vez na Antologia confuciana (*Lunyu* 15:23), na definição de *reciprocidade*.

5. Parafraseado de um livro fonte não identificado, *A Filosofia Platônica e a Educação*.

6. Wilhelm Winderband (1848-1915).

7. Cengzi, ou Cengshen (aproximadamente, 505-436 a.C.), um discípulo de Confúcio.

Capítulo 3

1. Parafraseado de uma citação por Honma Toshihara (1873-1943), um assistente social cristão japonês.
2. Makiguti menciona especificamente um artigo, "Nijuseiki No Sekai to Nippon Seinen" (*"O mundo do século XX e a juventude japonesa"*), por Soho Tokutomi, com relação a este ponto de vista.
3. Jean-Jacques Rousseau (1712-78), John Amos Comenius (1592-1670) e Johann Heinrich Pestalozzi (1746-1827).
4. "Nijo fusabutsu, yo fujobutsu." Os dois veículos mencionados são dois níveis de conscientização espiritual: a realização (J. *engaku*, sânscrito *pratyeka*) e a aprendizagem, isto é, ouvir a Palavra de um professor ou Buda (J. *shomon*, sânscrito *shravaka*).
5. Dos *Analetos* de Confúcio.
6. A fonte deste artigo não está indicada.
7. Criado em 1924, o Conselho de Política Educacional e Cultural tinha por objetivo "estar sob a supervisão do primeiro-ministro e responder às suas perguntas, conduzindo investigações e deliberações sobre questões importantes da política educacional e cultural".
8. O "terror do exame" refere-se à experiência de alguns estudantes no Japão, que sofrem pressão emocional excessiva no período em que estão estudando para o exame de admissão para uma escola ou universidade específica.
9. *Hinayana* (sânscrito: pequeno veículo) é um termo depreciativo utilizado por posteriores adeptos do Mahayana (sânscrito: grande veículo), para se referirem às primeiras escolas do Budismo, que se concentravam exclusivamente na salvação individual. O Budismo Mahayana distingue-se, entre outras coisas, pela introdução do conhecido Voto Bodhisattva, que consiste em salvar todos os outros seres sensíveis antes de atingir sua própria iluminação.
10. Os centros de treinamento para jovens, criados em 1926, utilizavam métodos do treinamento militar. Ver *Makiguti Tsunessaburo Zenshu* (*As obras completas de Tsunessaburo Makiguti*), vol. 6, Daisan Bunmeisha, Tóquio, 1983, pp. 185-228.
11. Não está claro como esses centros de estudo acadêmico imaginados por Makiguti deveriam ser organizados e que natureza deveriam ter. Contudo, com respeito ao treinamento de professores, a referência a seguir, incluída em um conjunto de apontamentos dispersos, fornece uma noção do que ele tinha em mente:

Em última instância, a educação deve ser entendida como mais do que simples destreza ou técnica, isto é, como um Caminho (*fazer*) tão profundo e rigoroso quanto qualquer transmissão da tradição japonesa, como o Kendo (o Caminho da Espada) ou o Chado (o Caminho do Chá). Essas disciplinas requerem a prática das técnicas, claro, mas também exigem a compreensão por meio do estudo e do controle pessoal, através de um caráter unificado. Da mesma forma, é razoável que os candidatos à docência trabalhem primeiramente, por alguns anos, como estagiários, em um campo de provas, antes de receberem o certificado, como em qualquer um dos outros Caminhos. Neste caso, o campo de provas seria um centro de ensino intensivo.

12. Kozui Otani, *Nogyo Rikkoku Ron (A estabilidade nacional pela agricultura)*. Foram encontrados outros livros deste autor, mas o volume a que Makiguti se refere não existe atualmente no Japão.

Capítulo 4

1. Takeya Fushimi, "Saikin niokeru Doitsu no Kyoikugaku" ("A pedagogia recente da Alemanha"). Este artigo apareceu no periódico *Teikoku Kyoiku* (Educação Imperial), publicado pela Teikoku Kyoiku Kai (Sociedade Educacional Imperial), em outubro de 1931.

2. Eduard Spranger, *Lebensformen: Geisteswissenschaftliche Psychologie und Ethic der Persönlichekeit*. Verlag Max Niemeyer, Tübingen, Alemanha, 1921. Makiguti refere-se a uma edição japonesa do livro, publicada sob o título *Sei no Keishiki (Formas de vida)*, tradução de Kozaburo Tsuji, 1926. Não existe cópia da tradução disponível no Japão.

3. Émile Durkheim, *Shakai Bungyo Ron* (Divisão de trabalho na sociedade), tradução de Hisatoshi Tanabe, Moriyama Shoten, Tóquio, 1932, pp. 38, 64; publicado originalmente como *De la division du travail social*.

Capítulo 5

1. O jornal é identificado como o *Jornal Diário de Tóquio*, porém não é fornecida a data para a citação.

2. Josei Toda foi o discípulo mais próximo de Makiguti e o segundo presidente da organização fundada por ambos. O nome inicial da organização foi Soka Kyoiku Gakkai (Sociedade de Educação Criadora de Valores). Quando Toda reorganizou a sociedade, após a Segunda Guerra Mundial, o nome foi mudado para Soka Gakkai (Sociedade Criadora de Valores).

3. Nos anos anteriores à guerra, até o final da Segunda Guerra Mundial, a mitologia xintoísta da descendência divina da família imperial japonesa, da deusa-sol Amaterasu-Omikami, era ensinada como um fato real. A autoridade divina da linhagem imperial do imperador mítico Jimmu foi especialmente enfatizada pela liderança militar do país.

4. Ao que se sabe, o livro mencionado nunca foi escrito.

5. Herbert Spencer (1820-1903), filósofo social inglês.

Posfácio: Uma Apreciação Filosófica

1. Blair Kinsman, *Wind Waves*, Dover Publications, Mineola, Nova York, 1984, p. 5.

2. Henry D. Thoreau, "Life Without Principle", in *Reform Papers*, Wendell Glick, Princeton University Press, 1973, pp. 155-79.

3. Aristóteles, *Nichomachean Ethics*, livro 2, 1106a, linhas 15-17.

4. Conselho de Carnegie, *Giving Youth a Better Chance*, Jossey-Bass, San Francisco, 1979, pp. 94-5.

5. Ver Michael W. Sherraden e Donald Eberly, *National Service: Social, Economic, and Military Impacts*, Pergamon Press, Nova York, 1981.

6. Willard Wirtz e National Manpower Institute, *The Boundless Resource: A Prospectus for an Education-Work Policy*, New Republic Books, Washington, D.C., 1975, p. 9.

Índice

Acadêmicos, formulando
    educação, 22, 35, 36, 39-40
Administração educacional
    agência de mediação, 159-62
    agência de planejamento,
        157-59
    avaliação para dirctores,
        129-34
    limitação do poder de, 150-57
Aluno
    e processo de aprendizagem,
        28-29
    felicidade de, 38-40
    interesse de, 225-26
Analogia, 85
Aprendizagem
    má administração de, 224
    processo, 24-25, 41, 189-90
Aristóteles, 226, 229, 230
    paralelos com Makiguti, 224
    sobre a felicidade, 229
    sobre o objetivo da educação,
        225
Atividade humana, 61-63. *Ver
    também* Comportamento

humano, tipos de consciente
    e inconsciente, 51-55, 56, 62
Autoconhecimento, 53-54, 105-106,
    228, 229, 231, 232, 237
Auto-realização, 64, 229, 230
Avaliação, 230. *Ver também*
    cognição e avaliação
    compreensão incorreta de, 224
    definida, 81-82
    e educação, 225
Avaliação e cognição. *Ver*
    cognição e avaliação

Beleza, como um valor, 93-94,
    101-102
Bem. *Ver também* Valor
    como valor, 94, 96-100
    definido, 97
Benefício, como um valor, 93-94
Bergson, 84

Caráter
    desenvolvimento do, 224
    e educação, 225
    e felicidade, 227-28
Cengzi, 105

Centro de Pesquisa Educacional a Nível Nacional, proposta para, 145-50
Centro de pesquisa educacional, proposta para, 145-50
Ciência
 da educação, 25-27
 e objetividade, 84
 e verdade, 78-79
 na criação de valores, 106-108, 109
 procedimento, 18
Cognição, 85-88 *Ver também* Cognição e avaliação
 definição, 81-82
 processos cognitivos, 85-87
Cognição e avaliação, 73-86 *Ver também* Cognição; Avaliação
 e verdade e valor, 73-81
 intuição e raciocínio na, 84-85
Comportamento humano, tipos de
 cooperativo e competitivo, 60-61
 emocional e racional, 55-56
 individualista e social, 41-42, 59-60, 64-65
 intelectual, 56-58
 materialista e espiritual, 59-60
 níveis de conscientização, 62
Comte, Auguste
 sobre o comportamento humano, 56-57
 sobre o conhecimento humano, 128
Consciência, níveis de, e comportamento humano, 56-57
Consciência social, 44. *Ver também* comportamento humano, tipos de;
vida humana, modos de desenvolvimento de, 23
 e educação, 226
Conselho de Carnegie, relatório de 1979, 233
Criação de valores, 12, 23, 24, 230. *Ver também* valor(es)
 e dignidade humana, 72
 e educação, 26, 28, 106-109, 225-26
 e felicidade, 44-45
 e objetivo da vida, 107
 e valores pessoais, 105-107
Criatividade
 e o objetivo da educação, 67
 e valor, 74-75

De Garno, Charles, 191
Dewey, John, 18
Dialética, na educação, 193-94
Diferenciação, 85-86
Diethey, 85
Dignidade humana, e criação de valor, 72
Diretores, escola primária, avaliação para, 129-34
Dualismo, 18
Durkheim, Émile, 91
 e a metodologia educacional, 196-97
 sobre a socialização do indivíduo, 46-47, 50

Educação. *Ver também* Administração da Educação; Má educação; Metodologia da educação; Objetivo da educação;

Reforma educacional a
 importância da, 115-20
 ciência da, 11, 26-27
 definição de, 187-90, 232
 e consciência social, 43, 226
 e o interesse do aluno, 225
 e valor(es), 71-72, 225
 forçada, 25, 30, 39, 224
 moral, 12, 225
 uniformidade e permissividade
  na, 224
*Educação: Intelectual, Moral e
 Física* (Spencer), 215
Educadores. *Ver também*
 Administração educacional;
 Professores
 características ideais de, 118-19
 papel na educação, 28-29
 seleção de, 12, 129-34
Escola de meio período, 12,
 27-28, 174-80, 225, 233
Escolarização, meio período,
 12, 27-28, 174-80, 225, 233
Essência, 86
Estudos do ambiente do lar,
 212, 219-21, 226, 233

Família, papel da educação, 27,
 37, 38
Felicidade, 23
 Aristóteles sobre, 229
 como objetivo da educação,
  18, 35, 38-46, 216, 217, 227
 dos alunos, 38-40
 e aprendizagem, 35
 e riqueza, 42-43
 e saúde, 45
 e virtude, 44-45
 sentido de, 40-42, 224, 227,
  228, 230

Fenomenologia, na metodologia
 educacional, 194, 195
Filósofos, formulando
 educação, 22, 35, 36, 39-40

Geografia da Vida Humana
 (Makiguti), 13, 47-48, 51
Giving Youth a Better Chance,
 233
Governo
 papel na educação, 37-38
 pelo homem, pela lei, 103-105

Herbart, J. F., 50, 195

Individuação, 226
Individualismo, 231
 e metodologia educacional,
  183-87
Industrialização, impacto nas
 instituições sociais, 21-22
Interação social, 64. *Ver
 também*
 Comportamento humano,
  tipos de;
 Vida humana, modos de
Intuição e raciocínio, 84-88
Inukai, Tsuyoshi, 29

Japão, 24, 25, 28, 29, 69-70

Kant, Emmanuel, 39, 40, 41

Lei do prazer decrescente de
 Gossen, 93
"Life Without Principle"
 (Thoreau), 229

Má educação, XVI, 224-25
Makiguti, Tsunessaburo
  biografia, 15-19
  Geografia da Vida Humana,
    13, 16, 47-48, 51
Maslow, Abraham, 227
Matérias de ensino, 207-221
  abrangência da disciplina,
    212-15
  estrutura curricular, 210-12,
    215-21
  estudo do ambiente do lar,
    211, 219-21, 226, 233
  seleção de, 207-10
Meio ambiente
  e formas de vida humana,
    65-66
  e objetivo da educação, 68
Método abrangente
  Ver também Metodologia
  educacional
Metodologia educacional,
    183-206
  as atitudes dos professores e,
    197-201
  estudos sobre a
    fundamentação, 190-97
  erros na, 190-91
  individualismo *versus*
    universalismo, 183-87
  métodos comuns e especiais,
    201-206
  questões principais, 183-90
  um plano abrangente, 203-206
Mori, Koichi, 32-33

Nobel, Alfred, 42

Objetivo da educação, XVI,
  22-23, 35-70, 226
  abordagem ambiental no, 69
  abordagem holística, 69
  a felicidade como, 18, 35,
    38-45, 216, 227
  e a família, 27, 37, 38
  e criatividade
    evolução do, 67-70
  formulação, 36-38
  na socialização do indivíduo,
    43-44, 45-50, 226
  papel da sociedade no, 27,
    37-38, 45-49
  papel dos acadêmicos e
    filósofos no, 22, 35, 36,
    38-40
  sociologia como orientadora
    para, 49
*Orientação Dedutiva para a
  Aritmética, Uma* (Toda),
  210
Otani, Kosui, 181
Otimismo, 67

Pais, papel na educação, 27, 37,
  38
Pessimismo, 67
Platão, 224, 226, 229
  A República, 229
Positivismo, 25
Professores
  atitudes de, 197-201
  compensação de, 134-36
  educação de, 18-19, 24-25,
    136-144
  e o processo de aprendizagem,
    189-90
  e sociologia, 49
  papel de, 107-109, 122-25, 225
  qualificações de, 125-29
Programas educacionais

vocacionais, 180-81
Propósito da vida, e criação de valores, 106-107
Protágoras, 80

Raciocínio e intuição, 84, 88
Reforma. *Ver* Reforma educacional
Reforma do sistema de ensino *Ver* Reforma educacional
Reforma educacional, 11-12, 17, 111-81
  argumentação para, 111-15
  Centro de Pesquisa Educacional ao Nível Nacional, 145-50
  dos sistemas de ensino, 120-22, 162-81
  em uma sociedade industrializada, 21
  escola de meio período, 12, 27-28, 174-80, 233
  estudos do ambiente do lar, 211-12, 219-21, 226, 233
  falhas da, 166-71
  na administração, 129-34, 150-62
  objetivos e diretrizes, 171-74
  os educadores e, 119-20, 134-44
  programas vocacionais, 180-81
  questões políticas, 120
  Reformas do Ministério da Educação Japonês, 162-66
Regra de Ouro, A, 97
Regra de Ouro, Reversa, 97, 100
Relações humanas, 46-49
Relação sujeito-objeto, 90-91
República, A (Platão), 229

Riqueza, e felicidade, 42-44
Rugg, Harold, 17

Sakyamuni, 125
  sobre a lei, 103
Sociedade dos Críticos Educacionais, 165
Sociedade Educacional de Criação de Valores, 162
Sociedade, papel na educação, 27, 37-38, 45-49
Sociologia (Ward), 49
Sociologia, como uma orientação para a educação, 49
Sócrates, 226
  e autoconhecimento, 53, 105
  e valor moral, 100
  paralelos com Makiguti, 223
Soka Gakkai, 223
Soka Kyoiku Gakkai, 162
Spencer, Herbert, 215
Spranger, Eduard, 50
  sobre a metodologia da educação, 194
Suirishiki Shido Sanjutsu (Toda), 210

Takagi, Itamu, 29
Tanabe, Hisatoshi, 49
Tempo, e modos de vida humanos, 66-67
Thoreau, Henry, 229
Toda, Josei, *Uma Orientação Dedutiva para a Aritmética*, 210
Tokyo Asahi Shimbun (Jornal), 165-66
Trabalho, divisões de, 61-62
Tsuwara, Magoichi, 29

Universalismo, e metodologia educacional, 186

Valor(es), 71-109. *Ver também* Criação de valores
como base para a felicidade, 36
conceito de, 89-9ſ
da relação, 90-91
e criatividade, 75
e educação, 72-73
e governo, 103-105
e verdade, 73-81
econômico, 95-96
elementos constituintes do, 91-93
estético, 101-102
má interpretação de, 224
moral, 96-100
pessoal, 105-106
religioso, 102
uma hierarquia de, 93-95
variedades de, 230
Verdade e valor, 73-81
Vida humana, modos de classificação de, 50-66
e divisões de trabalho, 61-64
em relação ao meio ambiente, 65-66
em relação ao tempo, 66-67
no desenvolvimento humano, 51-54
Vida, orientação para, 66-67

Ward, Lester, *Sociologia*, 49
Winderband, 102
Wirtz, Willard, 234

Seja um Leitor Preferencial Record
e receba informações sobre nossos lançamentos.
Escreva para
RP Record
Caixa Postal 23.052
Rio de Janeiro, RJ – CEP 20922-970
dando seu nome e endereço
e tenha acesso a nossas ofertas especiais.

Válido somente no Brasil.

Ou visite a nossa *home page*:
http://www.record.com.br

Impresso no Brasil pelo
Sistema Cameron da Divisão Gráfica da
DISTRIBUIDORA RECORD DE SERVIÇOS DE IMPRENSA S.A.
Rua Argentina 171 – Rio de Janeiro, RJ – 20921-380 – Tel.: 2585-2000